D1233246

Роман
Сенчин

Роман Сенчин

Дождь в Париже

Роман

РЕДАКЦИЯ
ЕЛЕНЫ ШУБИНОЙ

Издательство
АСТ
Москва

УДК 821.161.1-31
ББК 84(2Рос=Рус)6-44
С31

Оформление переплета – *Владимир Мачинский*

Сенчин, Роман Валерьевич.

С31   Дождь в Париже : роман / Роман Сенчин. — Москва : Издательство АСТ : Редакция Елены Шубиной, 2018. — 416 с. — (Новая русская классика).

ISBN 978-5-17-107608-5

Роман Сенчин — прозаик, автор романов «Елтышевы», «Зона затопления», сборников короткой прозы и публицистики. Лауреат премий «Большая книга», «Ясная Поляна», финалист «Русского Букера» и «Национального бестселлера».

Главный герой нового романа «Дождь в Париже» Андрей Топкин, оказавшись в Париже, городе, который, как ему кажется, может вырвать его из полосы неудач и личных потрясений, почти не выходит из отеля и предается рефлексии, прокручивая в памяти свою жизнь. Юность в девяностые, первая любовь и вообще — всё впервые — в столице Тувы, Кызыле. Его родители и друзья уже покинули город, но здесь его дом, он не хочет уезжать — сначала по инерции, а потом от странного ощущения: он должен жить здесь... А в Париже идет дождь.

УДК 821.161.1-31
ББК 84(2Рос=Рус)6-44

ISBN 978-5-17-107608-5

— Мёсьё, мёсьё! Та-ра-ра-ра... — не будящая, а баюкающая нежноголосая тарабарщина, и тут же родное:

— Э, вставай, приехали!

Тычок в плечо.

Топкин с великим трудом открыл глаза, сквозь боль в них и вокруг — в висках, затылке — огляделся, соображая, где он, что с ним, зачем его тормошат.

— Счас ведь полицию вызовут. Тебе это надо?

Над ним усмехающееся широкое лицо тетки лет под шестьдесят. Рядом узкое, молодое, встревоженное — стюардессы.

А, да, самолет... Уже долетели...

— Все нормально, спасибо, — хрипнул Топкин через налипшую в горле слизь от выпитого виски.

Много выпил и почти не закусывал — шоколадка, пластинки сыра... Давно так не позволял себе, а тут сорвался... Действительно сорвался — взял и полетел в Париж.

«Взял и полетел...» Да нет, долго готовился, копил деньги, решался. А мечтал — так, наверно, всю жизнь.

Одно из первых воспоминаний: он с родителями гуляет в городском парке. Папа, в красивой

5

форме с золотыми погонами, катит перед собой коляску, в которой его, Топкина, сестра Таня. Рядом с папой — мама. Темно-синее узкое платье, туфельки постукивают по асфальту... Топкин, которому года три-четыре, отбегает вперед и любуется на родителей, высокую коляску. Он не понимает, что любуется, — ему просто хорошо.

Начало лета или конец весны. Нежно-зеленые, молодые листья тополей. И в воздухе плавает тоже нежная, какая-то юная песня.

«О-о-о шанз-элизе, о-о-о шанз-элизе-е...»

Топкин — тогда просто Андрюша — еще не знает про громкоговорители, развешанные в парке на столбах, — он уверен, что сама природа рождает ее, эту чудесную мелодию, непонятные, но красивые слова.

«Мама, а про что эта песня?»

«Она о самом красивом городе в мире», — говорит мама и смотрит куда-то вверх, словно пытаясь увидеть миражи этого города.

«А как он называется?»

«Париж, сынок. Он называется Париж».

Андрюша тихонько повторяет новое сложное слово: «Паризь... Паризь...» И когда оно уже готово врасти в сознание, в ту ячейку мозга, которая предназначена для понятия «лучший город мира», вспыхивает недоумение, такое сильное, какое бывает только у детей, начавших узнавать мир: «А наш Кызый — не самый лучший?»

Папа улыбается, но как-то странно, половиной лица: одна половина улыбается, а другая будто кривится.

«Лучший, — отвечает он за маму, — но по-другому... Пойдемте дальше, к каруселям».

Андрюшу сажают в красную ракету, и он летит. То поднимается высоко-высоко, почти к вершинам тополей, то опускается к земле... Он первый раз на этой карусели. До этого родители разрешали кататься на лошадках, которые кружатся медленно, мягко покачиваясь. А тут — ракета. Почти настоящая. Когда она поднимается, Андрюша перестает дышать, вжимается в пахучее, размякшее от жары кожаное сиденье. Ему кажется, что он навсегда покинул родителей, больше не вернется к ним, не ступит на траву...

Десяток секунд в вышине разрастались до целого путешествия сквозь Вселенную, пушистые ветки тополей становились планетами, редкие облака — опасными туманностями, небо — бездной, далекие горы Саяны — границей этой Вселенной, и, когда ракета снижалась, Андрюша даже не с радостью, а с удивлением видел маму и папу, коляску. Родители махали ему, а он только растягивал губы, боясь оторвать руки от стальной скобы-поручня...

Потом Андрюша Топкин первый раз в жизни ел сахарную вату, весь перемазался, и мама долго оттирала его возле фонтана на центральной площади парка. Потом катались на лодке по протоке Енисея, оставив коляску на пристани, и папа так сильно греб, что лодка мчалась, как катер; мама крепко прижимала к себе годовалую Таню. Потом сидели в летнем ресторане и ели шашлык... И хотя, конечно, из громкоговорителей лились другие песни, но в душе Топкина всё это хорошее, чудесное, первое настоящее, стройное воспоминание осталось окрашенным той песней — «О-о-о шанз-элизе-е...»

И вот спустя почти сорок лет он вот-вот увидит этот лучший город в мире, лучшую улицу в лучшем городе — Шанз-Элизе, Елисейские Поля.

***

Шел по длинному рукаву, проложенному из самолета в аэропорт, нес на плече легкую сумку. Хотелось воды, курить, хотелось чего-нибудь такого, что вынет боль из головы, из-под глаз, вольет бодрость и силу... Зря переборщил. Но что еще оставалось, проделывая длинный путь сюда? Длинный не по расстоянию даже, а по затраченным усилиям, сгоревшим эмоциям...

Этот Новый год — год, который уже кончается, — встречал один. Впервые в жизни. Тридцать первого декабря спал до обеда, заставлял себя лежать в постели с закрытыми глазами... В голову лезли и лезли воспоминания, и в основном горькие: о потерянном, о сделанном неправильно, о поражениях, которые осознаешь лишь спустя время, когда ничего нельзя вернуть, переделать, — они долго казались победами...

Топкин всячески — и так и сяк — гнал их, эти похоронные воспоминания, вытягивал из прошлого светлое, теплое. Такого было тоже немало, но, оказавшись рядом с горьким, светлое становилось не светлым и теплым. Будто маралось и остывало... Топкин физически чувствовал, как клетки мозга, по-разному окрашенные, боролись друг с другом. Черные побеждали. Приходилось бросать в бой резервы — откуда-то из груди порции светлого. На несколько минут они вытесняли черноту, расширяя яркое живое пространство, но очень быстро черные вновь становились сильнее, заливали светлые клетки своей горькой волной.

Истомившись, Топкин распахнул глаза, уставился в потолок. Вместо воспоминаний стал строить планы на будущий год. Что бы такое сделать, что запомнится незамутняемо светлым, как некоторые воспоминания детства... Что бы такое придумать?..

В прошлом августе ему исполнилось сорок лет. Он решил отметить круглую дату, хотя знал, что сорокалетие справлять не стоит: плохая примета.

«А, фигня, — помнится, отмахнулся, — до полтинника, может, не доживу. А доживу — вряд ли захочется отмечать с музоном, плясками».

Забронировал стол в клубе «Горыныч» на тридцать мест, принялся обзванивать оставшихся в городе одноклассников, друзей юности, тех немногих, с кем близко, по-человечески сошелся позже — на тех работах, которые перепробовал к своему сорокету. Были еще девушки, женщины, много девушек и женщин, девушек, превратившихся в женщин и даже тётенек, но их приглашать не стал: жена наверняка бы не поняла.

Да, в том августе у него еще была жена — Алинка. Но жена — это... Когда-то Топкина поразило предельно циничное, мерзкое, как он решил тогда, в семнадцать лет: «Жены — дело наживное. Жены не переведутся». Он, влюбленный в одноклассницу и видящий женой только ее, перестал общаться с тем, кто сказанул такое. Но потом, по мере движения по жизни, понял, что слова эти справедливы. И у него до Алинки были две жены. Были свадьбы, обмен кольцами, марш Мендельсона, штампы в паспорте... А сколько между ними было тех, что могли бы стать женами, — десятки...

Теперь Алинка далеко, она теперь почти не жена — сообщила, что подает на развод. Пускай. Но то, что и сын тоже не рядом — тоже, считай, потерян, — давит как камень. Только фамилия и отчество указывают, что Андрей Топкин — отец Даниила Андреевича Топкина, ныне шестилетнего жителя города Боброва Воронежской области. Чтобы его увидеть, нужно добираться черт знает сколько времени с кучей пересадок. Дольше, чем до Парижа.

В сентябре прошлого года Алинка с Даней уехали. Год назад. С тех пор Топкин сына не видел...

И вот не верь в приметы... Тревожность появилась, еще когда обзванивал тех, кого хотел увидеть на днюхе. Многие были не в городе — сезон отпусков, некоторые, оказалось, переехали за то время, пока не встречались. Один из одноклассников умер, и Топкина задело, что ему не сообщили, не позвали попрощаться, помочь похоронить. Город-то на самом деле небольшой — еле-еле за сто тысяч жителей перевалило. А русских при этом осталось от силы... Мало, в общем, осталось, много меньше, чем было в восьмидесятые. И живут эти остатки разрозненно, каждая семейка — отдельно. Как прячутся...

Набралось гостей человек пятнадцать, и Топкину пришлось звонить в «Горыныч», просить, чтобы стол сократили: «Человек на семнадцать сделайте. Салаты, вино, водку, горячее...»

Вторая проблема возникла перед самым празднованием — к Топкину подошли охранники клуба: «Вы же знаете наш принцип — тувинцев мы видеть не рады. У них свои места».

Действительно, по негласному, но строгому закону клуб считался русским. Здесь были русские хозяева, русская охрана, русская кухня, русские официантки. В определенные дни происходил легкий — топлес на несколько секунд — стриптиз. А главное, атмосфера была для этих мест особая. Нельзя сказать, что вот прямо какая-то русская, но и не такая, что царила в остальных клубах, ресторанах, кабаках города вроде «Хаан-клуба», «Баян-гола», «Юрты», «Чодуры»...

«Горыныч» располагался в бывшем ангаре-складе бывшего пивзавода. Пиво никогда на заводе не делали, зато выпускали очень вкусную газировку «Буратино» и «Дюшес». Теперь же само здание завода стояло заброшенным, с выбитыми стеклами, обрушившимися перекрытиями, а в ангаре плясала, отмечала праздники, ела и пила сохранившаяся в городе русская молодежь и те, кто хотел оставаться молодежью.

Топкин уговаривал пропустить своих гостей-тувинцев, сделать исключение.

«Они русские тувинцы», — заверял.

«Все они здесь русскими были тридцать лет назад, — усмехнулся пожилой уже охранник. — И что теперь...»

Тут появился Игорь Валеев — с ним Топкин учился в одной школе, на два класса младше, — ныне подполковник ФСБ, тоже приглашенный на день рождения. Топкин пересказал ему суть дела, и Игорю, которого охранники знали, много времени и слов не понадобилось — хотя видно было, что это не доставляет ему удовольствия, — чтобы их убедить.

«А потом сами будете возмущаться, что последнее место толобайцы заполонили».

Застолье началось вроде бы радостно, хорошо, но постепенно тосты и разговоры становились всё более серьезными, а потом и явно грустными. Мало кто из сидевших за праздничным столом видел свое будущее здесь определенным и прочным, большинство, хоть и занимали немалые посты, имели денежную работу, считали время до пенсии — а пенсионный возраст в республике, приравненной к районам Крайнего Севера, наступал для женщин в пятьдесят, а для мужчин в пятьдесят пять лет — или ждали выслугу лет, как Игорь Валеев, чтобы уехать кто в Красноярский край, кто в Новосибирск, кто на Кубань. Готовили там себе почву — строили дома, покупали квартиры. Топкин же, по словам жены, «не шевелился», хотя почва была подготовлена: ее родители в Воронежской области.

Они переселились туда два года назад, и с тех пор Алина заводила разговоры о переезде.

«Что нас ждет здесь? Никаких перспектив. Благо бы ты какой-нибудь шишкой был, а то — мастер по установке стеклопакетов. До старости ведь не будешь их ставить».

Топкин поначалу обещал подумать, отговаривался тем, что не может тоже вот так взять и продать квартиру — «я за нее с первой женой не рассчитался», — рвануть неизвестно куда.

«Да почему — неизвестно?! — всплескивала руками Алинка. — У родителей дом прекрасный, а если не хочешь с ними, отдельный купим».

«И что я буду там делать, в этом Боброве? Я посмотрел в инете — двадцать тысяч населения, маслобойный заводик. Маслобоем идти работать?»

«У родителей ферма. У них можно...»

«Я не крестьянин», — усмехался Топкин.

На время Алинка вроде забывала о переезде, а потом возобновляла уговоры с новой силой:

«Не хочешь в Бобров, давай в Воронеж. Здесь сейчас программа помощи молодым тувинским семьям — нашу двушку хорошо возьмут. Цены почти московские, я слышала. И ту часть за нее твоей бывшей отдадим... Купим там такую же. Или три комнаты — родители обещали помочь».

«Я подумаю, Алин».

Топкин упирался. Без крика, но твердо. Он и сам не мог объяснить себе, почему не соглашается. Ведь логически — переезд нужен. Ради сына, по крайней мере. Ему в школу вот-вот, а хорошие учителя почти все сбежали, оставшиеся подвижники стареют, из-за Саян теперь сюда никого и миллионами не заманишь... Да и вообще, сколько можно жить словно в осаде. По вечерам идешь по улице и ожидаешь от каждого встречного или нагоняющего удара ножом, шилом, заточкой или просто кулаком. Запираешь дверь в квартиру, куда-нибудь уходя, и не веришь, что, когда вернешься, она, даже стальная, будет цела, квартира не обчищена до последнего половика. Подходишь к продавщице и гадаешь — продаст ли она тебе кусок колбасы или сыра или демонстративно сделает вид, что не понимает по-русски, а то и спиной повернется...

И ведь Кызыл — даже не родина его, Андрея Топкина. Родился он недалеко от Благовещенска, где служил тогда папа, но с Кызылом связаны первые ощущения себя как части огромного мира, здесь случилась первая любовь, здесь оставались друзья, пусть и немного их, но все-таки. А те, что уезжают, будто исчезают, гибнут где-то в огромной стране.

И еще не мог Топкин согласиться уехать потому, что когда-то давно, в девяносто третьем, когда его собственные родители и сестра решили уезжать, он остался.

Запомнился, виделся ярко, детально момент: документы на продажу квартиры оформлены, контейнер с вещами отправлен и папа, глядя на Андрея серьезно, чуть ли не с угрозой, спрашивает:

«Не пожалеешь?»

«Не пожалею», — даже не стараясь изобразить сомнение, отвечает Топкин, тогдашний девятнадцатилетний Андрей.

Да, тогда он был тверд, тогда он был счастливым молодоженом; его родители и родители Ольги, его первой жены, совместно купили им вот эту двухкомнатку в относительно новой пятиэтажке в неплохом районе; Андрей учился в пединституте, но тесть, золотые руки на эстэо, устроил ему денежную подработку — оформление повреждений автомобилей. На аварии Топкин не ездил, а в свободное время перепечатывал сначала на машинке, а потом на появившемся компьютере набросанные от руки описания вмятин, разбитых фар, сломанных бамперов.

Родители уехали — уехали далеко, на другой край распавшегося Союза, который очень быстро стал по-настоящему другой страной. Эстония... И папа, и мама были родом оттуда, из русских семей, живущих там с восемнадцатого века. Поэтому гражданство им хоть и с натугой, но предоставили. По праву происхождения.

Поселились на русском пятачке — на берегу Чудского озера, в деревне Рае, рядом с городом Муствеэ, который чаще называли Черноводьем. Поначалу по телефону и в письмах — тогда еще принято было писать письма на бумаге — жаловались, даже вроде раскаивались, потом же стали восторгаться, звать к себе, затем снова жаловались, но уже с некоторой ноткой ностальгии, а теперь разговаривают по телефону и в скайпе ровно, спокойно, как-то даже не совсем по-русски... Топкин за эти двадцать лет побывал у них четыре раза. Скучал, позевывал, глядел на чужеватую жизнь наморщившись. Снова ехать туда не тянуло.

Почему скучал и морщился — не мог себе объяснить. И не пытался. По природе не твердый, не упорный, он когда-то решил, что его родина — вот здесь, в небольшом городе, окруженном горами, что его река — Енисей, его деревья — толстые кривые тополя, его лето — испепеляющее жаром, а зима — выжигающая морозом... Решил тихо, в душе, и не мог представить, что станет иначе...

А Алинка могла. И после долгой борьбы с Андреем, двух пробных поездок в этот неведомый Бобров в конце концов уехала туда навсегда. Вместе с сыном. Случилось это через месяц после застолья в «Горыныче».

Андрей звонил, уговаривал вернуться, верил, что вернется, но Алинка не вернулась. Наоборот, поставила ультиматум: или он продает квартиру и мчится к ним, или она подает на развод.

Удивительно, но его не испугали такие слова, не возмутили, не заставили что-то предпринять. Он как-то успокоился. Понял, что, если даже согласится и сделает всё, как она требует, прежней их жизни вместе не будет. Не будет больше счастливых минут, разговоров душевных, открытых улыбок, той дружбы, что делает семью настоящей. Горько-гнилой осадок этого ультиматума ничем не вымыть. К тому же он не чувствовал страха, что может больше никогда не увидеть Даню. Сына. Это было странно, и он ругал себя, испытывал к себе гадливость, но страх не появлялся.

В те месяцы, что его не было рядом, Топкин тосковал, скучал, то и дело брал и крутил в руках оставшиеся игрушки, вспоминал те смешные слова, которые говорил сын совсем маленьким и совсем недавно. «Пукишь» вместо «купишь», «смеись» вместо «смейся», «башкы» вместо «башка». Хотя «башкы» — это не смешное, по-тувински это «учитель». Учителей все чаще называют башкы...

Да, Топкин тосковал, ждал возвращения Дани, представлял, как схватит его на руки, подкинет, а тут, услышав от Алинки «подаю на развод», вдруг не испугался. Сына этот развод может отгородить от него стеной... новый папа появится... А он, наоборот, внутренне успокоился. Может быть, потому, что не мог осознать, представить, что сын больше не будет бегать по этой квартире, качаться на качелях во дворе этого дома?..

«Я подумаю», — сказал жене.

«Блин, ты четыре года говоришь "подумаю"! — противным голосом закричала она. — Еще когда родители тут были. Хватит!..»

«Слушай, — как ему показалось, вразумляюще заговорил Топкин, — мы познакомились с тобой здесь, в Кызыле. Здесь полюбили друг друга, в загсе на улице Кочетова поженились. Здесь родился наш сын. Родился здоровым, крепким пацаном. И с какой стати мы должны куда-то сваливать?»

Алинка выслушала не перебивая, а когда он замолчал, закричала так же противно, по-бабьи:

«Там нет жизни! Ждать, пока нас зарежут?!»

«Кого из твоих знакомых зарезали?»

«Я не хочу сейчас вспоминать все те ужасы! Вот здесь мне хорошо. Здесь русская земля...»

«И здесь русская».

«А?.. — Изумление Алинки пересилило злобу или что там, что заставляет кричать. — Какая она русская?»

«Кызыл русские построили. И назвали Белоцарск. Ты сама мне про это все уши...»

«О господи! Вспомнил!.. Мало ли где русские строили. Грозный тоже русские строили, и где теперь? Ты еще про Русскую Америку поплачь...»

«Так можно всё отдать. И Воронеж с вашим Бобровом. Там уже рядом, читал, хозяйничают... из Грозного... Так, — сделал голос теплым, улыбчивым, — возвращайтесь, в общем, Алин. Поживем и решим тогда...»

«Я не вернусь», — сухое, какое-то металлическое в ответ.

Когда происходил разрыв с первой женой, с Ольгой, Андрей сходил с ума от страха и горя. Умолял не уходить, клялся исправиться, сделать всё, чтобы ей хорошо было. Не помогло — ушла, оставила. И с тех пор он расставался с женщинами не то что легко (нет, с некоторыми и легко), а без того страха и горя, ощущения пропасти под ногами. Словно всё истратил на Ольгу.

И теперь, услышав это «я не вернусь», он ровным голосом отозвался:

«Что ж, как знаешь. Ты свободна в своем выборе».

«Правда? — Горячечный хохоток и обещающее: Хорошо-о...»

Этот, произошедший под самый Новый год разговор был особенно бурным — и Алина, и Андрей повторяли в нем то, что уже много раз говорили, — но стал каким-то итоговым. Их семья откровенно разваливалась, гибла...

Топкин не побежал за водкой, не занялся вызваниванием кого-нибудь из знакомых девушек, чтоб утешили, развлекли, а, отработав последнюю смену, накупив продуктов, заперся в квартире. Друзья спрашивали по телефону, как собирается встречать две тысячи четырнадцатый. Он отвечал:

«Да дома решил. Отдохну».

Лежал на широкой тахте, смотрел сначала репортажи из митингующего Киева, потом развлекаловку по «ТНТ» и «СТС», а когда надоело — один за другим любимые фильмы в интернете. Глаза смотрели, а мозг искал, как жить дальше. И во время «На грани безумия» с Харрисоном Фордом и красивыми видами Парижа возникла идея съездить в Париж. Тур на неделю или дней на пять. Да, на пять... А что? Не так уж это и дорого.

Спустя десять месяцев эта идея осуществилась.

* * *

Занятый мыслями, Топкин потерял ручеек пассажиров со своего самолета. Заметался, запаниковал, но почти сразу увидел вывеску со стрелкой и словом *“Sortie”*.

— Выход, — шепотом перевел и зашагал, куда указывала стрелка.

Оказался перед матовой дверью, которая разъехалась в стороны, и он попал в толпу встречающих. У многих в руках были картонки, бумажки... Взгляд зацепился за название его турфирмы и его рейса. Картонку держала симпатичная тонкая девушка.

Топкин отвернулся, быстро разжевал подушечку «Эклипса», чтоб сбить перегар, и тогда уж подошел:

— Вы не меня случайно ждете?

— Может быть. — Лицо ее стало серьезным. — Как ваша фамилия?

— Топкин, Андрей. От слова «топь», наверное. Но точная этимология не установлена.

Девушка оторвалась от списка, глянула на Топкина с интересом.

— А вы француженка? — спросил он — ему хотелось болтать, шутить, поднять себе настроение.

— Нет, русская.

— Да? А в голосе что-то французское...

— С девяти лет живу здесь. Родители привезли. Теперь работаю с туристами из России. — Девушка нашла его фамилию. — Да, вы мой. Первый. Вы без багажа?

— Конечно. Зачем в Париж со своим шмотьем? Блок сигарет да билет в обратную сторону. На самолет с серебристым крылом, — пропел Топкин, — что, взлетая, оставляет земле лишь тень.

— Придется подождать.

— Что?

— Придется подождать, пока остальные багаж получат.

— А, да... А можно на улице? — Курить Топкину хотелось больше, чем болтать и любоваться милым личиком. Тем более что оно оставалось серьезным.

— Хорошо. Но только далеко не отходите.

Топкин остановился у ближайшей урны с желобком для окурков, достал сигареты. Таксисты, совсем как в Абакане, Москве, перегораживая путь, призывали выходящих садиться в их машины. У согласившихся ехать подхватывали сумки и чемоданы, несли их в дождливую, подсвеченную огоньками полутьму...

Да, уже стемнело, и пока то да сё, пока доедут — будет совсем ночь. И не погуляешь. Дождь к тому же. Надо было зонтик взять — у него дома остался хороший, складной.

Вспомнился фильм «Укол зонтиком». Точнее, попытки десятилетнего Топкина пробраться на этот фильм в кинотеатр «Пионер». Казалось, весь город побывал, родители вернулись с сеанса веселые, пацаны во дворе рассказывали, что ржали всю дорогу, что даже секс был, а Андрея не пускали. Посмотрел через несколько лет, но без удовольствия: давнишняя обида мешала смеяться...

Отвернулся к бетонной колонне, вынул из сумки плоскую бутылку с остатками виски — оставалась еще одна, полная, — и допил. Вместо закуски глубоко, до дна легких, затянулся.

И накатило другое воспоминание — как везли брагу на дачу Боба, Пашки Бобровского.

Год восемьдесят восьмой, наверное, а может, и раньше. Лет по пятнадцать им было... Как-то в субботу, после школы, отпросились у родителей с ночевкой на дачу. Пацаны и девчонки из класса и Боб вдобавок, на год их старше. Топкин и Боб жили в соседних домах и, можно сказать, дружили.

К поездке с ночевкой готовились долго. Поставили две трехлитровые банки браги на смеси разного варенья и тертой ягоды — что кому удалось стащить из родительских запасов. Банки хранились у светловолосого Димки Попова, которому без фантазий дали когда-то прозвище Белый. Димка всерьез занимался фотографией, темнушка в его квартире была оборудована под фотолабораторию.

«Если запалят, скажу, что проявитель-закрепитель закис», — придумал Белый детскую по существу, но тогда казавшуюся надежной отмазку.

Когда родителей не было дома, а то и по ночам, Белый открывал банки, выпускал газ; чтобы аромат браги не расплывался по комнатам, прыскал в своей темнушке одеколоном.

«Дима, что так одеколоном пахнет?» — забеспокоилась мама.

«Да вот прижигаю». — Белый потыкал в свой прыщавый лоб.

«Может, дрожжей попьешь? Они хорошо помогают».

Когда он это пересказал, пацаны долго ржали:

«Скоро обопьемся дрожжей!»

Наступила суббота, бражка доспела, и главным стало вынести ее из квартиры.

После уроков сбегали по домам, сменили школьную форму на уличные свитера и ветровки, завалили к Белому специально гурьбой, с рюкзаками, устроили толчею в прихожей. Темнушка была тут же: сразу направо от входной двери узкий пенальчик.

«Пап, я пару журналов возьму? — крикнул Белый. — На растопку».

«Возьми», — из глубины квартиры.

Белый с Бобом втиснулись в пенальчик, поставили банки в рюкзак, между ними — «Советский воин». Вынесли отяжелевший рюкзак, прикрывая спинами... Мама Белого, провожавшая сыночка, не заметила этого маневра или не захотела заметить.

«Счастливо, ребята, — говорила, — ведите себя хорошо. Завтра к вечеру ждем. Не доводите, чтоб мы подняли тревогу».

«Конечно, конечно, — послушные кивки, — тёть Люд».

Во дворе ждали девчонки. Юлька Солдатова, Марина Лузгина, Ленка Старостина, Оля Ковецкая. Никто ничья не подруга — дружили пацаны с девчонками даже в последних классах в открытую редко, это считалось как-то западло, но обоюдные симпатии чувствовались. И Топкин уже тогда, лет в пятнадцать, знал, что Оля будет его, его навсегда...

Шли через родной, но опасный район — вполне в это время могли нарваться на старшаков, а те всегда чуяли, зачем и с чем передвигаются такие вот компании. Начнут трясти на бухло, на бабки.

Обогнули школу номер пятнадцать, в которой все учились, — трехэтажное здание с гордо вздернутым козырьком над входом, пристройкой-спортзалом сзади. За спортзалом курили на переменах, махались — дрались один на один, доказывая друг другу и окружающим, кто сильнее и, следовательно, главнее.

Через узкую дорожку из выщербленного асфальта был детский сад. В него ходили и Белый, и Юлька, и Марина, и Оля, и он, Топкин. С Олей они были, правда, в разных группах, почти не помнили друг друга. И хорошо. Помнить свою девушку или своего парня горшочником не очень-то симпатично...

В первых классах Топкин с Белым после уроков пробирались на территорию садика, качались на качелях — в их дворе качели вечно были сломаны, —

сидели под грибочком, рассказывая друг другу всякие небылицы, совсем как носовские фантазеры. Знали друг друга с раннего детства, виделись почти каждый день, но, рассказывая, в тот момент верили, что, например, Белый с папой летали в Индию по папиным разведческим делам и на них напали дикие люди в джунглях, или Топкин на берегу Енисея в зарослях тальника нашел чемодан с деньгами — целые пачки красных десятирублевок, но пришли старшаки и отобрали...

Их гонял сторож. Гонял страшно и громко, и, увидев его, вперевалку, медленно и тяжело, как бегемот, бегущего, Белый и Топкин срывались с места, подхватывали ранцы и рвали к калитке. Вслед сторож сипел:

«Еще раз увижу — ноги выдерну!»

Однажды за них заступилась то ли воспитательница, то ли родительница:

«Как вы смеете им такое говорить! Они ведь дети совсем!»

«Не положено посторонним».

«Какие они посторонние?! Ребята скучают по садику, по детству своему. Приходят под защиту, а вы их — метлой».

«Аха, а курить начнут, портвейн глушить... У меня тут такие каждую ночь... Тоже детству вспоминают».

Кстати, вскоре после этого боя женщины со сторожем они первый раз попробовали курить. Белый принес в школу две сигареты с маленькими красными буковками возле оранжевого фильтра, складывающимися в слово «Столичные».

Покурить решили не в садике, конечно, не за спортзалом, где вполне мог поймать высокий, с несколькими завитушками на лысеющей голове физрук по кличке Одуван. Нашли место между пульманами.

Вот они, рядом с детсадовским забором, — металлические, покрытые темно-зеленой краской огромные сооружения, похожие на вагоны, которые у них называли «пульманы». Подобные возят тяжелые тягачи. И эти наверняка привезли из-за Саянских гор в шестидесятые годы, отцепили и оставили. Их довольно много во дворах в центральной части Кызыла. Покоятся меж домов, обросшие тополями и шиповником; в них что-то хранится: на дверях — большие навесные замки, сгнившие деревянные лесенки кто-то меняет на новые, кто-то раз в десятилетие закрашивает густой краской заржавевшие стыки склёпанных железных листов.

Представлялось, что это жилища первых поселенцев их кварталов. Поселенцы построили пятиэтажки, переехали туда, а пульманы, заварив в них окошечки, замкнув двери, оставили на всякий случай...

Осторожно, боязливо закурили. Втянув дым, Андрей задохнулся, стал давиться кашлем, хотел уже выбросить сигарету, но Белый, тоже задыхаясь, прошипел:

«Погоди... это всегда так... Счас классно будет».

Следующие затяжки пошли легче, и тут пульманы, деревья, земля закрутились вокруг Андрея. Он стоял на крохотном неподвижном островке, пытаясь уследить за кружением. Сигарета упала и тоже закрутилась...

«Бли-ин, — словно издалека удивленный голос Белого. — Бли-и-ин, я улетаю. Андрюх, держи меня...»

Это напугавшее их поначалу состояние потом понравилось. Хотя курить часто они опасались: у отца Белый сигареты таскать не решался, а папа Топкина не курил. У взрослых дядь в десять лет не поклянчишь: возьмут и отведут к родителям.

В итоге заядлыми курильщиками не сделались. Могли покурить, а могли и не курить неделями. Топкин удержался и от привязанности к анаше, пил время от времени, а вот Белый... Но это всё позже. А сейчас им по пятнадцать, и они идут к остановке, чтоб уехать на дачи и в первый раз по-настоящему бухну́ть.

«Так, теперь через дворы или по Кочетова?» — тихо, чтоб не слышали идущие сзади девчонки, спрашивает Боб.

«Давай по Кочетова, — предлагает Саня Престенский, еще один одноклассник Андрея. — Во дворах старшаки торчать могут».

Через дворы было короче, чем по широкой улице, названной в честь красного партизана Кочетова, но действительно опасно. Как раз в тех пятиэтажках, стоящих буквой «Г», обитали самые лютые бугры их части города. Совсем недавно самые лютые обитали в соседнем квартале, но их посадили в прошлом году: обчищали дачи. Не просто воровали, а били банки с соленьями, окна, ломали мебель в домиках, гадили на диваны, кровати. Непонятно даже зачем. Вынести что-нибудь ценное было, в общем-то, в порядке вещей, а разгром... Суд был показательный, в кинотеатре «Пионер». Учеников старших классов почти насильно водили на заседания — парни были из их же школы.

На суде обвиняемых спрашивали: «Почему вы это делали? Почему уничтожали то, что люди со-

25

здали своим трудом?» В голосе спрашивающих слышалось явное желание понять. Парни молчали. На последнем слове тоже не сказали ничего внятного. И прощения не просили, не клялись, что больше не будут. Рты мямлили что-то невнятное, а глаза блестели злобой.

Их было шестеро. Пятерым дали от трех до пяти лет — у некоторых уже имелся условный срок, — а шестой отскочил: на момент совершения преступлений ему не исполнилось четырнадцати лет.

Его стали чмырить взрослые парни — типа дружки твои сели, а ты на воле припухаешь, — и он не выдержал: взял и ткнул одного из наезжавших шилом. Пробил желудок. Его посадили...

На фиг быть крутым, лучше по-тихому... За крутизну нужно было бороться. Иногда буквально не на жизнь, а на смерть. Одна драка Бессараба с Армяном чего стоила.

Это были двое бугров опять же из их школы. Старше Топкина на год. С октябрят боролись, кто из них круче. Но до края не доходило. А тут — в девятом классе, весной — дошло. Назначили время, выбрали место. На побоище — к хоккейной коробке за гаражами — сошлось полшколы. Растянулись за деревянным ограждением, снаружи, чтоб, если что, скорей убежать.

Армян и Бессараб сняли свои синие школьные пиджаки, постояли друг перед другом. И понеслось. Без словесного разогрева, раскачки. Сначала бились по-боксерски с элементами каратэ и зэковских обманок, а потом перешли на борьбу. Коробка была заасфальтирована — легче заливать лед, — и бугры старались посильней хлопнуть один другого головой об асфальт. После каждого хлопка по серому покрытию коробки расплескивались струйки сочно-алой молодой крови.

Понимая, что драка будет до талого, зрители стали проявлять симпатии: те, кого гнобил Бессараб, болели за Армяна, те, кого — Армян, просили Бессараба загасить его. Возникли мелкие махачи среди зрителей.

Видимо, обратив внимание на сотню подростков вокруг хоккейной коробки и копошащихся в ней двоих, подошли мужики. С трудом, как сцепившихся собак, растащили полуживых, измазанных весенней пылью и кровищей Армяна и Бессараба. Те заплывшими глазами отыскивали друг друга, выбрасывали содранные до мяса кулаки, скалились. И Топкина поразило тогда, что рвутся они, не крича оскорблений, не матерясь. В жутком молчании. Словно никакие крики и мат не усилят их ненависти, такой ненависти, которая не позволяет им жить рядом на этой земле.

И после этой драки Бессараб куда-то делся, а Армян доучился до конца девятого, получил аттестат о неполном среднем. Время от времени он появлялся в школе, стрясал деньги с бывших одноклассников, с младшаков... Вскоре женился, и всех удивило, что женой его стала самая примерная, красивая его одноклассница. Подумали: решил стать нормальным, а жена поможет. Но почти сразу после свадьбы его посадили за жестокий разбой очень надолго. С тех пор Топкин его не видел.

Таких историй было полно. И в их школе, и в других. Вообще, в совсем небольшом Кызыле в восьмидесятые шла почти что война. Враждовали не только разные части города: «Пионер» с «Найыралом», «Восток» со «Спутником», «Гора» с «Шанхаем», левобережные с правобережными, но и кварталы — семь-десять пятиэтажек — между собой. Пацаны могли учиться в одном классе, дружить в первой половине дня, а во второй караулить друг друга на границе квартала, чтобы разбить нос зашедшему на не свою территорию.

Драки порой заканчивались серьезными травмами, а то и смертью. Кого-нибудь сажали. Позже подростковое хулиганство, бескорыстное по сути, переросло в бандитизм. И суды, сроки стали случаться чаще...

Всё это происходило в то время, когда Кызыл был «русским» — процентов восемьдесят населения составляли люди некоренной национальности. А когда году в девяностом молодые воинственные тувинцы из районов — «злые бесы», как их называла русская молодежь, — начнут нашествие на город, тех решительных, смелых, драчливых парней уже не останется. Переведутся. Перебьют друг друга, будут сидеть по зонам. И русские — «ёные орусы» по определению «злых бесов» — без сопротивления побегут на север — в Красноярский край или еще дальше по распадающемуся Советскому Союзу. Побегут и многие одноклассники Андрея Топкина...

Это в будущем. Пока Андрей с ребятами и девчонками ничего этого не знают. Они обходят опасные места.

Остановка находилась на краю Молодежного сквера. Сквер был редким зеленым островком в степном, хоть и находящемся у большой реки городе. Здесь росли не только выносливые к жаре, засухе и морозу тополя — прижились лиственницы, березы (их вырубили в начале девяностых), тальник в низинах, кусты шиповника, жимолости.

Сквер был отличным местом для игры в войнушку, казаки-разбойники, идеальным уголком для прогулок с понравившейся девушкой, поцелуев на узеньких дорожках... Правда, можно было опять же нарваться на старшаков, которые запросто, желая показать девушке, какое ты чмо, потребуют вывернуть карманы или велят принести через пятнадцать минут пачку сигарет с фильтром — независимо, четырнадцать тебе лет или семнадцать. Но нарыв на старшаков был в сквере не самым страшным: сюда часто совершали вылазки правобережные.

На правом берегу Енисея жило мало людей. Несколько кварталов избушек, десятка два шлакоблочных двухэтажек. Рядом, у подножия широкого увала, — огромная свалка, называвшаяся официально «полигон бытовых отходов», АТП, какие-то предприятьица, маленькие, но щедро дымившие своими невысокими трубами, тут же — тюрьма.

Правобережные считали себя обделенными, жителями задворков, поэтому ненавидели более благополучных левобережных и остервенело месили им рожи кулаками и ботинками, а то и велосипедными цепями...

Сегодня обошлось — удачно добрались до остановки; минут через десять подошел автобус, и, хоть желающих уехать на свои участки в этот сентябрьский субботний вечер оказалось много, получилось забраться в середину желтого кособокого от частого перегруза ЛиАЗа. Там, в середине, давка была слабее. Марина Лузгина даже села, и ей на колени поставили рюкзак с драгоценной брагой. Топкин стоял рядом с Ольгой, чуть сзади, и при каждом толчке прижимался бедрами и пахом к ее бедрам и попе — и мягким, и упругим одновременно.

Когда автобус поднимался в гору по улице Салчака Токи, Андрей осмелел и, как бы придерживая, обнял Ольгу за талию, положил ей ладонь на тугой впалый живот. Ольга не сбросила руку, не отстранилась. Наоборот, как-то еле уловимо подалась к нему.

* * *

— Господин Томин!.. Господин Томин, мы отправляемся!

Топкин обернулся на настойчивый голос и увидел встречавшую их группу девушку. Она с некоторым недоумением смотрела на него.

— А, да, иду!..

Дождь был мелкий, но плотный, и Топкин чувствовал, как его волосы напитались влагой. Правда, негустые уже волосы, не то что раньше — плотная шапка проволоки: даже машинка парикмахера буксовала, а когда стригли ножницами, раздавался треск.

— Господа, поторопитесь, — говорила девушка засовывающим чемоданы и сумки в багажную нишу над днищем автобуса, — здесь разрешено стоять не более трех минут... Проходите, проходите в салон, — это уже ему, Топкину.

— Спасибо.

Он поднялся в теплое нутро автобуса. Сел к окну. Утерся носовым платком, понаблюдал за суетой размещения и достал бутылочку. Отпил немного. Все равно скоро спать. Дождь к тому же... не погуляешь.

— Быстро совершаю перекличку! — голос в микрофон. — Пожалуйста, Аверьяновы, четыре человека.

— Здесь, — взметнулись дружно четыре руки.

— Арбузовы, два человека.

— Присутствуют...

Двери автобуса мягко закрылись. Тронулись.

— Васильев.

— Я, — густой бас.

— Хорошо... Дроздовы, трое...

Ожидание своей фамилии утомляло; скорей бы услышать, откликнуться и задремать... Топкин сделал еще глоток и съел ломтик шоколадки «Таблерон».

Автобус остановился.

— Мы отъехали на свободный участок, — объяснила девушка. — Продолжим... Если кого-то нет, будем искать.

— Да все тут! — заявил мужской голос, явно нетрезвый. — Париж хочу быстрее!

Девушка не обратила на этот выкрик внимания:

— Савельева.

— Здесь.

— Суровцевы, три человека.

— Мы! — детский звоночек.

Топкину стало муторно от этого голоска. Так бы мог выкрикнуть и его сын Даня. Мог сидеть здесь рядом... Наверняка в Диспейленд проситься бы стал, Топкин бы мягко отказывал — билеты дорогие, то-сё... А потом бы повез.

— Том... Топкин.

— Я, — негромко, но четко сказал он и облегченно отвалился, нашарил рычажок и откинул спинку, почти лег. Слава богу, сзади никто не возмутился.

— Юренёва.

— Тут!

— Всё. Спасибо! — Уже не озабоченный, а приветливый голос: — Спасибо, что вы оказались столь дисциплинированными и мобильными... Итак, я приветствую вас на французской земле. Меня зовут Анна Потапова, и я помогу разместиться вам в отелях. Мы отъезжаем от аэропорта Орли. Дорога до района, где размещаются наши отели, составит порядка тридцати пяти — сорока пяти минут. Позволю себе занять это время полезной, на мой взгляд, информацией о Париже...

Почему они не ездили тогда на дачи каждые выходные? Девчонки отказывались. Ломались... боялись... Да и они, парни, вели себя не очень. Дурачки. Тоже, подобно буграм, всё понтовались, пытались из себя что-то корчить... Зачем, например, в тот раз так нажрались этой браги?

Доехали отлично. И по дороге без слов, разговоров все еще больше сблизились. То есть сблизились пары. Топкин с Ольгой, Белый с Мариной, Боб с Ленкой, Саня Престенский с Юлькой. Конечно, симпатии обозначились давно, но за эти полчаса стали, казалось, прочнющими.

Дом Боба стоял в старой части дачного поселка — первая остановка, третий переулок.

Когда-то, в начале восьмидесятых, дач в Кызыле почти не было. На правом берегу, в тополевом лесу, находилось десятка два просторных участков для партийной, творческой верхушки республики. Остальным как бы и не требовалось. Во-первых, овощами и основными фруктами вроде яблок, груш город снабжался исправно, а во-вторых, Кызыл больше чем наполовину состоял из частного сектора — изб с огородами. Да и у многих жильцов пятиэтажек были в городе клочки земли — три-шесть соток, — на которых можно было выращивать морковку, лук, редиску, немного картошки, корней двадцать помидоров.

Но в середине восьмидесятых начались перебои с продуктами, плюс к тому частный сектор в центре сносился, на его месте строили многоквартирники. И по обоим берегам Енисея стали разрастаться дачные кооперативы.

Родители Пашки Бобровского одними из первых получили землю под дачу на левом берегу. Теперь здесь стояли крепкий бревенчатый дом, баня, сарай, крошечный сад — с десяток вишен, яблонь, ранеток... Треть участка занимала картофельная деляна.

Сейчас картошка была уже выкопана, из подсохшей земли высовывались зазеленевшие от солнца клубеньки, которые из-за мелкости не стали собирать.

Пацаны без промедлений соорудили посреди делянки самодельный мангал из кирпичей, развели костер. У Юльки была с собой замаринованная баранина, у Ольги — дефицитные сосиски.

«Может, затопить баню, а?» — предложил Боб с таким явным подтекстом, что даже парни испуганно отказались.

Белый увидел в домике удочки:

«Чуваки, а давайте порыбачим! Самый момент сейчас».

«Какой момент?» — не поняла Марина Лузгина.

«У рыбы жор как раз перед зимой. Клевать должно бешено... Айда на Енисей!»

Идея пойти на Енисей девчонок почему-то очень воодушевила. Пацаны, уловив в этом воодушевлении некий намек, поддержали.

Наскоро, не на углях, а на огне поджарив куски баранины и сложив их в мутный, не раз, видимо, стиранный целлофановый мешочек, перелив брагу из одной банки в три бутылки, закупорив их пробками, отправились на реку. Да, и червей накопали — черви были жирные, маслянистые, ленивые. Даже не очень сопротивлялись, когда их хватали пальцами, бросали в консервную банку из-под горошка.

До берега было метров триста. Но в том месте рыбалка осенью никакая — залив со стоячей водой, который лишь в половодье превращался в протоку. Тогда — в мае-июне — можно там натаскать ельцов и сороги, а сейчас — в лучшем случае пескарей; скорей же всего, мальки всех червей обсосут. Поэтому направились слегка влево, ниже по течению. Там перекаты.

С собой несли две удочки, на всякий случай — снасти в офицерском планшете. В удачную рыбалку не верилось, хотелось просто побыть на бережку. На даче еще успеют наторчаться.

Перед тем как закинуть, жахнули по полстакана сладковатой, отдающей дрожжами браги, закусили мясом. Девчонки тоже выпили, но понемногу, проверяя, крепкая ли она, или так — морсик...

Распустили лески, наживили крючки, бросили. Рыбачить стали Саня и Белый. Андрей сел рядом с Олей на ствол упавшей ивы, смотрел на бегущий поток Енисея, бурунчики, возникающую и исчезающую пену, на противоположный берег — голые, зеленовато-желтые увалы. Знал, что Оля смотрит туда же. Скучный вроде бы пейзаж для них был родным, не утомлял глаза.

С неделю назад случились заморозки, мошкару и комаров в основном побило, но редкие еще пищали над головой. В траве вяло потрескивали кузнечики, пытаясь радоваться последним теплым дням.

Солнце сползало на край неба, вот опустилось за шапки тополей, и сразу похолодало.

«Не клюет ни фига, — вернулся к остальным Саня. — Трех червей сменил, и ни одной поклевки».

«Жаркий день был, спит еще рыбешка», — сказал Боб.

Что-то дернуло Андрея поймать кузнечика и надеть на крючок вместо червя. Забросил на сам перекат. Поплавок — кусок пробки с торчащей в центре спичкой — поскакал по волнам, а потом, когда течение успокоилось, закрутился над ямкой ниже переката. Закрутился — и вдруг исчез. Мгновенно, но мягко, без всякого всплеска. Андрей даже не понял поначалу — туповато искал поплавок на поверхности, думал, что просто потерял из виду. Но тут леска натянулась, конец удилища изогнулся.

Рванул удилище вправо, в сторону переката, а потом сразу вверх. И почувствовал на крючке серьезную тяжесть... И вот в слепящих брызгах боковых лучей солнца — извивающееся, серо-розовое.

«Бли-ин, ленок!» — сдавленный крик Белого.

Рыба шлепнулась на траву и там уж сорвалась с крючка, запрыгала к воде. Ее настиг Саня, прижал, ударил кулаком в голову.

Долго рассматривали добычу, взвешивали на руках.

«С полкило будет».

«Но, не меньше!»

«Тело-ок!..»

Андрей оглянулся на Ольгу; она смотрела на него с гордостью. От этого взгляда, короткого — Ольга тут же отвела глаза, — у Топкина дернулось в паху и стало распрямляться, расти, дыбя ткань штанов... Да, как тогда член стоял, в пятнадцать лет! По утрам часто не мог сходить в туалет: толстый, стальной прочности штырь торчал вверх — как тут помочишься? Тем более в тесной коробочке, где от двери до унитаза полшага.

«На кузнеца взяло? — толкал Андрея Белый. — На зеленого? Коричневого?»

Поймали кузнечиков, надели на крючки.

«Задние лапы оторви лучше, — советовал Боб. — Он ими рыбу отпугивает».

«С фига ли! Наоборот, вибрацию в воде посылает. Дрюнь, ты тогда лапы отрывал?»

«Нет», — мотал головой Топкин, слегка ошалев от возбуждения.

«Вишь, Боб, не надо».

«А, как хочешь. Закидывай!»

«Не ори, распугаешь всё...»

Бросили снасти в то же самое место, в каком поймал Андрей. Сам он больше не рыбачил, вернулся к Ольге.

«Молодец», — сказала она и снова коротко, с гордостью за него и, кажется, обещающе взглянула.

Он улыбнулся:

«Повезло».

«Посмотрим. В любом случае — мы с рыбой».

«Мы», — повторил про себя Топкин и потом еще долго повторял: «Мы... мы». «Мы» — это она, Ольга, и он, Андрей. «Мы» — какое хорошее, надежное слово. И он обнял ее за талию, гладил осторожно, слегка, укрытое под ветровкой ее тело. Можно было залезть пальцами под ветровку, под кофточку, добраться до кожи, но он не решался... «Позже... скоро...»

Да, ему, конечно, повезло поймать первому, но и остальные пацаны не остались пустыми — кузнечиков отлично хватали и ленки, и крупные ельцы. Штук пятнадцать надергали за полчаса.

«Жалко, соли нет, — говорил Боб. — Была б соль, я бы прям счас ленка съел. Он самый вкусный, когда жабрами шевелит».

«Фу!» — сморщилась Лена Старостина, которая считалась его девушкой, фигуристая, с яблочным румянцем на щеках.

«А что? Это природа».

Допили на берегу взятую брагу, которая незаметно, но надежно напитывала кровь алкоголем, собрались и уже в сумерках пошли на дачу.

Там еще бухнули. Боб, правда, с запозданием — жабры у ленка уже не шевелились, — исполнил свое желание: пальцем распорол брюшко, стянул кожу к хвосту и, посолив, впился зубами в розоватое мясо над хребтиной.

Девчонки схватились за рты и отвернулись, а пацаны стали доказывать, что вкуснее в натуре ничего быть не может. Вдобавок стыдили девчонок:

«Вы ж сибирячки!»

Повторили то, что сделал их старший друг и хозяин дачи. Андрей, ясное дело, много раз ел слабосоленую рыбу, пробовал и хариуса с приличным душком, а чтобы вот так — свежевыловленную, непромытую... Но понравилось — мясо ленка, слегка приправленное крупинками соли, имело свежий вкус чистой воды, холода.

«Жалко, водки нет, — сказал Белый, облизываясь. — Под водку бы — лучше нет».

«А ты и водки успел попить?» — прищурилась Марина, высокая, с умным лицом, добрыми глаза-

37

ми; с ней Белый давно уже был в попытках настоящих отношений.

«Ну так... немножко... — испугался он этого прищура, заметил гитару и, хоть она оказалась расстроена, заиграл, стал петь тему из фильма "Асса": — "В моем поле зренья появляется новый объект..."»

Пьяноватые пацаны подхватили:

«Иду на вы! Иду на вы!»

Девчонки заткнули уши:

«Хватит горлопанить!»

Брага настигла резко и почти всех одновременно. Пацанов настигла. Девчонки с сожалением смотрели, как они расползаются по кроватям.

Ловящего в тяжелой дреме вертолетики Топкина пихнул Белый:

«Двинься, блин. Меня бабы с моего места согнали».

Андрей пошевелился, и тут же внутри булькнуло скисшими помоями выпитое и съеденное. Вскочил, побежал на улицу. Долго блевал с крыльца на куст смородины.

А утром первым делом наткнулся на брезгливо-презрительный взгляд Ольги... Через долгие и много вместившие в себя восемь лет, в девяносто шестом, она снова так будет смотреть на него. А потом скажет: «Я ухожу от тебя, Андрей. Ты не тот, с кем я готова прожить свою единственную жизнь».

* * *

— Коль, гляди! — женский вскрик в темном салоне. — Гляди, собор Парижской Богоматери!

— Где? Не вижу.

— Да вон, глаза разуй!

Большинство пассажиров уставилось в мутные от стекающей по ним воды окна; кто-то тёр запотевшее стекло. Топкин тоже пытался что-нибудь рассмотреть.

— Ничё не видать... Льет-то как!

— Не дай бог всю поездку такая погодка...

— Да не Нотр-Дам-де-Пари это, — насмешливый голос пожилого мужчины.

— А что еще? Две башни такие...

— Тут таких церквей через одну.

— Все равно мы уже в центре где-то. Скоро приедем.

Топкин прикрыл глаза. Да, скорей бы...

«Собор Парижской Богоматери» он не читал. Пробовал лет в четырнадцать, но стало скучно... Вообще в то время, в том возрасте читать книги было скучно. Хотелось жить. Казалось, ничего на свете нет важнее, пустят его, семиклассника, на школьную дискотеку, или на входе в актовый зал со сдвинутыми к стенам сиденьями завернут: иди домой, сопель. На дискотеки в их школе его в таком возрасте не пускали точно: по чьему-то указу на дискачи дозволялось ходить с восьмого (нынешнего девятого). А Топкину хотелось, очень нужно было — в седьмом. И не ему одному, понятно.

По субботам около семи вечера по городу метались стайки подростков со вздыбленными, для того чтоб казаться выше, волосами, в бананах, реже в джинсах «Тверь», в пестрых свитерах или в футболках с надписью "SUPER", "USSR", в кроссовках или остроносых лакированных туфлях на каблуке. Стайки перебегали от школы к школе и пытались проникнуть в пространство, где гремела музыка, а под потолком вращался зеркальный шар, осыпая танцующих блестками отсвета.

«Гремела музыка...» Нет, музыка не гремела, какие бы мощные ни качали звук колонки. Музыка лилась. Та музыка — лилась. Нежная, сладко-грустноватая. От нее хотелось и плакать, и обнимать, гладить, любить. Диско... Названия групп и фамилии исполнителей передавали друг другу с придыханием, как нечто секретное, святое.

«Модерн Токинг», «Джой», Си Си Кейч, «Арабески», «Пет Шоп Бойз», «Бэд Бойз Блю»...

«А это, — уловив первые аккорды, шептал кто-нибудь дрожащим голосом, — Лиан Росс. Это вообще...» И скорее искал девушку, к которой можно прижаться и затоптаться в блестках под песню, в которой даже слабо-слабо знающий английский мог расслышать: «Скажи, что ты никогда, никогда, никогда не покинешь меня». И хочется ответить той, с кем танцуешь: «Никогда не покину».

Иногда, редко, звучало диско на русском. Переводы Сергея Минаева песен «Модерна» на дискачах ненавидели и свистели, требуя убрать, зато каждая композиция «Миража» вызывала восторженный визг девушек, срывающихся с сидений в центр танцевального зала.

Топкин в то время, году в восемьдесят восьмом, не особенно вслушивался в слова и не мог понять, почему девчонки так любят «Мираж». Потом уже, обзаведясь магнитофоном и кассетой с альбомом «Звезды нас ждут сегодня», понял: тексты-то, смысл такой смелый, протестный просто! Парни по квартирам слушали и сжимали кулаки под цоевское «Перемен!», а девчонки томились в ожидании перемен под спрятанное за красивой мелодией, но спетое каким-то неживым, потусторонним голосом: «Завтра улечу в солнечное лето, буду делать все, что захочу».

В восемьдесят восьмом для четырнадцати-семнадцатилетних девчонок это был самый настоящий призыв к бунту.

И они бунтовали — верили, что после встречи с сильным парнем «все будет всерьез», и шли с ним из «старого дома» туда, где «прекраснее, чем сон», а на самом деле — за гаражи или в заросли тальника. А потом, брошенные, кидались на соперниц, резали вены, бросались с балконов, топились в Енисее...

Конечно, подобное было всегда. Но только тогда, в восьмидесятые, это происходило под нежную музыку с жуткими по сути своей словами: «Люди проснутся завтра, а нас уже нет».

И парни... Парни бились за признанную красавицу квартала так, будто других девушек вокруг не существовало. Других, тоже симпатичных, милых, юных, не замечали, а ради одной схлестывались насмерть. И «леди Ровена» квартального масштаба к двадцати годам могла похоронить пяток погибших ради нее парней-рыцарей.

Впрочем, оно того, наверное, стоило: самые красивые девушки — в Кызыле. И самые бесстрашные парни тоже там. Девушки еще остались, а парни — были. Парни переубивали друг друга в восьмидесятые, а оставшиеся полегли в девяностых, когда тувинская молодежь из районов завоевывала город, когда полыхала бандитская война...

Чаще всего удавалось попадать на дискотеки в первую школу. Не в ту, какой она стала чуть позже, переехав в свежий, из красного кирпича, построенный по московскому проекту комплекс на улице Красноармейской, а в старую — двухэтажный покосившийся дом на углу Чульдум и Щетинкина-Кравченко.

В эту завалюху мало кто хотел ходить — бугры уж точно, — а субботние дискотеки проводить было надо. Поэтому учителя и дружинники из комсомольского актива смотрели на возраст проходивших сквозь пальцы. Помогало миновать дежурных присутствие в их толпе Боба. Он выглядел слегка старше остальных — на четырнадцатилетнего уж точно не тянул.

Боб шел первым, его пропускали без всяких, а, скажем, Андрея тормозили, начинали выяснять, сколько ему, в каком классе.

«Да мы из одного — восьмой "в". Пятнадцатая школа. Он малорослик просто, блин. Вечно с ним что-нибудь...»

Чаще всего учителя и дружинники велись на эти слова.

Повесив полушубки и пальто — если дело было зимой — в раздевалке, заходили в туалет и... Нет, не жабали алкоголя, а выдавливали в рот зубной пасты. Растирали ее языком по зубам, нёбу. Потом слегка, чтобы аромат пасты не исчез, споласкивали рот. Надеялись целоваться. Или хотя бы потанцевать медляк с девушкой.

Бывало, у кого-нибудь оказывалась дефицитная жвачка — жовка, и превратившийся в колобок пластик «Мяты» Госагропрома кружил голову, как шампанское, и бросал туда, где звучал на полную мощь плавный нежный музон, мигали разноцветные фонари, пахло духами, молодым потом, парами вина, горячей пылью.

* * *

— Кто в «Альтоне»?.. Кто заселяется в «Альтону»?.. Томкин... Топкин... Где господин Топкин?!

Топкин вздрогнул, вскочил:

— Я здесь!

— Ну что же вы? — Девушка Анна досадливо смотрела на него. — Задерживаете остальных. Пойдемте.

Топкин, чувствуя неловкость, но не из-за того, что кого-то задерживает, а что его отчитали — подумаешь, задумался, — выбрался из автобуса.

— Сюда! — указала Анна на стеклянные двери, пряча лицо от дождя.

Только вошли — мягкий голос и улыбка молодого то ли индийца, то ли пакистанца (хотя это вроде одно и то же) за стойкой:

— Бонжу-у!..

— Где ваш ваучер на отель? — Анна просто била копытом от нетерпения.

— Где-то был... — бормотал Топкин, копаясь в пластиковом конверте с выданными в турфирме документами. — Здесь где-то...

— Позвольте, я посмотрю. — Анна забрала конверт. — Я ведь просила приготовить заранее... Мы до утра будем колесить...

Топкин смолчал, но злость на нее все росла. Заплатил кучу денег за пять дней отдыха, а ему выговаривают.

— Вот, есть! — Девушка нашла нужную бумажку, подала индийцу, сказала что-то по-французски. Тот что-то ответил.

— Ну всё. — Мгновенно успокоившись и вновь став приветливой, девушка повернулась к Топкину. — Сейчас он внесет вас в компьютер и выдаст ключ от номера. Хорошо провести время в Париже, — улыбнулась — вряд ли искренне, но все равно приятно — и выбежала на улицу.

Служащий отеля пошелестел клавишами, тоже с улыбкой протянул Топкину ключ с тяжелым, как гиря, брелоком. Что-то сказал.

— А? — забеспокоился Топкин, не находя в его фразе знакомых слов: на брелоке номера комнаты не было.

После некоторых усилий удалось выяснить, что его номер двадцатый, на шестом этаже. Нужно подняться на лифте, а потом еще по лестнице.

— Мерси...

Жилище ему понравилось. Он знал, что гостиницы для туристов его ранга здесь не отличаются особыми удобствами и простором, но его номер был наверняка не худшим вариантом. Может, потому, что находился под самой крышей.

— Мансарда, — вспомнил Топкин название.

Широкая кровать, телевизор-плазма под потолком, холодильник, длинный и узкий то ли стол, то ли полка вдоль стены с окном. Из окна — вид на улицу, а не в глухой двор с кирпичной стеной, чем Топкина пугали дома бывавшие в Париже.

Но не это по-настоящему обрадовало и удивило его, а то, что в туалете, в наклонном потолке, было окошко с открывающейся вверх рамой. Точь-в-точь как в фильме «На грани безумия».

Достал остатки виски, шоколада. Сел на кровать, глотнул, похрустел ломтиком «Таблерона»...

Где смотрел его в первый раз? Говорят, теперь у фильма другое название, а это — «На грани безумия» — было дано советскими переводчиками...

Мощный фильм. Как какой-то немолодой американский ученый со своей такой же женой прилетает в Париж, и там жену сразу похищают. Муж-ученый, дряблый ботаник, начинает ее искать, превращаясь почти в супермена. Ему помогает француженка с потрясающими ногами. Топкин недавно увидел в интернете фотки ее нынешней — стареющая одутловатая тетка. А тогда, лет двадцать пять назад... Сколько спермы он выбрызгал из себя, представляя ее рядом... Как она танцевала там, на экране! Как обмякла, раненая! Как хотелось ее унести, спасти, сделать своей...

И вот эта француженка жила в подобной квартирёнке — комната и туалет с окном в потолке.

Топкину хотелось думать, что впервые он посмотрел «На грани безумия» в одном из видеосалонов. Их тогда, под конец восьмидесятых, пооткрывалось в городе уйма. Поначалу почти нелегальных, в каких-то подсобках, подвалах. Адреса узнавали через знакомых, договаривались о посещении несколько дней. И вот наконец, отдав рубль, садишься перед телевизором и смотришь вместе с еще десятком людей необыкновенный фильм. «Терминатор», «Кобра», «Кошмар на улице Вязов», «Зомби в универмаге», «Рэмбо»... Гипнотизировало не столько происходящее на мутноватом выпуклом экране «Садко» или «Радуги», сколько монотонный голос переводчика, от которого бегали меж лопаток ледяные мурашки, рябь плохой пленки, сама атмосфера опасности, ожидание того, что сейчас ворвутся менты и начнут проверять, сколько кому лет, допрашивать...

Особенно часто пацаны смотрели фильмы с Брюсом Ли — «про Брюса», как говорили в то время. Главным был, конечно, «Путь дракона» и сцена драки Брюса и Чака Норриса.

Все замирали, боялись даже дышать. Из слабого динамика плыла тревожная медленная музыка, слышалось, как хрустят суставы Норриса и Брюса Ли во время разминки. Брюс жилистый, гуттаперчевый, а Норрис мясистый, в рыжеватой шерсти. И вот, размявшись, сходятся. В глазах нет злости, наоборот, уважение друг к другу, но и уверенность: кто-то из них двоих должен сейчас погибнуть... Из развалин за ними наблюдает беспомощный котенок. Котенок мяукает, и Брюс бросается вперед...

«Слушай, повтори еще раз!» — просили парня, заправляющего видаком. Нужно было запомнить каждый удар, каждый прыжок, каждое движение. Понять, как Брюс убил Чака. (Ломание шейных позвонков в то время еще не было популярным способом убийства в кино.)

«Приходите завтра — позырите», — беспощадно отвечал парень.

«Да блин, нам один кусок».

«Нельзя. Меня выпрут за это. В кино же не говорите, чтоб перемотали».

«Завтра тогда мне место оставь, ладно? Постараюсь прийти».

И в следующий вечер, если появляется рубль, снова бежишь в подвал и смотришь...

Очень быстро салоны сделались официальными; на дверях вывешивали расписание.

Сеансы обычно начинались часа в два дня. Сначала показывали мультики типа «Тома и Джерри», потом два-три боевика, ужастика или комедии, а почти ночью — «порнуху». Ограничение «до шестнадцати» действовало и здесь, но иногда удавалось проникать на такие фильмы четырнадцатилетним, пятнадцатилетним... «Горячую жевательную резинку», «Греческую смоковницу» и даже «Эммануэль» он, Андрюша Топкин, посмотрел еще тогда, в период видеосалонов.

Изредка показывали музыкалку — концерты Мадонны, «Кисс», «Металлики». Это было иногда круче боевиков.

Да, денег тратилось на видеосалоны немало. Экономили на школьных обедах, на газировке, копили по десятику, пятнадцатику...

В восемьдесят девятом в центральном кинотеатре «Найырал» (в переводе с тувинского — «Дружба») появился второй зал. Маленький, мест на тридцать, и там стали показывать видеофильмы, но уже не в телевизоре, а на экранчике, часто с многоголосой озвучкой. И очарование пропало. Фильмы и фильмы. Конечно, с крутыми драками, спецэффектами, но так, чтобы дух перехватывало, чтобы потом не мог уснуть от страха или перевозбуждения... Нет, такого уже не случалось.

Но, может, просто Андрей стал взрослее? В семнадцать твоих лет Фредди Крюгер уже не тот, что был в твои четырнадцать... Позже, когда у него появился свой видак, Андрей брал в прокате те фильмы, которые любил в юности, и многие не мог досмотреть до конца. Убожество, примитив, стыд просто и за режиссера, и за актеров, и за себя, что балдел от этого.

Видаки продавались в магазине музыкальных инструментов и разной электротехники «Аялга» («Мелодия») с середины восьмидесятых. Это была отечественная «Электроника». Серый жестяной ящичек, символизирующий дверь в иной мир.

У группы «Мираж» даже песня была про видео: «Стоит нажать — и меня с вами нет».

Правда, цена этого ящичка была такой, что почти никто в городе даже не планировал его купить, — больше тысячи рублей. За такие деньги можно было обзавестись стареньким «Москвичом» или вполне сносным «Запорожцем».

Были видеомагнитофоны и в комиссионках. Там стояли импортные — тонкие, черные. Они стоили вообще запредельно...

Комиссионные магазины — а их в Кызыле было два: один в здании той же «Аялги», а другой в глубине базара, в маленькой избушке, — посещали, как музей. Заходишь в избушку, и тебе в глаза тут же кидаются двухкассетные «Шарпы», джинсы «Монтана», «Леви Страусс», «Ли Купер», кассеты «Сони», дубленки, соболиные шапки, хрусталь, ковры...

У Топкиных был дома простенький хрустальный сервиз — графин, шесть рюмок и шесть бокалов, плешивый ковер на стене, цветной телевизор «Радуга», проигрыватель «Россия», магнитола «Рекорд-301». Папа когда-то, когда был молодым, записывал на бобины разные песни — от Магомаева до «Дип Пёрпл». Но Андрея бобинник не устраивал, да и какой смысл в этом, стоящем в зале, где вечно по вечерам кто-нибудь есть, сундуке. Он мечтал о своем, личном магнитофоне. Кассетнике. Пусть будет простенький вроде «Легенды».

В десятом классе ему наконец-то купили маг — «Томь-303», который очень напоминал один из магнитофонов «Сони» и звучал на первых порах просто отлично. Четкий такой звук — низкие, высокие частоты регулировались до грана.

С покупкой магнитофона появилась проблема фонотеки. Несколько кассет у Андрея было — откуда-то появились, как-то подобрались три-четыре с песнями Яака Йоалы, Анне Веске, Аллы Пугачевой, ансамбля «Боббисокс» и еще две чистые МК-60. Плюс еще одна кассета шла вместе с магнитофоном.

При помощи Белого, у которого была «Весна», записали на все эти кассеты диско-музыку. Соединяли маги шнурами, настраивали частоты... Завидовали тем, у кого двухкассетники: «Там, блин, без всяких напрягов — "запись" нажал, и понеслось».

Диско, правда, уже поднадоело к тому времени, тянуло к другому музону. Искали «Аэросмит», «Квин», «Скорпионс» и, конечно, «Депеш Мод».

На базаре, этом островке экзотических магазинов — охотничьего, филателии, комиссионного, мясного павильона, где даже в годы жуткого продуктового дефицита можно было купить хорошего мяса, были бы деньги, — находилась студия звукозаписи.

На стене — стендик со списком групп и исполнителей. Сейчас уже трудно вспомнить, что было в тех списках, но их чтение будоражило, хотелось услышать это, и это, и это...

Сделать запись в студии считалось хорошим тоном. Ведь она предполагала настоящее качество. И хоть у большинства магнитофоны были простенькими — только бы какой звук воспроизводили, — все-таки стремились к лучшему.

Поработав исправно месяца три, «Томь» стала чахнуть: музыка зазвучала как-то размыто, плавающе, со все возрастающим шипением, и протирание головки и валика одеколоном помогало слабо.

Потом порвался пассик, пришлось нести в ремонт. После ремонта «Томь» стала зажёвывать пленку... В общем, не повезло Андрею с первым магнитофоном.

Второй появился летом девяносто первого. Этот хоть и был куплен с рук, но служил безотказно. Настоящий японский «Панасоник». Наверное, он и сейчас работает — Андрей его давно не включал; коробка с кассетами — огромная, из-под телевизора — в углу комнаты, заброшанная разными тряпками. Может, уже и пленка осыпалась.

* * *

Лежал на кровати и уговаривал себя подняться, сполоснуть лицо и отправиться на улицу. Прогуляться по близлежащим улицам, найти, может, открытый магазин. Воду надо купить, поесть чего-нибудь да и выпивкой запастись. Уговаривал, а сам постепенно всё глубже погружался в дрему, наполненную прошлым: воспоминаниями о давнем и вроде бы сейчас, здесь, в парижском отеле «Альтона», совершенно ненужном...

Вообще, аскетичность жизни советских подростков, о которой Топкин нынче очень часто слышал по телику да и от теперешней молодежи, — миф. Запросы пятнадцатилетнего ребенка конца восьмидесятых родителям удовлетворять было наверняка не только сложнее, но и много дороже, чем такого же ребенка десятых годов двадцать первого века.

Почти каждый пацан и некоторые девчонки проходили через моду собирания марок. Конечно, отпаривали марки с конвертов, выменивали у сверстников на какую-нибудь ерунду, как считал в тот момент поглощенный собиранием, но в основном покупали в магазине «Филателия», пестревшем разнообразнейшими наборами из Венгрии, Либерии, Монголии, Кубы, Кореи...

Продавщица была, кажется, все время одна, без сменщицы, — русская женщина с тувинской фамилией Барбак-оол. Ее за глаза называли Барбакол. Продавщицу просили оставлять новые наборы — кто живописи, кто животных, кто спорта. Копили деньги, выклянчивали у родителей на понравившиеся.

У Андрея сохранились два альбома, забитых марками. Не так давно он заинтересовался, сколько какие стоят на филателистическом рынке. Долго копался на форумах в интернете. Оказалось, что его коллекция на девяносто девять процентов состоит из ничего не стоящих цветных бумажек. Да и те немногие марки, какими он по-настоящему дорожил, например двумя из довоенного набора «Перекоп», не превышают сорока рублей за штуку.

А ведь сколько потрачено на эту коллекцию тех советских, дорогих рублей!

Набор стоил редко меньше рубля. В основном же полтора-два. Полтора рубля умножаем на сто наборов. Сто пятьдесят рублей. Немалые деньги в то время. К тому же на марки менялись модели автомобилей, индейцы или пираты, сделанные зэками ручки из разноцветных пластиковых кружочков, ножички-складешки... Все это в свое время покупалось или выменивалось на что-нибудь другое, но затем потеряло свою ценность по сравнению с марками.

Кто теперь из подростков собирает марки? Может, один из ста. А тогда один-два из ста не собирали и казались чудаками, не понимающими смысла жизни...

А эти модельки автомобилей! Теперь они во всех детских магазинах, киосках. Стоят не копейки, конечно, но и не столько, как году, скажем, в восемьдесят восьмом. Их коллекционировали далеко не все, но почти каждый пацан имел одну или две модельки. Это было своего рода делом чести.

Индейцы, пираты, ковбои... Не путать с солдатиками, что торчали в витринах «Детского мира»! Нет, индейцы, пираты, ковбои являлись произведением искусства.

Индейцы и ковбои были из твердой резины, раскрашенные. Пираты чаще всего — пластмассовые, одноцветно-коричневые, но с массой деталей: складки на треуголке, пистолет за витым поясом, сабля с узорчатой рукоятью, пряжки на башмаках. В магазинах эти фигурки не продавались, но откуда-то поступали в их глухой, далекий от большого мира Кызыл.

Да нет, понятно откуда. В основном из ГДР, Чехословакии, Польши. В начале восьмидесятых в дом, где жили Топкины, въехала офицерская семья — главу семьи перевели из ГДР в их мотострелковую часть. Так паренек, сын офицера, привез целую армию индейцев и ковбоев. Ковбоев возглавляли несколько американских солдат в синей форме, таких, как в фильме про Чингачгука. А у индейцев был вождь — сидящий у костра старик с богатым украшением из перьев.

Некоторое время Андрей дружил с этим пареньком, и они устраивали войны индейцев с ковбоями. Индейцы скрывались в горах, сделанных из одеял и подушек, а ковбои за ними гонялись, попадали в засады... Очень скоро его отца бросили куда-то в другое место, и имени обладателя сокровищ Андрей не запомнил.

В советских солдатиков играли редко. Во-первых, они, грубо наштампованные, были неинтересны, постоянно падали, а во-вторых, им просто не с кем было воевать — врагов почти не делали у нас.

Зато многие сами лепили солдатиков из пластилина. Тогда был тяжелый, затвердевающий, почти как глина, долго сохраняющий яркий, но не водянистый цвет пластилин.

Тут уж пацаны были хозяевами своих желаний: тщательно изучали форму красноармейцев, белогвардейцев, фашистов, американских морпехов, наших десантников, французских солдат времен Первой мировой и пытались копировать. Потом сражались. Можно было отрывать солдатикам ноги и руки, прокалывать штыком из заостренной спички или штык-ножом, которым служил зубец расчески.

Пластилин, конечно, нельзя отнести к большим тратам, удару по семейному бюджету. Но лепка солдатиков требовала не одной и не двух-трех пачек. Не пяти... Одно время у Андрея под кроватью в плоских коробках, накрытых от пыли газетами, стояли больше ста бойцов. Плюс несколько лошадей, десяток пушек, станковые пулеметы, при помощи пластилина превращенная в броневик гоночная машинка... В общем, материала для армий требовалось немало. А материал добывался за деньги в отделе «Канцтовары» магазина «Детский мир».

Но в основном увлечения и развлечения требовали немалых финансовых затрат.

К примеру, склейка моделей кораблей и самолетов. Стоили эти конструкторы недешево, и родители предпочитали покупать хоть и подороже, зато сложнее, со множеством деталей, надеясь, что сын как можно дольше провозится с каким-нибудь крейсером или линкором.

А аквариумы! Кому пришло в голову, что, если у тебя нет аквариума, ты чуть ли не чмо? И уговаривали родителей купить в магазине или с рук — у тех, кому надоело, — аквариум. К нему, конечно, рыбок. Сначала гуппи, меченосцев, потом данюшек, барбусов, скалярий, неонов, сомиков. К аквариуму требовались фильтр, компрессор, лампа, водоросли, кормушки, улитки... Рыбкам требовался корм.

У Андрея был аквариум. Но не очень долго. Однажды он с ребятами пошел на болото за отличным, как ему рассказали, и халявным кормом — мотылем. Намыли с помощью сачка этих красных червячков, поделили, разошлись. Андрей раз-другой покормил им рыбок, а потом забыл. И как-то, проснувшись утром, Топкины увидели в квартире сотни вялых новорожденных комаров.

После этого мама стала относиться к аквариуму как к врагу, да и Андрей от него уже порядком устал. Тем более что рыбки часто умирали, вода зеленела, и ее нужно было то и дело менять. Папа и сестра были к рыбкам совершенно равнодушны. В итоге продали за какую-то мелочь и аквариум, и рыбок, и всё остальное парнишке года на два младше Андрея — тот рассчитывал при помощи аквариума обрести уважение одноклассников...

Не иметь велик — сначала «Бабочку» с двумя добавочными колесиками для удержания равновесия, затем «Школьник», а потом «взрослик» — тоже было для пацана позором, признаком неполноценности. Если родители не могли его приобрести, пацан пытался скопить денежек и купить у кого-нибудь из старшаков или мечтал собрать сам. Обходил мусорки, копался в чермете в надежде отыскать сломанную раму, чтоб потом ее сварили мужики-ремонтники, руль, педали, колесо-восьмерку, которое можно выправить...

Лет с четырнадцати начинали мечтать о мотоциклах. Или хотя бы мопедах. В разговорах постоянно звучало: «Рига», «Карпаты», «Ява», ижак, «ЧеЗэт». А особенно часто — «Верховина».

«Верховина» была так популярна не потому, что считалась самой крутью, — просто «Верховину» родители реально могли купить.

От безысходности некоторые мастерили мотовелики. На «взрослик» устанавливали моторчик, бачок, усиливали заднее колесо. И — вперед, треща и дымя...

На мопеде и мотовелике далеко не уедешь — гоняли вокруг гаражей, по пустынным улочкам внутри квартала. Но те, у кого появлялся ИЖ, или «Днепр», или «Урал», отправлялись в дальний загород. Из них многие стали «плановиками» — добывали в степях анашу, пластилин, план, шишки, пыль, гаш...

У Андрея мопеда и мотоцикла никогда не было. Сначала хотел, но родители в то время ожидали, что папу вот-вот переведут на новое место службы — и что тогда делать с этой двухколесной тяжестью, — а потом Боб, у которого имелись «Карпаты», столкнулся на дачном перекрестке с машиной и месяца два прыгал с аппаратом Илизарова. Мода на мотики в их компании после этого заметно пригасла.

Старшаки бились серьезней. Некоторое время количество погибших в авариях конкурировало с количеством убитых в разнообразных драках. Особенно обсуждаемой стала авария, в которой разбился один из двух братьев Фёдоровых, считавшихся одними из самых главных бугров района, — Фёдор-младший. (Старший Фёдор вскоре сел за попытку отобрать пистолет у милиционера.)

Фёдор-младший шел через дворы со своей очередной телочкой и увидел возящегося с ижаком знакомого паренька. Фёдор попросил — точнее, потребовал — прокатиться. Наверняка бы действительно прокатился и отдал. Паренек вынужден был согласиться. Фёдор посадил подружку, рванул. И буквально через пять минут на бешеной скорости влепился в лоб УАЗу. Девушка перелетела через Фёдора и машину и шлепнулась на газон. Что-то себе повредила, но несерьезно. А Фёдора просто размазало об УАЗ.

О нем пацаны не горевали — одной угрозой меньше. Телочка вскоре оклемалась и стала ходить с другим бугром. А вот пареньку сочувствовали. Попал он конкретно: мало того что мотоцикл превратился в груду железа, так еще стали крутить с одной стороны менты, с другой — дружки Фёдора. Зачем типа дал, когда видел, что человек обкуренный в хлам? Почему вообще мотоциклом владеешь, когда тебе пятнадцать лет?.. Документы на транспортное средство где?.. А он и не катался почти на своем ижаке — так, иногда по двору. Ждал, когда ему исполнится шестнадцать, получит права... И вот за пять минут все рухнуло.

А нынче уже и не встретишь пацанов на «Карпатах» и «Верховинах»; мотоциклов тоже мало. Редко-редко кто-нибудь прожужжит на скутере...

Много денег тратилось на игровые автоматы. Не на те, что появились в девяностые, когда играли, чтоб разбогатеть, а по сути бесполезные — «Морской бой», «Снайпер», «Авторалли», «Воздушный бой»... Эти автоматы были в их городе в одном месте — на автовокзале, и там вечно толпились дети и младшие подростки. Несколько минут удовольствия стоили пятнадцать копеек. Вроде немного, но кому хватало одного сеансика? Появились настоящие игроманы; они воровали рубли у родителей, шарили по карманам в школьных раздевалках.

Некоторым спасением для таких стало появление карманных игрушек: «Ну, погоди!» — это где Волк собирает яйца, а потом и «Биатлона», «Хоккея», «Автослалома». Появились и импортные «Тетрисы».

Году в девяностом уже почти никто на переменах не бегал по коридорам — рекреациям, как их называли, — школьники стояли вдоль стен или сидели на подоконниках и ловили, ловили яйца, собирали шарики одного цвета...

А теперь в каком-нибудь айфоне или смартфоне можно и на мотике покататься, и в войнушку поиграть какими угодно солдатиками, и какие угодно фильмы посмотреть, музыку послушать, и фотографировать все подряд по сто раз, не жалея фотопленки, которой в айфонах или смартфонах попросту нет. Нынешние подростки и не знают толком, что это такое — фотопленка...

Почти каждый пацан в восьмидесятые хоть короткое время увлекался фотографией. А фотография — это не только фотоаппарат. Нужны бачки для проявки, ванночки, проявитель, закрепитель, фонарь, глянцеватель, а главное — фотоувеличитель. «Хочешь разориться — купи фотоаппарат» — была такая поговорка.

Конечно, в Доме пионеров — одноэтажном деревянном здании неподалеку от их школы — существовал фотокружок, где можно было проявлять пленки и печатать фотки, в общем-то, задаром, хотя и в ограниченном количестве; можно было купить фотоувеличитель на две-три семьи (а семьи одноклассников-соседей, ясное дело, были знакомы, а то и дружили), но хотелось свой, личный увеличитель. Иметь свою лабораторию. Чтобы никто не мешал, не присутствовал при этом чуде, когда на красноватой от света фонаря бумажке, плавающей в розоватой от фонаря жидкости, вдруг начинают рождаться черточки, пятна, а потом возникает кусок мира, который несколько часов назад поймал в маленькую коробочку «Смены» или «Чайки», ФЭДа, «Зенита»... А вот — лицо, такое милое, желанное лицо Оли Ковецкой. Улыбается, так по-доброму смотрит, так ожидающе, словно хочет сказать: «Не бойся, не думай, что я не понимаю твоих взглядов. Но не веди себя как дебильный пятиклассник. Я все давно заметила и жду, когда ты подрастешь и решишься. А я уже выросла».

Осторожно трогаешь пинцетом ее волосы, лоб, щеки, подбородок, водишь по губам, гладишь железкой дорогую бумажку. Качаешь в теплом проявителе. Потом ополаскиваешь водой и переносишь в другую ванночку, с фиксажем. Снова трогаешь, гладишь. Потом промываешь в большой чистой ванне.

Промываешь долго, тщательно, чтобы ни через неделю, ни через двадцать лет на лице Оли не появились буроватые, как лишаи какие-нибудь, пятна, не вылезла язва... Потом осторожно глянцуешь, стараясь не обжечь...

А вот возникает на бумаге Марина Лузгина. Она сидит на лавочке возле школы. Смеется чему-то, глядя в сторону, нога закинута на ногу. Марина в летнем коротком платье, и ноги видны высоко. Точнее, одна нога, которая сверху. От светлой туфельки-лодочки дальше, по блестящей лодыжке и выпуклой икре к ровной коленной чашечке. Продолговатая и крупная, но в меру, в самую меру, ляжка. Подол слегка задрался, и она открыта почти вся.

Особенно притягателен изгиб этой ноги — четкая, словно художником прочерченная линия, почти правильная дуга. Глаз не оторвать.

Но Андрей оторвал быстро. Нельзя, это девушка Белого — его друга Димки Попова. Они еще не пара, но он знает: Марина — его.

Куда деть фотографию? Подарить Белому — он докопается: на фига ты ее так сфоткал, в такой позе? Вряд ли поверит, что Андрей и не заметил, глядя в глазок «Смены», что ноги Марины настолько открыты, так соблазнительны, что просто снимал их всех, и вот так получилось.

Сколько раз они плескались в протоке, сколько раз видел Маринку в купальнике — и ничего, не чувствовал этого странного волнения, а тут вдруг... Пытался отвлечься, но взгляд сразу возвращался к ногам, к этому изгибу, темной щелке...

Высушив фотку, спрятал ее подальше, засунул между бракованными, неудачными. Постарался забыть и забыл. И она наверняка лежит среди бумаг, которые увез двадцать лет назад, переезжая из родной квартиры в ту, где он должен был долго и счастливо жить вместе с женой.

...Захотелось сейчас же найти фотку, увидеть. Не только Маринкины ноги, а своих друзей, прежними, юными... И Андрей на несколько секунд выпутался из дремы, приподнялся, огляделся в огнистой полумгле, понял, где он, и уснул теперь уже глубоко, без воспоминаний.

* * *

Голова не то чтобы раскалывалась — она не хотела варить. Густая, тяжелая чернота в мозгу.

Похмелья Топкин не испытывал уже давно — выпивал в меру, тем более проверенную водку, знакомое пиво из привычного магазина. Неужели в дьюти-фри паленый вискарь?..

Несколько минут он неподвижно сидел на кровати, глядя на жалующегося пожилого арабоподобного певца в телевизоре, медленно извивающихся рядом с ним молодых самок в купальниках.

— О-о-ой-й, — простонал в тон песне, сполз с кровати, увидел пачку сигарет, и захотелось курить. Но вместе с этим желанием, будто отзываясь ему, в животе забулькало, к горлу поползла маслянистая горечь.

Топкин передернулся, пошел в туалет. Постоял над унитазом, косясь в окно в скате крыши. Были видны два дома напротив и кусок улицы, разделяющей эти дома. Улица загибалась влево, уходила за углы других домов...

Представились городские пейзажи Утрилло. Очень похоже... Ну так Утрилло и изображал Париж, именно эти районы. И Топкин очнулся, заторопился. Да, да, скорей надо все увидеть, почувствовать!..

Спустил воду в унитазе; бачок, заполняясь, запел. Можно было решить, что это некий дефект, но мелодия была очевидна.

— Скучно не будет...

Изо всех сил энергично умывался, чистил зубы, полоскал горло. Вроде бы помогло — дурнота улеглась, в висках закололо, зато появились мысли. Пусть простые, примитивные, но смывающие мертвую черноту с клеток мозга.

Как скорее раздобыть воду для питья? Из-под крана пить рискованно. Надо выяснить, сколько времени; надо позавтракать — завтраки в гостинице бесплатные.

Часы в мобильнике показывали 8:26. Это московское время — перевел в Шереметьево. Здесь, кажется, на два часа меньше... Половина седьмого... Завтракать рано, выходить на улицу — тоже. Но внутри рос мандраж, страх чего-то важного не успеть, пропустить. Каждую минуту надо использовать...

Топкин достал из пластикового конверта программу пребывания. Зеленым маркером были выделены входящие в тур экскурсии. Так, с восьми пятидесяти до часу дня — обзорная экскурсия по Парижу с посещением Музея духо́в. Потом обед в ресторане «Панорама», а после него — прогулка по Монмартру, осмотр базилики Святого Сердца.

«Что за "святое сердце"? — задумался Топкин, перебирая в тугом сейчас уме достопримечательности. — А, блин, Сакре-Кёр!»

Вообще-то он считал себя знатоком Парижа. Несколько, конечно, смешного сорта знатоком —

по книгам, телепередачам, фильмам. Но мало ли у нас до сих пор географов, знающих планету тоже заочно, учителей английского, немецкого, французского, которые никогда не были в странах, где население говорит на этих языках...

Сакре-Кёр нужно увидеть. Тем более что поселили где-то рядом. Топкин достал карту, взял со стола карточку «Альтоны», которую вчера выдали на ресепшене. Так, вот отмечен отель, и, если пойти на север, будет бульвар Рокхе... а, Рошешуар. Легендарный Рошешуар, где кабаре... нет, не «Мулен Руж», а даже более крутое, описанное Мопассаном; там Лотрек нашел свою главную тему — танцовщицы, проститутки, выпивохи... Да и «Мулен Руж» тоже где-то неподалеку. Где-то там и Пигаль, бульвар Клиши... Тихие дни в Клиши, крошка Колетт...

Ох, какой сушняк! И курить хочется. В номере запрещено...

Топкин пополоскал рот водой из-под крана, постоял перед окном. Осмотрел туалет — датчиков дыма вроде бы нет. Не выдержал, закурил, приподнял раму. В лицо, как кулак, ударил твердый поток холодной, почти ледяной сырости. Дым не вылетал наружу, а после выдохов закручивался барашками и возвращался в туалет.

Сделав несколько судорожных затяжек, Топкин сбил уголек сигареты в унитаз, окурок сунул обратно в пачку. Закрыл окно. Продует, и придется вместо экскурсий тут с температурой валяться.

Надо было, конечно, летом ехать. Или хотя бы в сентябре, а не в конце октября. Но работы навалилось летом и в первые недели осени — не продохнуть. Один выходной оставили, по двенадцать часов впахивать приходилось... Заказ за заказом, причем всё по государственным программам, а не от частных лиц. Там и объемы другие, и деньги... Не всё, правда, выплатили, но обещают твердо. «До конца декабря стопроцентно все долги будут закрыты». С трудом верится, но в такой год обмануть не должны.

А год, две тысячи четырнадцатый, для Кызыла особенный. Да и для всей Тувы. Его ждали больше двух десятилетий. С тех пор как в начале девяностых временные трудности сменились разрухой, которая, в свою очередь, когда почти все было разрушено, превратилась в тоскливую серость, которой нашли научное определение — стагнация. Так прямо и говорили руководители республики: «У нас стагнация». Типа оправдывались, что требовать каких-то улучшений сейчас невозможно, бесполезно, просто нелепо. «Стагнация» — этакий всеобщий летаргический сон...

Население, от главы республики до последнего бомжа, ждало, что вот придет две тысячи четырнадцатый, и в мгновение ока жизнь изменится. Города и села преобразятся, зарплаты повысятся у тех, кто работает, а кто сидит без работы, на пособиях, — работа появится. Легкая, но денежная. А бомжей отмоют, поселят в специально выстроенных приютах и, главное, будут давать водки сколько захочешь... Короче, мечта каждого исполнится в этом году.

Две тысячи четырнадцатый — юбилейный. Сто лет назад Россия приняла Урянхайский край, который позже стал Тувой, под протекторат. Примерно — точных границ у Урянхая не было — сто шестьдесят тысяч квадратных километров степей, тайги, рек и гор с опять же примерно пятьюдесятью тысячами (никто точно не знает, так как никто не считал) тувинцев — смеси разных племен и обломков великих народов, живших поочередно на этой земле, — и десятком тысяч русских крестьян, староверов и купцов, проникавших сюда с конца девятнадцатого столетия...

* * *

Дождавшись восьми часов по местному, Топкин спустился в кафе. Это было не кафе даже, а скорее что-то вроде буфета — несколько столиков, аппараты с кофе и кипятком, молоко, чай, сахар в пакетиках, йогурт, какие-то хлопья.

За одним из столиков сидели две пожилые женщины, тихо переговариваясь на неизвестном Топкину языке.

— Бонжу-ур! — появился из соседней комнаты огромный, очень черный, до синевы, негр в белой курточке.

Топкин отозвался слегка растерянно:

— Бонжур.

Негр больше жестами, чем словами, спросил, из какого он номера; Топкин два раза дернул руками с растопыренными пальцами. Дескать, двадцать.

— О-оке! — Отметив что-то в журнале, негр скрылся в комнате и почти сразу вернулся с тарелкой — круассан, булочка, шоколадная паста «Нутелла» в крошечной упаковке. Поставил на стол, взглядом показал Топкину, что это ему.

«Такому банки грабить, а не круассаны выдавать, — подумал Топкин, и тут же пристыдил себя: — При чем здесь банки?.. Нашел непыльную работу и приткнулся...»

Может, благодаря вкусному кофе и свежему круассану вспомнилось забавное: как они в восемьдесят четвертом всей школой репетировали танец. На протяжении полутора месяцев — в сентябре, начале октября — всех, от второклассников (первоклашек пощадили) до десятиклассников, собирали на футбольном поле и включали магнитофон с мощной колонкой. По округе бухала песня «На шагающих утят быть похожими хотят...»

И человек триста, стоя полукругом, должны были синхронно повторять за женщиной в ветровке с полосками одни и те же движения: по-куриному махать согнутыми в локтях руками, приседать, виляя при этом задом, вскидывать руки, подпрыгивать, тянуть руки вверх... Выглядело это со стороны наверняка очень смешно.

Топкину было тогда одиннадцать лет, он еще не научился не подчиняться, а парни из старших классов да и некоторые девушки стали пропускать репетиции, отказываться. Но на них с необычной суровостью обрушилась добродушная вообще-то завуч: «Это не наша прихоть. Это — государственное задание! Подготовка к славному юбилею». Грозила наказаниями вплоть до исключения из комсомола. «А без комсомола вы ни в один институт!..»

Однажды всем раздали спортивные костюмы. Да нет, какие спортивные — легкие трикошки и футболки. У каждого возраста был свой цвет: у одних — бордовый, у других — зеленый. Андрею и его сверстникам достались белые. Помнится, их сразу прозвали кальсонами.

Стали репетировать в костюмах. На то, как они приседают и машут руками, приходили посмотреть какие-то солидные дяденьки. Серьезно кивали.

И вот была собрана общешкольная линейка. Директор объявил, что в ближайшее воскресенье на стадионе «Хуреш» состоится праздничный концерт, посвященный сорокалетию вхождения Тувы в братскую семью народов СССР.

«Нашей школе оказали большое доверие — участвовать в празднике, — повысил голос директор, высокий, далеко еще не старый мужчина, Сергей Владимирович Корнеев; обычно он редко показывался за пределами своего кабинета, и всем учебным процессом, поведением учеников занималась завуч, но выступать перед школьниками любил. — Настоятельно требую всех к девяти утра быть у входа в Парк культуры и отдыха. Мы собираемся и организованно идем к стадиону... Повторяю, это очень ответственное мероприятие!»

Он замолчал, видимо, решив, что сказано все. Завуч что-то ему шепнула.

«Да-да, — спохватился Сергей Владимирович, — и не забывать костюмы. Всем ясно?»

«Угу-у», — прокатилось по рядам совсем не бодрое.

Белые трико выглядели, конечно, позорно, и Андрей с одноклассниками решили не идти. Тем более и страшновато было танцевать на стадионе перед тысячами глаз такой танец. «На шагающих утят...»

«При чем здесь эти утята?» — недоумевала и мама, но потом ей объяснили: мелодия немецкая, а их школа переписывается со школой в ГДР; есть несколько ребят, которые жили в Германии — отцы там служили...

«Надо участвовать, сынок, — убеждала она Андрея, то и дело заговаривающего, что не пойдет.

А то и нам неприятности будут. Мы все вместе пойдем. У папы дежурства нет как раз. Погуляем после концерта, газировки попьем. Говорят, мороженое привезут».

Мороженое в Кызыле до начала девяностых было редкостью. Здесь его не производили, а доставлять из-за Саян, за четыреста километров, было наверняка невыгодно. И потому оно появлялось в городе лишь по праздникам, да и то не всегда и не во всех магазинах.

Во времена кооперативов некие умельцы стали делать мороженое сами, по слухам, из детского питания. Оно стоило очень дорого, было невкусным, да и кто-то здорово им траванулся. Или слухи такие распустили, чтоб прикрыть лавочку. И прикрыли.

Году в девяносто втором появились уже серьезные коммерсанты. Но они тоже не стали строить заводики, а везли мороженое в рефрижераторах из Абакана и Минусинска. Торговля шла прямо на улице — из коробок. Расхватывали только так, несмотря на безденежье.

Теперь никого мороженым в Кызыле не удивишь, а в восемьдесят четвертом... Короче, Андрей сломался: в обмен на три пачки пломбира или эскимо (что окажется) согласился танцевать на стадионе в «кальсонах».

Эти «кальсоны», кстати, ненавистные, позорные, стали на неделю, как сейчас бы сказали, фишкой. Начало этому положил топкинский одноклассник и сосед по дому Славка Юрлов. Дня через три-четыре после выдачи этого концертного наряда он явился в школу в «кальсонах». На туловище синяя форма, а на ногах — они.

«Ю-урлов! — схватила его за рукав встречавшая учеников в фойе завуч. — Что это за видок?!»

«А чего? — Славка недоуменно скривил губы. — Обнашиваю. Так все артисты делают».

«Ну-ка марш домой за брюками!»

В общем, Славку не пустили на первый урок, а на следующий день в «кальсонах» пришли еще человек пять.

Завуч перекрыла дорогу одному, задержала другого, но потом почему-то отпустила. И несколько дней пацаны щеголяли по школе с белым низом. Андрей хотел было тоже прийти так, но не решился...

Само выступление запомнилось смутно. Волновался, повторял за другими движения, поэтому мало что замечал вокруг. Но часы перед концертом и после отпечатались в памяти подробно.

Около девяти был с родителями и сестрой Таней на площади возле входа в Парк Гастелло. (У Топкина до сих пор держалась подсознательная уверенность, что летчик-герой был их земляком, иначе зачем назвали парк его именем; но о Туве Гастелло если и слышал — участвовал в боях на Халхин-Голе, — то вряд ли в ней бывал, и логики в том, что Парк культуры и отдыха носил его имя, не прослеживалось никакой. Тем более что в Кызыле родились или жили несколько Героев Советского Союза. Например, Михаил Бухтуев, совершивший первый таран бронепоезда танком.)

Площадь была забита толпами пацанов и девчонок из разных школ. По сигналу руководителей то одна, то другая двигалась через мост над протокой в сторону стадиона «Хуреш».

68

Андрей заметил в людском скопище высокого физрука Одувана, а уже потом учеников. Договорился с родителями, где встретятся после выступления, прибился к своим.

По чьему-то знаку двинулись. Бухала в отдалении музыка, вокруг болтали, смеялись... Праздник... Около задних ворот стадиона сняли верхнюю одежду и выбежали на поле, расставились не очень густым — часть ребят все-таки не пришла — овалом.

Оглушительно, со всех сторон, зазвучала мелодия про утят, и стали танцевать. Когда песня кончилась, убежали обратно за ворота.

А потом наступила обжираловка мороженым и пирожными «гномиками», обпивание газировкой. Очень быстро, получив от родителей рубль, Андрей свалил к пацанам-одноклассникам. Рубль мгновенно истратился на сладкое и катание на «взрослых» каруселях — на «цепочке»; испарились и деньги пацанов, и они стали рыскать по кустам в поисках пустых бутылок.

«Чебурашки» из-под газировки принимали там же, где торговали, — за столами под зонтиками. И происходил почти бесконечный круговорот: сдавалась пустая бутылка за двадцать копеек, добавлялось семь, или десять, или пятнадцать копеек в зависимости от вида газировки и покупалась целая поллитровка. Распивалась по кругу, сдавалась за двадцатик, к которому нужно было добавить еще копеек, чтоб купить следующую. И пацаны неслись на поиски пустой тары.

Заодно гонялись за девчонками по узким боковым дорожкам вокруг памятника Горькому (его много позже разрушат, и куски бетонного тела будут валяться в окрестных кустах), играли в прятки в зарослях шиповника, акации. А по парку разносилась жизнеутверждающая музыка со стадиона. Припекало осеннее солнце... Был праздник.

***

Шагнул на улицу под синий навес у двери отеля, и сразу обдало сырым ветром. Черт, даже в голову прийти не могло, что в Париже возможна плохая погода. Как тут гулять? Об асфальт колотились сердитые твердые капли, ручейки воды бежали по краям проезжей части.

Топкин глянул время в телефоне. До начала экскурсии оставалось около сорока минут. До места встречи — Гранд-опера — минут пятнадцать. По этой улице налево, потом повернуть направо, потом еще раз направо... Паренек на ресепшене, пообъясняв, сказал в итоге нечто такое: «Все дороги приводят к Опера».

Без всякого желания Топкин закурил, поднял воротник легкой куртки и, ссутулившись, держа сигарету в кулаке, пошел по узкому тротуару.

Грел себя теплым прошлым.

...Да, тот октябрьский день оставил ощущение настоящего праздника. И не потому, конечно, что вдоволь надулись вкуснятиной. Нет, была какая-то абсолютная радость и, может, впервые возникшее ощущение, что дальше будет вот так — хорошо, светло, весело...

Сколько прошло с тех пор? Восемьдесят четвертый год... А, да, тридцать лет. Ровно до месяца.

«Тридцать!» — крикнуло в Топкине отчетливо, отчаянно, и он даже остановился, как перед ямой, пытаясь осознать эту громадную для человеческой жизни цифру. Тридцать лет. Три четверти прожитой им жизни. И еще четверть — почти не помнившееся детство. А сколько впереди?

Сколько... Пусть двадцать, пусть еще тридцать или даже сорок. Но через двадцать лет ему будет за шестьдесят. Если даже сбережет себя, здоровье сохранит, все равно... За шестьдесят — это старость. Как ни крути, как себя и других ни обманывай.

И, получается, она совсем рядом. Чик! — и вот вместо восемьдесят четвертого года две тысячи четырнадцатый. А потом еще — чик! — и две тысячи тридцать четвертый... Один чик, наполненный бликами, силуэтами мелькающих фигур, мгновениями удовольствия, тоски, веселья, горя...

— Да нет, — вслух запротестовал Топкин, досасывая горячий дым из окурка. — Нет, чего я, блин... Много было... Много всякого!

Действительно. А чем он занимался последние сутки? Как во время перелета из Абакана в Москву стало вспоминаться, так не отпускает. Лезет и лезет, всплывает, вспучивается, словно еще одна, повторная жизнь, давно пережитое.

Дома, в привычной обстановке перед телевизором, или за компьютером после тяжелого дня, или с друзьями, которые рядом много лет, или с девушкой, молодой и свежей, воспоминания спят, а тут — навалились...

Так, так, надо идти, добраться до Опера, забраться в салон автобуса, свернуться на сиденье у окна, смотреть на плывущий Париж. Узнавать места, которые знал давно, но по фильмам, по книгам. А теперь — увидеть вживую. И Топкин, нагнув голову, глядя в землю, пряча лицо от ледяных капель, скосив в сторону от порывов ветра туловище, захлюпал дальше.

«Как Пьер Ришар», — представил себя со стороны, попытался развеселиться. И почти сразу чуть не врезался в женщину с тележкой. Женщина что-то предупреждающе выкрикнула, и Топкин увернулся.

Поднял лицо, увидел слева магазин. Супермаркет. Оттуда надувало ароматным теплом. Шагнул внутрь, чтоб немного обсохнуть под кондиционером над дверью, согреться. Но пошел дальше, в глубину. Утираясь платком, бродил в лабиринте высоких прилавков, полок, стеллажей.

Изобилию не удивился — им теперь мало кого удивишь даже в медвежьих углах России. Хотя неизвестные упаковки манили, заставляли себя разглядывать. И очень быстро любопытство сменилось желанием купить это, и это, и еще вот это попробовать...

Зачем тащиться по холоду черт знает куда, ведь можно устроиться в номере — симпатичной теплой норке с окошком на Париж — и посидеть... Вот и полки с бутылками. Вино, ликеры, шампанское. Крепкие напитки. *Pastis* — бросилось в глаза. Сорок пять градусов. Национальный французский напиток. Был абсент, но настоящий абсент когда-то запретили, теперь вместо него в основном разная фигня. А вот пастис... Это, говорят, вещь. Попробовать? Да, надо.

Вернулся ко входу, взял пластиковую корзину. Она стала наполняться нарезкой оранжевого сыра, бекона, какой-то колбасой с орехами, палкой багета, бутылкой пастиса, пачкой сока (пастис, слышал, нужно разбавлять). Да, еще воду! Вода-а... Нашел полку с водой, взял двухлитровую бутыль. Уже возле кассы заметил печенье. Печенье он любил. Вот это, «Орео», улыбнулось ему...

Рассчитался без затруднений — кассирша, чернявая девушка с блестящими глазами, молча пробивала покупки, Топкин молча складывал их в пакет, потом глянул на экранчик. Был удивлен дешевизной — слегка за двадцать евро. Даже в переводе на рубли — нормально.

Кассирша сказала как-то по-товарищески:

— Мерси, мёсьё.

— Мерси, — ответил он.

* * *

Черт с ней, с обзорной экскурсией. Изменится погода, сам всё осмотрит. Будет гулять где захочет, ни от кого не завися.

В номере достал программу тура, нашел выделенное маркером. Бесплатное.

Послезавтра — поездка в Версаль. Это обязательно. А в последний день — посещение Лувра. Да, да, Лувр! Лувр — святое. И необходимо уточнить, входит ли в это посещение Орсе, где импрессионисты. Это ведь тоже, кажется, Лувр. Типа филиал Лувра... Или нет?.. Надо выяснить. Моне, Ван Гога, Тулуз-Лотрека нельзя пропустить.

— Довольно восторгаться репродукциями! — провозгласил Топкин и плеснул зеленовато-коричневого пастиса в стеклянный стакан.

Понюхал. Терпко пахло аптечными препаратами. Поболтал стакан; жидкость задвигалась внутри тяжело, как масло... Стоит разбавить. Пить неразбавленным опасался. В какой пропорции? И чем лучше — водой, соком?

Налил воды раза в два больше, чем было пастиса. Зеленовато-коричневое побелело, аптекой запахло сильнее, но уже не так терпко.

Топкин сделал глоток, переждал, сделал второй. Сладковато. Чуть ощутимое пощипывание алкогольными градусами языка, глотки. И этот аптечный вкус... Кажется, чем-то подобным мама заставляла его полоскать горло, когда простывал. Анисовые капли, что ли...

В детстве Топкин болел довольно часто. Особенно осенью. Начинался кашель, из носа текло, поднималась температура, не сильно, но все-таки.

Может, это и не простуда была, а малоизвестная в то время аллергия — сезон болезней совпадал с началом отопительного сезона. В избах начинали жечь уголь, и котловину, в которой лежит Кызыл, затягивало удушливым чадом, снег становился серым, иногда и в нескольких метрах ничего не было видно.

Поначалу Андрей пугался болезни, томился сидением дома, а потом научился извлекать из этих дней в кровати пользу и удовольствие. Лепил солдатиков, особенно тщательно отделывая форму и оружие, склеивал модели линкоров, читал... Большинство прочитанных им книг было прочитано именно во время болезней.

Родители уходили на работу, а он, завернувшись в одеяло, пробирался в большую комнату, которую у них называли «зал», и включал телевизор. По второй программе показывали по утрам — именно в то время, когда школьники сидели на уроках, — интересные передачи. «Образовательные», как указывалось в телепрограмме.

«История. 8 класс. Кромвель и уравнители», «Биология. 7 класс. Пауки», «Музыка. 4 класс. Богатырские образы в музыке А.П. Бородина», «Итальянский язык. 2-й год обучения»...

Особенно нравилось Андрею, когда актеры читали произведения. Похожий на дворянина актер декламировал стихи Жуковского, Олег Борисов наизусть рассказывал всего «Конька-Горбунка», глядя в камеру. Подвижные старички увлеченно, как о своих знакомых, говорили о Пушкине, Лермонтове, Маяковском, то и дело приводя по памяти четверостишия... Андрей завидовал их памяти: ему самому заучивание стихов давалось с великим трудом.

А к стихам тянуло. Некоторые казались написанными не людьми — не мог человек написать так прекрасно, найти такие точные, единственные слова, рифмы, которые не только украшают, а и доводят смысл до нечеловеческого величия. Нет, какого-то сверхчеловеческого.

Как землю нам больше небес не любить?
Нам небесное счастье темно.
Хоть счастье земное и меньше в сто раз,
Но мы знаем, какое оно.

Правда, стихи так просто — открыл книгу и начал — читать не получалось. Нужно было настраивать себя, что-то отключать в голове, а что-то включать, вытягивать из глубины, из-под того, что было необходимо в ежедневной жизни, грубой, опасной, нередко звериной. И это отключение и включение удавалось чаще всего во время болезней, в одиночестве, вынужденном, но и таком каком-то живительном, благотворном.

Были стихи и чудесные, и страшные одновременно, неожиданные, непредставимые. Становилось непонятно, почему их издавали теперь, когда везде говорят о хорошем в нашей стране, добром, учат созидать и созидаться, а не разрушать и разрушаться самим...

С детского сада Топкин помнил: «Белая береза под моим окном принакрылась снегом, точно серебром». Помнил даже тот момент, когда строки эти вошли в него и остались в нем жить. И слыша их где-нибудь, читая своему сынишке, Топкин внутренне оказывался в том месте, где их узнал.

Всех детей уже разобрали, а мама задерживалась. Стемнело, в группе погасили свет, оставив один торшер, и в большом окне было видно, что на улице большими хлопьями падает снег, хлопья цепляются за ветки растущей у самого окна березы... Воспитательница ушла, а с Андреем осталась няня, пожилая большая женщина. И, наверное, заметив, как он тревожится, что готов заплакать, она усадила его на диван рядом с торшером и села рядом. В руках у нее была книга.

«Андрюша, а давай я тебе стишок прочитаю, — сказала. — Его написал Сережа Есенин, почти такой же маленький мальчик, как ты. Сидел дома один, в окошко смотрел и написал. А потом он вырос и стал великим поэтом».

Держа открытую книгу перед собой, но не заглядывая в нее, няня стала рассказывать:

«Белая береза под моим окном...»

Через несколько лет — ему было уже девять-десять, — оставшись дома один, Андрей рассматривал корешки книг в шкафу. Книг было немного, но все же, чтобы прочитать их все, нужно было потратить много времени. И он боролся с желанием взять и начать читать эти толстые недетские книги и страхом за время чтения пропустить важное в жизни.

На одном из корешков увидел: «Сергей Есенин», вспомнил тот вечер в садике, няню, словесную мелодию про березу и достал книгу.

Обложка была серая, как старый снег, поперек нее — веточка с кленовыми листочками... Андрей полистал, цепляясь взглядом за строки и отрываясь от них без усилия. Но вот зацепился и не смог оторваться. И побежал дальше, ниже и сам чувствовал, как с каждой строкой лицо его искажается, кривится.

Снова пьют здесь, дерутся и плачут
Под гармонику желтую грусть.
Проклинают свои неудачи,
Вспоминают московскую Русь.

И я сам, опустясь головою,
Заливаю глаза вином,
Чтоб не видеть лицо роковое,
Чтоб подумать хоть миг об ином.

Что-то всеми навек утрачено.
Май мой синий! Июнь голубой!

«Май мой синий, июнь голубой», — повторил Андрей эти наполненные свежим воздухом слова, а потом снова ухнул в удушливый сумрак:

Не с того ль так чадит мертвячиной
Над пропащею этой гульбой.

Что знал тогда, в девять-десять лет, Топкин о плохом? Да, конечно, кое-что знал. И видел про жизнь бандитов в фильмах «Место встречи», «Сыщик». Но стихи об этом читал впервые.

> Ах, сегодня так весело россам,
> Самогонного спирта — река.
> Гармонист с провалившимся носом
> Им про Волгу поет и про Чека.

«Про Чека... Про ЧК? Про чекистов?..»

> Что-то злое во взорах безумных,
> Непокорное в громких речах.
> Жалко им тех дурашливых, юных,
> Что сгубили свою жизнь сгоряча.

Строчки не плыли, а словно бы ковыляли, запинались, спотыкались, и от этого было еще страшней и удушливей.

> Где ж вы те, что ушли далече?
> Ярко ль светят вам наши лучи?
> Гармонист спиртом сифилис лечит...

«Сифилис?!» — слово, которое нельзя говорить... За кидание друг в друга тряпкой, которой стирают мел с доски, ставили неуд по поведению, вызывали родителей к завучу. И не за саму игру наказывали, а за слово, что, кидая тряпку, нужно было выкрикнуть: «Сифа!» Нельзя говорить это слово. А тут написано, причем целиком, напечатано в книге.

Может, это какая-то секретная книга? Говорят, бывают такие, и их нельзя хранить. Андрей посмотрел, где ее выпустили. Москва. Издательство «Правда». 1977 год. Нет, не секретная... Тогда — почему?..

Дрожащими руками он поставил книгу на место, а потом много дней следил за родителями — подходят ли к шкафу, берут ли серый томик. Даже старался попозже засыпать: был уверен, что берут обязательно, читают, но наверняка по ночам, чтобы никто не видел.

Вспоминал слова няни из детского сада — «великий поэт». Неужели и она знает это — про «заливаю глаза вином», «сифилис»?!

А через некоторое время Андрей с родителями оказался в гостях у папиного сослуживца, прапорщика Кандаурова, местного жителя. День рождения отмечался или еще какое-то торжество.

Семья Кандаурова жила в своем доме, с печкой, скрипучим полом, запахом избы. И на неровно оштукатуренной, с проступающей дранкой, белёной стене Андрей увидел портрет Есенина. Молодой человек с желтыми волосами и очень-очень яркими губами. Серый пиджак, в руке — трубка. Внизу — витиеватая надпись: «Сергей Есенин». Полуфотография, полурисунок. Такие делали у них в городе в конторке под названием «Металлокерамика». Портреты на могилки...

Андрей смотрел в грустные голубоватые глаза Есенина, на жизнерадостного хозяина дома, на его всё посмеивающуюся жену, на своих родителей, у которых было веселое настроение, и не верил, что они читали стихи Есенина. Как можно радоваться после «что-то всеми навек утрачено»? Всеми, не только теми, из стихов...

***

Белёсая смесь не пилась. Действительно, как лекарство. Хм, которое не действует... Топкин выплеснул смесь в раковину, налил пастис по новой. Решил больше не разбавлять. В конце концов, сорок пять градусов — не смертельно. Раза два-три, больше чтоб показать, что не слабак, не ссыкло, приходилось глотать одеколон. И ничего, пережил, даже испытывал особое, не сравнимое с водочным или коньячным опьянение. А тут какая-то бодяга из травок... К тому же однажды пробовал абсент, когда ездил в Красноярск к приятелям, и тоже пил неразбавленным. Правда, немного — на много денег не было, пол-литра стоили тысячу с лишним. Распили компанией бутылочку, хоть узнали, что это... Зато после абсента налились «Байкалом» до ободов. Выжили.

Но все-таки волновался. Не из-за того именно, что собирался пить нечто новое, неизвестное, — чего волноваться в сорок лет по этому поводу? И не мысль, что он в Париже, волновала. Нет, другое волнение тормошило, другого свойства. Топкин не мог понять какого. Или не хотел понимать, боялся копаться в себе, разгадывать.

Поэтому подхватил одной рукой стакан, другой — ломтик сыра.

— Поехали! — выдохнул и влил в себя граммов тридцать; не успев разобрать вкус, зажевал сыром.

Проглоченный солоноватый комок стал спускаться в желудок, гася жжение. Приятное жжение крепкого алкоголя. Во рту же, несмотря на сырные остатки, было свежо, как после зубной пасты.

— А ничего-о. — И Топкин налил в стакан еще.

Пить сразу не стал, смотрел телевизор, где шла какая-то спортивная передача. Вроде давнишних советских «Веселых стартов» и гэдээровских «Делай с нами, делай как мы, делай лучше нас».

В детстве Топкин любил смотреть эти телесоревнования. Особенно ему нравился ведущий гэдээровской программы и его частая помощница — страшненькая и в то же время милая, обаятельная девочка. В них обоих словно бы вставляли какие-то мощные батарейки, заставлявшие постоянно двигаться брови, губы, щеки, глаза...

Конечно, смотрел и серьезные игры, болел за наших спортсменов на чемпионатах мира, Олимпиадах. В хоккее, правда, предпочтение отдавал канадцам.

В начале восьмидесятых советские хоккеисты побеждали почти во всех матчах, занимали и занимали первые места, а канадцы привозили на турниры студентов, почтальонов, страховых агентов, которые при помощи двух-трех профессионалов бились с нашими спаянными круглогодичными тренировками хоккеистами героически и отчаянно. Иногда от безысходности, видимо, они начинали драться, но советские богатыри и тут их били... В общем, тех канадцев-неудачников было жалко.

Но когда из сборной ушли Третьяк, Мальцев, Балдерис, Капустин, Шалимов, Шепелев, Жлуктов и наши стали проигрывать чаще и чаще, Топкин бросил канадцев. Но это не помогло — в начале девяностых советский хоккей с его почти сорокалетней цепью побед кончился, и интерес к этому виду спорта заметно упал. Впрочем, ко многому упал интерес тогда, и то время — время начала взрослой жизни — осталось в памяти Топкина почти сплошным темным пятном, освещенным несколькими светлыми вспышками: свадьба, своя квартира, дискотеки, на которые он ходил, уже не боясь вымерших бугров, свободно танцевал с молодой женой, которая в его сознании еще оставалась подругой, «его девушкой» Ольгой. У нее и фамилия осталась прежней, девичьей — Ковецкая. Ольга не проявила желания поменять фамилию, а Андрей не настаивал. И, как оказалось, правильно сделали — потом было меньше хлопот...

Уроки физры мало кто любил, хотя резвились — «бесились», как называли это учителя, — на переменах, после уроков до упаду. Но на физру даже самые активные шли как на пытку. Не нравилась дисциплина — требования Одувана построиться, бегать по кругу, трель его свистка, команды: «Правым плечом вперед! Левым!.. Упор лежа принять!»

Правда, на физре часто обнаруживалось, что одноклассницы, привычные, на которых и внимания не обращаешь, то есть не замечаешь перемен в них, оказывается, менялись, превращались в соблазнительных девушек... И как они умеют двигаться, как упруго у них подрагивает... И, бывало, у пацанов под трикошками вдруг возникал заметный, стыдный бугорок. Приходилось скорее опускаться на корточки — «блин, в боку закололо».

Но не меньше, а даже больше возбуждали воображение одноклассницы, которые не бегали и не прыгали, а сидели на лавке. Класса с шестого почти на каждом уроке было таких две-три. Они что-то говорили физруку, тот понимающе кивал и разрешал не заниматься. И словно бы появлялась какая-то новая, взрослая параллель между физруком, лысоватым жилистым дядькой, и тринадцатилетними девчонками. А пацаны, одноклассники девчонок, оставались еще в глуповатом щенячьем детстве.

Пацанов тревожило это, они пытались найти объяснение, почему девчонки время от времени не прыгают и не играют в баскетбол, а сидят на лавке и обмениваются с физруком многозначительными взглядами. И однажды кто-то в раздевалке ляпнул:

«Да у них течка».

«Какая течка? — сразу заинтересовались остальные. — Чё это?»

«Ну, когда внутри всё готово, чтоб ребенок стал развиваться. И им нельзя в эти дни на физру ходить».

«А потом? Почему детей нет?»

«Ну, их трудно заделать».

Теперь Топкин улыбался такому объяснению, а тогда, помнится, стал пристальнее приглядываться к одноклассницам. Каждая была теперь не просто девчонкой, симпатичной или страшненькой, а главное — существом, в котором в любой момент может появиться ребенок...

Странно, что, слыша в то время, да и раньше — чуть ли не с детского сада, — матерные и ругательные слова или те, что играли роль ругательных, вроде «педофил» с ударением на второй слог, Топкин и его сверстники довольно поздно узнали о менструации. Где-то в выпускных классах. Матери скрывали от родных свои критические дни, прятали кровавые ватки и тряпки, подруги не говорили об этих днях. Никому не могло прийти в голову громко объявить: «У меня менструация!» Не то что теперь, когда по телику в одной только рекламе прокладок об «этих днях» можно услышать сто раз на дню.

Почти перед каждым уроком физры и после него пацаны развлекались тем, что заталкивали кого-нибудь в девчоночью раздевалку. Тот, кого заталкивали, вроде бы сопротивлялся, а сам надеялся увидеть белое пятно голого тела, и так будоражил этот визг — как бы испуганный, возмущенный, а на самом деле... Классе в девятом девчонки перестали визжать, и забава сошла на нет...

Да, физру не любили, а вот во что с удовольствием играли лет в восемь-четырнадцать, так это в хоккей. Сначала — на свободном пятачке во дворе, а потом, немного повзрослев, — в хоккейной коробке. Той самой, где позже произошло побоище Армяна с Бессарабом.

Собирались пацаны примерно одного возраста из нескольких домов и часами гоняли шайбу по утоптанному снегу.

Лед в коробке не заливали. Может, краны не работали, шлангов не было или еще что мешало. Да он, по существу, был бесполезен: с конца ноября до конца марта держались такие морозы, что ноги в коньках коченели за считанные минуты. Для катания нужен был теплый вагончик рядом, а таковой имелся — да и то не каждый год — лишь на центральном катке, между Музыкально-драматическим театром и сквером возле гостиницы «Кызыл». Но там в хоккей не поиграешь — каток предназначался для чинного кружения.

Андрею нравилось стоять в воротах. Без преувеличений с рождения слышал из телевизора восторженно-уважительное: «Третья-ак!» — это когда

Владислав Третьяк в очередной раз спасал ворота — и, подрастая, хотел, чтобы и про него так говорили: «То-опки-ин!»

Стоял в воротах он действительно хорошо, его заметил один из тренеров местной детской команды «Динамо», раз-другой позвал попробоваться в форме, с настоящими юными хоккеистами, но Андрей, хоть и кивал, пропустил эти предложения мимо ушей, а потом жалел. Мог бы действительно заиграть всерьез... Но пожалел, когда любым видом спорта заниматься всерьез стало поздно...

Особенно ярко, отчетливо запомнились хоккейные баталии не в выходные дни или после уроков, а в будни.

Каждое утро зимой Андрей вставал с мыслью: сегодня такой мороз, что в школу можно не идти. Не умывшись, шел на кухню, где было радио.

Вкусно пахло завтраком, окно искрилось толстой наледью.

«Чисти зубы и садись есть», — говорила мама.

«Подожди». — Андрей прислушивался.

«Кызыл чоголоктур, — приветствовало радио по-тувински. — Экии, мищьтер! — А потом повторяло по-русски: — Говорит Кызыл. Доброе утро, товарищи!»

И дальше сообщали погоду. Сначала опять же на тувинском языке, затем — на русском. Если по-тувински говорили долго и звучало «дёртен», то есть «сорок», значит, мороз сильный и занятия с первого по такой-то класс отменяются. Оставалось узнать, до какого именно.

«С первого по третий, — уже поняв, часто говорила мама. — Иди умывайся».

«Ну подожди-и!» — морщился Андрей, надеясь, что мама ошиблась.

Иногда, очень редко, ошибалась. Случалось, сестре можно было не идти в школу, и она, радостно смеясь, бежала еще поспать, вернее, поваляться в кровати, а Андрей завтракал под мамино торопление, одевался и брел по сорокаградусному морозу в школу. И эти метров триста казались длиннющей, трудной дорогой. Не из-за холода, а из-за обиды...

Но бывало, что занятия отменяли с первого по пятый, по восьмой и даже по десятый классы. И эти утра становились по-настоящему счастливыми.

Конечно, Андрей не выказывал перед родителями особенной радости. Сдерживался. Даже мрачнел и вздыхал расстроенно:

«Блин, а я к биологии подготовился...»

Сам же с нетерпением ожидал, когда папа поедет в часть, а мама — в универмаг «Саяны», где она заведовала отделом «Ткани».

И вот они выходили из квартиры, и он начинал звонить пацанам. У большинства в квартирах стояли телефоны: отцы были офицерами. Спрашивал:

«Выйдешь?»

Или пацаны его опережали. Какая разница?.. В общем, часов в девять собирался табунчик ребят в валенках, шубейках, шапках с опущенными ушами, с натянутыми на рты воротами свитеров. В руках — клюшки. В морозном мареве добирались до коробки, при помощи считалок разбивались на команды — устоявшихся составов не было, — и начиналось рубилово.

Пацаны росли, удары по шайбе становились всё мощнее, пошли щелчки и метания (когда шайба летала по воздуху) — стоять в воротах становилось опасно.

При помощи папы Андрей сконструировал себе щитки из ваты и вшитых в ткань палочек; однажды увидел в «Детском мире» маску почти как у канадских вратарей. Уговорил родителей купить ее. И когда стал по-настоящему готов отражать любые броски, пацаны выросли и потеряли интерес к хоккею. Уцелевшие клюшки матери использовали для выбивания ковров, как растяжку для сушки белья на балконе...

После чемпионата Европы по футболу, когда наши стали серебряными призерами, накатило увлечение футболом. Погонять мяч, конечно, любили всегда, но тут случилось нечто особенное. Матчи проводили если и не одиннадцать на одиннадцать, с соблюдением всех правил, то все же всерьез — со штрафными и одиннадцатиметровыми, аутом, попытками фиксировать офсайд.

Андрей находился обычно в защите, в ворота вставал редко, а для атаки не был достаточно резв и мощен.

Вскоре играть просто так стало скучно, и пацаны разработали сетку настоящего чемпионата школы. В нем принимали участие классы с седьмого до десятого. В девятом и десятом парней, правда, оставалось мало — по шесть-восемь человек (большинство после восьмого уходили в училища, техникумы), и обязательно один-другой играть не умели и не хотели, поэтому недостающее до равного количество брали из других классов. Тринадцатилетние, понятно, на равных играть с шестнадцатилетними не могли, но все же задерживали атаки соперников пусть не умением, так числом.

Собирались после уроков на футбольном поле за школой, убирали камни, палки, битое стекло и начинали. Этот чемпионат — а кто в итоге победил, забылось — поразительно объединил пацанов, и даже бугры перестали наезжать и трясти деньги. Жалко, на время...

Занятия физкультурой в институте были необязательными. Корпус истфила, на котором учился Топкин, находился возле парка, и желающие могли побегать по дорожкам или же побросать мяч в кольцо на крошечной спортплощадке на задах корпуса. А если желания ни бегать, ни бросать не было, то можешь отметиться у давно потерявшего всякий интерес к своему предмету преподавателя — и свободен... Андрей предпочитал отмечаться.

По телевизору соревнования не смотрел — детское боление исчезло бесследно, и лет с девятнадцати он считал глупостью, признаком некоторой дебильноватости убивать время, наблюдая, как бегут на лыжах, пинают мяч, пасуют друг другу шайбу. Лучше фильм посмотреть, послушать музыку, почитать. В крайнем случае отжаться, подтянуться, пробежаться самому.

Последний раз Андрей оказался на стадионе осенью девяносто второго года. После пар в институте решили побухать пива. Это не просто бухнуть, а выпить как следует. Всерьез.

Собралась компашка человек семь с разных курсов истфила. В продуктовом магазине на улице Интернациональной, небольшом и почти укромном, пиво в розлив было. Но требовалась тара. Хм, теперь, когда повсюду пластиковые бутылки, дико представить, что двадцать лет назад унести разливуху было проблематично. (Бутылочное появлялось редко, к тому же стоило раза в два дороже.) Да и выпить на месте зачастую тоже: у продавщицы имелась одна мерная кружка, а то и банка, которой она могла наливать пиво хоть куда. Случалось, люди подставляли целлофановые пакеты.

Слава богу, один из студентов, Юрик Пахомов, жил неподалеку. Сбегал домой, принес две пустые трехлитровые банки. Не совсем чистые, но это было уже не так важно. Главное, появилась тара.

Продавщица нацедила в банки желтоватого, почти не пенящегося «Жигулевского», приняла деньги — целую пачку рублей образца девяносто первого года, бледных по сравнению с советскими, без надписей «один карбованець, бир манат»... Интересно, что, когда их выпускали, Советский Союз еще был, а надписи на языках основных народов, этот Союз составлявших, убрали, оставив лишь надпись на русском. Но об этом тогда мало кто задумывался, было не до того, да и эти полусоветские рубли просуществовали недолго, утонув в море новых, пестрых, но ничего не стоивших бумажек.

Однажды, году в девяносто четвертом, Топкин чуть было не влип конкретно из-за ежедневной, а то и ежечасной инфляции. Поехал в находящийся километрах в ста от Кызыла городок Туран. Нужно было отвезти кой-какие документы по работе. Сел в автобус, доехал, отдал. Вернулся на автостанцию, стал покупать обратный билет, а ему: «Цены изменились». И билет стал стоить почти в два раза дороже. У него не хватало. Пришлось бежать к тем, кому передавал документы, просить в долг. И самое неприятное: документы Андрей вручил людям стрёмные — доказывающие, что претензии на выплату такой-то суммы неосновательны. И вот гонец с плохой вестью просит себе типа чаевые за эту весть... Хорошо, что люди — совсем не богатая, по всему судя, семья — вошли в положение, дали недостающую сумму...

Купив пива, стали искать, где бы устроиться. Пить просто под деревом или во дворе было рискованно — улицы патрулировала милиция, отыскивая не столько преступников и хулиганов, сколько мелких нарушителей порядка, чтобы стрясти с них штраф за распитие в общественном месте, справление нужды на забор.

«Может, на бережок? — предложил кто-то из парней. — Забуримся в тальник».

Пошли в сторону Енисея. Хотя там бухать тоже небезопасно: менты заглядывали и туда да вдобавок можно было нарваться на тувинцев. Начнутся наезды, разборки, может и нож возникнуть. Но посидеть на теплых булыганах, глядя на катящуюся сильную воду, на степь на той стороне, на горы, задуматься всем вместе о чем-нибудь таком, что оторвет на несколько минут от земли, — это кайф...

«О, глядите, "Пятилетка" открыта!» — изумленно воскликнул Юрик Пахомов.

Проходили как раз мимо стадиона «Пять лет Советской Туве».

Стадион этот хоть и был намного скромнее «Хуреша», что находился в парке, — одна трибуна, а с трех остальных сторон высоченный забор, — но именно на «Пятилетке» проводили большинство мероприятий. Удобно — почти в центре города.

Здесь выступали знаменитые гастролеры от Аллы Пугачевой и Евгения Леонова до группы «Мираж». На «Мираж» ломились толпы, хотя знатоки тогда, году в восемьдесят восьмом, утверждали, что это ненастоящий «Мираж» и поют под «фанеру», но остальным — многим сотням парней и девчонок — было плевать: тащились, сидя на трибуне, по полной; а танцевать было нельзя: по проходам курсировали дружинники и успокаивали особо эмоциональных:

«Присядьте. Иначе будем вынуждены вывести».

Но как тут усидишь, когда тебя будоражит, подбрасывает нежный и смелый девичий голос из мощных колонок: «Снова к друзьям я своим убегаю, что меня тянет туда, я не знаю. Без музыки мне оставаться надолго нельзя-а!»

На «Пятилетке» проходили соревнования по легкой атлетике, футбольные матчи какой-то зоны какой-то лиги, в которой пребывало кызылское «Динамо».

За полем следили, вечно перекладывали пласты быстро засыхающего дерна, берегли песок в секторе прыжков в длину, посыпали кирпичной крошкой беговые дорожки... А теперь ворота настежь, никого рядом.

Парни осторожно вошли, поозирались и тихо, гуськом, как группа диверсантов, двинулись на верх трибун, под крышу, где на концертах и соревнованиях обычно сидело начальство и уважаемые люди.

Уселись и стали гонять банку по кругу. Банка становилась легче и легче, а в животе, наоборот, тяжелело. Голову медленно заливало мутноватое пивное опьянение.

Разговаривать было особенно не о чем. Виделись пять дней в неделю в институте, знали друг о друге, кажется, всё. Почти все после школы пробовали поступить в вузы в других городах, но не получилось, и вот осели в пединституте, нося на себе едкую поговорку: «Ума нет — иди в пед».

Никто свое будущее не видел школьным учителем; Серега Пикулин с четвертого курса рассказывал о практике с ужасом: семиклассники, особенно девки, издевались над ним так, что успокоительные таблетки пить приходилось, хотелось перебить этих орущих, гогочущих подростков.

«Мы такими не были», — как-то по-стариковски вздыхал Серега.

Вообще, диплом о высшем образовании казался бессмысленным и лишним, учеба — пустым убиванием времени, того времени, которое можно было употребить на дело.

А дела закручивались неслабые. Именно тогда, в те дни и недели девяносто второго года, ковались состояния, создавались базы для дальнейшей безбедной жизни. Хотя не обходилось без крови: бились за эти базы, и многие гибли. После многолетней хулиганской войны, последовавшего за ней нашествия на город районных бесов с ножами в сапогах накатила новая волна убийств.

От этой волны, в отличие от двух предшествующих, можно было увернуться: главное — не лезть на рожон, не ввязываться в борьбу. И парни, мучаясь, теряя к себе уважение, понимая, что упускают возможности, не ввязывались. Ходили на лекции, сдавали зачеты и экзамены. Ходили, сдавали и видели впереди, после получения диплома, вполне реальную угрозу службы в армии. А армия — это почти наверняка или дедовщина, или реальная война.

Войны вспыхивали почти во всех республиках развалившегося Союза. И войны не такие, как у них в Туве, когда подрежут или застрелят одного-другого, сожгут два-три дома в деревне, а с автоматными очередями, взрывами, горами трупов. Карабах, Баку, Южная Осетия, Северная Осетия, Приднестровье, Абхазия, Таджикистан, Узбекистан, Киргизия... И везде воюющих разнимали русские солдатики и гибли, гибли...

«Слышал, могут разрешить отказываться от армии», — сказал один из парней, третьекурсник Борька Салин.

«Ага, приходишь в военкомат и говоришь: "Не хочу". И они там: "Да, да, пожалуйста. Вот вам военный билет"».

Вялые смешки над невеселой шуткой. Салин забурчал обиженно:

«Ну, альтернативная служба... Учителем в деревне работать, к примеру».

«И сколько там работать? До двадцати семи лет?»

«Не знаю... Это проект пока...»

«И чем в деревне лучше, чем в армии? — спросил Андрей. — Там скорее могут убить».

Вспомнили о нынешней поездке на картошку. По старой традиции в начале сентября студентов отправляли помогать колхозникам убирать урожай. Андрей не поехал — просто не явился к автобусам. Был уверен, что за неявку не отчислят, а картошечная романтика, воспетая студенческим фольклором, была ему не нужна: у него была Ольга.

Уехавшие студенты буквально через день стали возвращаться по двое-трое. Рассказывали, как на них накидывались пьяные местные, и русские, и тувинцы, парней били, девчонок хватали, нескольких чуть не изнасиловали. Автобусы, конечно, уехали обратно в город, преподаватели и руководители

совхоза ничего не могли сделать; участкового вообще не нашли. Пришлось студентам пробираться к трассе, ловить попутки. За оставшимися выслали автобус.

Всё обошлось без серьезно пострадавших, но с тех пор с картошкой было покончено.

«Но, — согласный с замечанием Андрея кивок. — В деревне страшнее армии».

«Ну, может, у староверов-то еще нормально».

Староверы появились в Урянхае под конец девятнадцатого века, расселились по берегам Малого Енисея и его притоков в труднодоступных местах. За сто с лишним лет разные власти пытались подчинить их государству, установить свои порядки, но не получилось — выстояли, пугая пришлых начальников групповыми самоубийствами: бросались в полыньи, сгорали в срубах, замерзали — «замирали» — в тайге.

С перестройкой староверческие поселки стали даже увеличиваться: подселялись вдруг осознавшие себя староверами, прибивались крестьяне из захваченных тувинцами деревень, приезжали семьи из других уголков Сибири, не сумевшие прижиться в рыночном мире.

Крепость веры, а точнее традиций, у староверов стала слабеть, но все равно учителям у них до сих пор было неуютно, тревожно. Побить не побить, но попросить, чтоб не засоряли ребятишкам мозги Дарвином, астрономией, историей, могли очень внушительно...

«Игорёнь, — позвали единственного в их компашке отслужившего, — а как там вообще в армии?»

Игорь Чучалин, двадцатиоднолетний первокурсник, дернул плечами:

«Да мне нормально. Три месяца в учебке, потом почти два года на заставе. Один раз выезжал — в госпиталь с ветрянкой».

«На заставе... На границе, что ли?»

«Ну да. С Финляндией... Спокойно, нормально. — Игорь говорил медленно, расслабленно, глядя словно не на высоченный забор напротив, а сквозь него; может, пытался увидеть там эту свою заставу. — Дом двухэтажный, гаражные боксы, баня... свиньи были, коровы, две лошади... Огород был, рыбачить ходили... Кормежка болееменее, молоко каждый день парное... Парни, у кого до службы с девчонками было, тосковали сильно, а мы, остальные, так... Не, нормально. Несколько человек на сверхсрочную остались в последний момент. О дембеле мечтали, а он подошел — посмотрели, что тут творится, и остались».

Из-под трибун появились ребята-тувинцы лет двенадцати-пятнадцати. В шортах, майках. Поразминались, потом по свистку тренера встали на дорожку и побежали.

«Вот они тренируются, — прежним расслабленным голосом произнес Игорь, — а мы бухаем. Они нас сожрут в конце концов».

* * *

Топкин обнаружил себя на кровати одетым. Телевизор журчал каким-то французским ток-шоу: сердились, спорили, перебивали друг друга, но без фанатизма, довольно вежливо.

Рот был стянут, глоталось с трудом... Еще хуже, чем после виски.

Поднялся, покачиваясь, подошел к столу, долго пил воду. После воды закололо в висках. Будто вода пробивала там ссохшиеся руслица. Глянул на бутылку с пастисом — его оставалось на дне.

— Офигеть...

Он не помнил, как уговорил эти пол-литра; казалось, принял три-четыре порции.

За окном сумерки. Неужели день кончился?.. Нашел взглядом часы. Ну да, почти шесть.

— Надеюсь, шесть вечера, — хмыкнул Топкин и, чтобы снять колотье в висках, допил пастис. Бутылку сунул в корзину под столом.

Надо было идти. Куда именно, он не знал, но — надо. Посмотреть Париж. Хоть кусок увидеть. Вдохнуть.

«Завтра пойдешь, — гасила это желание похмельная лень. — Еще почти неделя впереди».

— Какая неделя?! — рассердился Топкин. — Четыре дня.

«И четырех дней хватит. Хва-атит».

Выпутался из лени и томности, умылся, тщательно почистил зубы... Хотел было сделать несколько затяжек сигаретой, но пересилил — покурит на улице. Еще один повод выйти.

Помня об утреннем холоде, надел еще одну майку, а на ноги — запасные носки. Больше утеплиться было нечем. Надо завтра зайти в магазин и купить теплую куртку. Теплую стильную французскую куртку.

Перед глазами возник Ален Делон из какого-то фильма в кожаной куртке вроде летчицкой, с меховым воротником. Конечно, сегодня такую носить смешно, а все-таки — красиво...

На ресепшене стоял новый молодой человек. Болтал по стационарному, с проводом-спиралью, телефону. Увидел Топкина, вытянулся и как-то испуганно, точно Топкин был его начальником или каким-нибудь инспектором, пропел:

— Бонсуа-а-ар!

— Бон, бон, — кивнул Топкин, решая, сдать ключ или нет. В кармане таскать — тяжело, а сдать — потом обратно надо просить, язык ломать... Оставил у себя.

На всякий случай осмотрел холл, вспомнил, что где-то читал: в европейских отелях есть зонтики. Не увидел. Преодолевая не неловкость, а нечто напоминающее брезгливость, что ли, как при общении с калекой, спросил при помощи жестов и немецкого «регеншнрм» про зонтик. Молодой человек с виноватой и действительно какой-то увечной улыбкой помотал головой отрицательно.

— Ясно...

Закурил под навесом. Дождя не было, но в воздухе поблескивала словно бы ледяная пыль. Лицо, волосы, руки, сигарета моментом стали влажноватыми. Захотелось обратно.

— Так, налево, направо? — спросил себя Топкин вслух и так сердито, что сам удивился; хотя, если честно, сердиться было за что. По крайней мере за этот потерянный день...

— Налево, — ответил он этому сердитому голосу и пошел.

Дома были красивые, но похожие один на другой сильнее, чем наши хрущевки. И на всех — ажурные, кружевные балкончики, будто лишние детали

Эйфелевой башни; под всеми крышами — оконца мансард. Заблудиться немудрено.

Топкин оглянулся, чтоб запомнить отель с этой стороны. Вон синий навес над входом. Ладно, найдет...

В Кызыле в восемьдесят четвертом, перед сорокалетием присоединения Тувы к СССР, балконы на центральных улицах украсили деревянными щитами с национальным орнаментом — перекрещивающиеся прямые, образующие квадратики, а в целом симметричные многоугольники. Прикрыли цветастыми щитами скарб и хлам, громоздившийся на балконах. Довольно долго было симпатично, особенно когда орнамент подкрашивали.

К тому празднику готовились всерьез. На центральной площади — имени Ленина (теперь площадь Арата, хотя памятник Ленину так и стоит) — сделали фонтан со скульптурами местных животных: сарлыки, горные бараны, степные лошади. Рядом построили первую в республике девятиэтажку на каком-то сейсмоустойчивом фундаменте. Или гасящих подземные толчки подушках... Эта девятиэтажка долго воспринималась как чудо прогресса. Теперь девятиэтажек уже полно, а в ту ходили как на экскурсии, с замиранием сердца катались на лифтах.

К сорокалетию пригнали в Кызыл оранжевые «Икарусы»-«гармошки». Тоже чудо по сравнению с оранжевыми ЛиАЗами, которые называли скотовозами, и уютными, но маловместительными тоже вообще-то ЛиАЗами, но в народе получившими имя «зилки» по заводу ЗИЛ, изготовившему первую партию этих автобусов в пятидесятые годы.

На «гармошках», как и на лифтах, многие катались просто так, ради удовольствия, благо за проезд можно было не платить: контролеры появлялись очень редко. Пацаны набивались в месте соединения двух частей автобуса, и, когда «гармошка» поворачивала, пол начинал прикольно вращаться.

Улицы ремонтировали к юбилею, на месте избушек в центре вырастали бетонные и кирпичные многоэтажки. Кызыл расцвел, расширился в том тысяча девятьсот восемьдесят четвертом...

Многого, конечно, в силу возраста Топкин не замечал, не знал, многое забылось, но осталось ощущение, что тогда, в том году, становилось лучше и лучше, красивее и современнее.

Но, видимо, отмечать сорокалетие не только человека, но и исторического события — плохая примета.

И в то время, когда одни праздновали вхождение Тувы в семью братских народов в Парке культуры и отдыха, другие рассовывали по почтовым ящикам письма: «За каждый год оккупации тувинский народ ответит жизнью русского оккупанта. Ждите сорок смертей!» Люди, обнаружив эти обещания на следующий день, когда доставали из ящиков газеты, понесли их в милицию. Там заверили:

«Это хулиганство. Не волнуйтесь. В любом случае соответствующие органы найдут подонков».

Нашли или нет — никто, кажется, не узнал, но больше таких бумажек не было. До поры до времени.

В следующий раз их обнаружили накануне праздника Победы в восемьдесят пятом, потом — в годовщину Октябрьской революции. А потом все пошло вразнос. Не только и не столько в Туве, а повсюду.

Нет, было сложнее. С одной стороны, повеяло свежестью, бодростью и желанием жить как-то осмысленней, плодотворней, а с другой — не очень-то милый, но привычный мир стал рушиться.

Папа приходил со службы все более мрачный. Смотрел, хмурясь, передачи по телевизору, досадливо вздыхая, читал газеты и журналы. Молчал, держал свои мысли при себе, как и подобает офицеру. Или, может, с мамой что-то обсуждал, когда сына и дочери не было рядом.

Во многих других семьях было не так, и на переменах, после уроков одноклассники Андрея, тринадцатилетние пацаны и девчонки, ребята во дворе пытались обсуждать происходящее.

«Горбачев сказал, что надо все перестраивать. И образование тоже».

«В Чернобыле взрыв такой на атомной станции... Людей вывозят срочно... Радиация...»

«Виноградного сока почему нету? Горбачев приказал виноградники вырубать, чтоб вино не делали».

«В Афгане десант не туда высадили, и они бились долго, много парней погибло».

Об Афганистане сверстники Топкина слышали с раннего детства, и казалось, что он был и будет всегда. То, что там наши солдаты защищают строящих социализм афганцев, секретом не было. Про это говорили почти в каждой передаче «Служу Советскому Союзу!», выходили книги, снимались фильмы, писались картины. Но году в восемьдесят пятом пошли слухи — впоследствии они оказались правдой — о больших потерях среди наших солдат, о том, что наши участвуют там в настоящей войне, а не просто в поддержании порядка.

Андрею запомнилась такая сцена. Они с мамой развешивали бельё во дворе, и подошла соседка, зашептала маме, но зашептала так, что он слышал:

«В Ачинске на станции целый вагон стоит, цинковыми гробами набит. Оттуда развозят по городам... Колошматят мальчишек. Берут и бросают под пули».

У мамы страшно исказилось лицо, она затрясла тазом с остатками рубашек, трусов, закричала:

«Прекратите! За сплетни знаете что?! Я жена офицера, я не потерплю!..»

Но вскоре уже в газетах стали писать, по телевизору заговорили о кровавых боях в Афганистане, десятках и десятках убитых. Названия городов Кабул, Кандагар, Герат звучали чаще, чем советские Новосибирск, Минск, Владивосток...

Привозили ребят в цинковых запаянных гробах и к ним в Кызыл. Два раза Андрей побывал на похоронах тех, кто учился в их школе на три-четыре класса старше. Официальной причиной их смерти объявляли несчастные случаи — одного убило оборвавшимся тросом где-то в Туркмении, другой погиб в аварии в Таджикистане. Но среди прощавшихся металось слово «Афган». Сопровождавшие гробы офицеры не спорили.

Да и как скроешь этот Афган — возвращались воевавшие там, неразговорчивые, какие-то отстранённые. Появились инвалиды, молодые парни, — кто с пластмассовой кистью руки, кто с негнущейся ногой-протезом, кто со стеклянным, изумлённо глядящим на мир глазом, изрезанным шрамами лицом...

Как-то Андрей оказался свидетелем такой сцены. Шел по скверу и увидел сидящих на скамейке незнакомых взрослых ребят. У них были бутылки, какая-то еда на бумажке. Возле них стоял пожилой мужчина и говорил строго:

«Ради этого мы, получается, кровь проливали? Чтоб вы тут в рабочее время жрали портвейн?»

Один из парней вскочил и разорвал свою пеструю рубаху — на асфальт сыпанули пуговицы.

«А мы не проливали?! — заорал он, показывая бугристое багровое пятно на левой стороне груди немного выше сердца. — Мы не проливали кровь?»

Пожилой мужчина попятился, как от заразного больного, потом повернулся и быстро, втянув голову в плечи, посеменил по дорожке. Парень глянул на Андрея страшными глазами — Андрей, тогда пацан лет пятнадцати, рванул прочь.

В те годы, наверное, и возник, стал разрастаться страх армии. Сначала — у матерей скорых призывников: женщины, недавно радовавшиеся здоровым, крепким сыновьям, искали у них какие-нибудь болезни, из-за которых не возьмут служить. «Не отправят под пули».

Страх матерей передался сыновьям. Но сыновей сильнее пугал не Афган, а дедовщина.

Да, стал затухать Афган — посыпались статьи о дедовщине. Воевать и даже погибнуть на войне одно — к этому пацаны готовились с детства, в это играли, этому учились, и их учили в школе, в кружках и секциях, а быть рабом у тех, кто отслужил на год больше тебя, — это унизительно, мерзко. Унижения боялись больше смерти.

В лексиконе ребят появились слова «отмазаться», «откосить».

И, учась по очереди кататься на привезенном кем-нибудь из больших городов скейте, пытаясь дружить с девчонками, собирая записи модной музыки, сидя на уроках физики, литературы, астрономии, пацаны волей-неволей ворочали в голове один большой, тяжелый, мешающий жить вопрос: «Как не пойти в армию, как откосить?»

Самое обидное и стыдное для Андрея было то, что этот вопрос ворочал и он — сын капитана Советской армии, всегда... нет, до самого последнего времени... тоже мечтавший стать офицером.

* * *

Вышел на бульвар, но поначалу не понял, куда попал. Какой-то мост, железная дорога, качающийся в редких огнях полумрак... Словно окраина города.

В растерянности и недоумении он остановился, ворохнулась тревожная мысль: «Заблудился!» Тем более, занятый мыслями, он не понимал, как далеко отошел от гостиницы — на двести метров или на два километра.

Но глянул налево и увидел праздничное разноцветье фонарей и витрин. Пошел на них.

Через несколько минут за крышами домов открылись чешуйчатые продолговатые купола знаменитого Сакре-Кёр. Казалось, они совсем рядом.

Топкин пересек бульвар и по ближайшему переулку двинулся к собору. В интернете вычитал, что возле собора есть смотровая площадка, с которой весь Париж — как на ладони. Пока не совсем стемнело, наверное, удастся подержать его на ладони, покачать, как игрушку...

Дорога сначала шла в гору, а потом резко — спуск. Магазинчики, кафешки, которыми было набито начало переулка, кончились. И Сакре-Кёр исчез. Стало тихо, тревожно. Сразу навалилась ночь.

Навстречу Топкину какой-то падающей походкой двигался парень в остром капюшоне. Поравнялись, и парень недружелюбно ковырнул его из-под капюшона глазами... Надо возвращаться. Мало ли... У Довлатова в одном рассказе герои, свернув не на ту улицу, оказываются в негритянском районе и еле уносят ноги. Действие происходит в Нью-Йорке, но и в Париже, он слышал, есть такие места. Не для чужих.

Постоял, выждал, пока парень отойдет подальше, и пошагал обратно. К разноцветным лампочкам, витринам, шуму, празднику. «Праздник, который всегда с тобой».

На пути к нему — празднику — попался ресторанчик. Нет, что-то вроде «Ростикса», который Топкин полюбил, бывая в Красноярске. Но «Ростикс» большой, торопливый, а это заведеньице крошечное: два стола вдоль стен, напротив входа — прилавок с лотками золотистых кусков курицы. Голени, грудки, бедра, крылышки. Краники с пивом. Самое то — курица и пиво. Стакан светлого пива.

Откуда-то из-под лотков вынырнула розовощекая, распаренная девушка и улыбнулась Топкину, поприветствовала непременным:

— Бонжу-ур!

Топкин ответил тем же и указал на лоток с грудками. Секунду выбирал, на каком языке произнести. Выбрал русский:

— Два.

— Дё?.. Окэ! — Девушка тряхнула головой.

Хлеба не было, и Топкин взял пакетик картошки фри, пиво. Расплатился. Цена в евро показалась ничтожной, а переводить ее в рубли было лень, да и незачем: здесь надо забыть о России с ее рублями, проблемами и прочим. Потом Россия вернется. То есть ты вернешься в нее. И жизнь покатится дальше...

Курица была мягкой, даже жевать почти не нужно — откушенное само распадалось во рту. Это можно было объяснить способом приготовления, хотя скорее дело в выращивании кур. Наверняка сидят в тесных клетушечках, почти не шевелятся, потому и мясо такое, без мышц и жил... Раньше курицы были другими.

— Кхм! — усмехнулся Топкин и пенсионерским голоском проворчал: — Раньше все было другим.

— Ки? — спросила розовощекая.

Топкин помахал рукой: ничего, ничего. И потом — большой палец. Мол, вкусно...

А что, действительно, курицы были мускулистыми, сытными. Волокнистое мясо надо было долго жевать. Одной курицы их семье из четырех человек хватало на две-три готовки.

Но, может, не в курах дело, а в экономии? Маленький кусочек мяса и много риса или пшена, а позже, в самом начале девяностых, ячки... Курицу нужно было еще умудриться купить.

Очереди конца советского времени до сих пор вызывали у Топкина отвращение к любой веренице людей. Внутри сразу начинало ныть и болеть, когда он вставал в очередь в клуб или на регистрацию в аэропорту.

Люди выстраивались в те годы за всем... Сначала дефицитом были хорошее мясо, сосиски, сыр, колбасы, потом любое мясо, сливочное масло, консервы, а под конец очереди возникали даже за хлебом, и хоть серьезных перебоев с ним не случалось, но угроза его исчезновения казалась реальной. Ведь еще недавно человека, предрекающего, что кусок пошехонского сыра или вареной колбасы будет не найти днем с огнем, назвали бы паникером, провокатором, затаскали бы на допросы. Но — бац — и магазины на самом деле опустели, и опустели так основательно, что удивляло, чем питаются все эти сотни и сотни прохожих, вполне на первый взгляд здоровых, крепких. Лишь глаза — испуганные, затравленные и в то же время хищные — показывали: все ищут, чем бы поживиться, и ожидают худшего.

Часто матери приходили к школе к последнему уроку и вели своих детей к магазинам. Молочный, гастроном и хлебный с овощным находились на первых этажах соседних пятиэтажек.

Почему-то продукты в городе появлялись разом: две-три недели — пусто, и затем — «выбрасывали» (популярное слово тогда). Видимо, торгу нужно было выполнять какой-нибудь план или прибывала колонна грузовиков из-за Саян. И во время этого выброса нужно было успеть купить в молочном сливочное масло и сметану, в гастрономе — лытки, печень или хотя бы костей с мозгом, а в овощном — бананы, груши. Одному человеку нереально поспеть. Ставили в очередь сына или дочку, а если была возможность — в одну очередь сына, в другую дочку, вручали им деньги и сетку, а в третью бежали сами.

Бывало, особо дефицитное даже не заносили в магазины, чтобы не устраивать давку. Перед «Детским миром» была просторная площадь, и на ней периодически, только всегда неожиданно возникал базар, только без базарного веселья и игры в «поторгуемся»... Растворимый кофе собирал особенно остервенелые толпы. Случались драки.

Года с восемьдесят восьмого в городе ввели талоны. Сперва на водку, вино, разные деликатесы, затем на крупы, масло, даже на сахар, мыло, стиральный порошок... Талоны надо было получить, выстаивая в очередях, носить с собой, надеясь, что вот зайдешь в магазин как бы просто так, а там — о чудо! — продают нужное по талонам, которые ты уже три недели не можешь отоварить. Да, наличие талонов не гарантировало обязательного выкупа продуктов: их попросту могло не быть весь месяц или же тебе не везло оказаться там, где они появлялись, и талоны пропадали.

Весной девяносто второго магазины вдруг в одночасье наполнились давно забытым — копченой колбасой, горбушей, гречкой, мясом всевозможных категорий. Все это было без талонов, зато стоило так дорого, что купить мог далеко не каждый. Деньги обесценились до предела и в то же время стали новым дефицитом — в советское время их не знали, на что потратить, а теперь бросились зарабатывать. Но заработать становилось трудней и трудней, потом удачей сделалось вообще устроиться хоть на какую работу. Многие почувствовали себя лишними.

Папа давно, казалось, начал догадываться, к чему приведет перестройка. Домой приходил все более мрачный, все дольше сидел перед телевизором, раздраженнее шуршал газетами, а иногда так встряхивал их огромные листы, что бумага рвалась.

Однажды не выдержал и, задыхаясь, давясь, зачитал:

«Пятеро солдат, служивших в узбекском городе Намангане, где журчали арыки, не по-декабрьски радовались жизни скворцы, а в парках и скверах кое-где еще цвели розы, умирали на его улицах долго и мучительно. В самом центре, в гуще людей... Драка началась еще в автобусе, причина была самая банальная — у солдат потребовали уступить место их ровесники, местные парни. Вроде бы была сказана фраза, ставшая роковой: "Мы вас защищали в Узгене, а вы... Если бы у меня сейчас был автомат..." В толпу, в круговорот тюбетеек как кость было брошено из автобуса: "Они раздели узбекскую женщину. Кто мужчина — сюда!" Почему поверили в этот бред? Не засомневались, что такое невозможно уже хотя бы потому, что автобус набит под завязку? Был час пик — около шести вечера. Неудивительно, что за какие-то полчаса вокруг места трагедии собралось более трех тысяч человек... Солдат вытащили из автобуса. Били палками, пинали ногами, в клочья рвали форму. У Сергея Козоброда на шее оказался маленький крестик. Крестик запихали ему в рот и били по лицу... Убийцы открыли бензобак, окропили бензином автобус и, видимо, уже мертвых солдат и подожгли... Майор В. Тезиков с бойцами батальона прибыл, когда расправа уже заканчивалась. Спасать товарищей было уже поздно, а самих себя — в самую пору... Рядовой Федоров, когда толпа стала теснить их немногочисленный отряд, не успел перелезть через забор. Обмундирование было тут же разорвано в клочья. Солдата — босого, в одном нижнем белье — пинками и ударами палок погнали по улицам... К утру Костя Федоров умер в больнице... Напор толпы был столь неистов, что не выдерживали, трескались триплексы — толстенные смотровые стекла бронетранспортеров, на которых, уже с оружием, прибыло подкрепление... Всего за медицинской помощью обратился 81 военнослужащий, многие получили тяжелые травмы и были госпитализированы. Пострадали десятки работников милиции, усмирявшие погромщиков 2-го и 3-го декабря... Есть убитые и раненые среди гражданского населения... Массовые беспорядки в Намангане имели четко выраженную антиармейскую направленность. Избивали, забрасывали камнями всех, одетых в форму (в батальоне служат и русские, и украинцы, и грузины, и татары). События произошли буквально через несколько дней после известного заявления министра обороны Д. Язова, в котором фактически санкционировалось применение военнослужащими оружия для защиты себя, своих семей от нападений — не потенциального противника, а — как бы сказать поделикатнее — недружелюбной части местного населения... У меня стоит перед глазами солдатская казарма. Кое-где за пыльными, мутными стеклами — расплывчатые зеленые фигуры. Солдаты, пацаны. Стоят и смотрят на пустой пыльный плац, забор, за которым гудит чужая, непонятная жизнь. Тоска такая, будто здесь снимал Сокуров свои "Дни затмения"».

Было это году в девяностом. Уже пылали войны и кровавые конфликты на территории еще формально существовавшего СССР. Сумгаит, Карабах, Новый Узень, Фергана, Сухуми, Баку, Андижан, Ош... Но сохранялась уверенность: армия наведет порядок, разведет враждующих. Пусть даже пролив кровь, как в Баку в январе девяностого. Солдат боялись и уважали. А после Намангана вера в армию стала исчезать...

Сгущались тучи и в Туве. Единственной реальной защитой была уже не милиция, а находившиеся здесь мотострелковые части, хотя их как раз в девяностом стали постепенно расформировывать.

Именно постепенно. Если бы резко — наверняка бы поднялся шум, а так — почти никто не замечал.

Сперва увольняли по сокращению гражданских. По одному, по два. И это казалось справедливым: действительно, штаты раздуты, много лишних, да и офицерский состав не мешало б почистить... А потом вдруг оказалось, что служить некому.

«Служить некому!» — услышал Андрей необычно тонкий, почти визгливый голос папы; осторожно заглянул на кухню.

Папа сгорбился за столом над тарелкой с ужином. Мама сидела напротив, наоборот, с прямой спиной, поднятым лицом. Тонкая, строгая и от этого еще более красивая. Но это была какая-то пугающая красота — позже Андрей увидел подобных женщин на иконах...

И у мамы на работе становилось хуже и хуже. Отдел тканей, такой еще недавно популярный у горожан, перешел в разряд нерентабельных. Это слово очень часто тогда употребляли. С одной стороны, появилось больше разнообразной одежды в отделах готового платья, с другой — не по карману стало покупать дорогие ткани, отдавать профессиональным швеям-надомницам или нести в ателье «Чечек». Да и погибала эта традиция — одежда на заказ, сделанная лишь для тебя.

А раньше отрез на платье, на брюки, настоящий драп для пальто считались очень ценным подарком, покупкой, которая становилась событием. На редкий материал записывались, старались задружиться с продавщицами, чтоб не забыли сообщить...

Странно, раньше выкройки были редкостью, бумажки с ними ценились неимоверно, их копировали с тщательностью, будто чертежи каких-нибудь ракет и реакторов, а когда они стали сыпаться отовсюду — один журнал «Бурда» чего стоил, — когда дорогущие и дефицитные станки сделались доступнее, мода, а вернее, какая-то потребность шить самим, своими руками, пропала.

И отдел тканей, съеживаясь и съеживаясь, превратившись в уголок на втором этаже универмага «Саяны», под конец девяносто второго исчез окончательно.

Мама проработала там до конца: ее ценило начальство. Когда отдел тканей закрылся, ей предложили свободное место — сидеть на кассе. Мама согласилась: нужно было где-то работать, но ей, заведующей элитным отделом, эта должность была не по душе.

«Чеки может и автомат выбивать», — вздыхала она. Но редко жаловалась — драма мужа была, конечно же, для нее тяжелее.

* * *

— Можно еще пива? — сказал Топкин.

— Жё нё... — Девушка мило наморщила лоб, пытаясь понять, что он хочет.

— А, извините... эскюзми... Бир. — Показал на пустой стакан, покопался в познаниях в английском и произнес нечто подходящее: — Йет.

— О! Окей.

Девушка подставила новый пластиковый бокал под тонкий длинный носик, открыла кран. Топкин положил на прилавок монету в два евро.

Да, как-то моментом очень многие почувствовали себя лишними... То рук не хватало, требовались и требовались — с четверть последней страницы каждого номера республиканской ежедневки «Тувинская правда» занимала рубрика «Требуются на работу», на проходной каждого предприятия и учреждения висели объявления, — и вдруг: никого не надо. Не надо и большинства тех, кто работает. Не то чтобы гнали, но давали понять: обойдемся без вас.

Папа стал поговаривать, тихо, с усилием, словно раскрывал военную тайну, что их часть планируют перевести в Кемеровскую область или Красноярский край.

«Хорошо бы, в принципе, отсюда выбраться, — размышлял вслух, — но там базы нет. Могут в палатках расквартировать. А потом расформируют...»

Неожиданно он задумался о своей фамилии:

«Высоко мне с ней не подняться... Топкин... Полковник Топкин... Хм, не звучит... Так и останусь капитаном. Перед увольнением, может, два просвета дадут...»

«Перестань! — перебивала мама так, будто ее били такими словами. — При чем здесь фамилия?! И даже звание не имеет большого значения. Ты ведь сам это знаешь».

«Знал. Раньше знал, а теперь... Теперь все имеет значение... Теперь такие рулить начинают — закатают нас всех, и не пикнем... Топкиных в Черноводье уважают. Мы там с восемнадцатого века. А здесь — тьфу».

Так впервые возникла тема малой родины папы. Возможного переезда туда. На самый восток Эстонии, который тамошние русские называли Черными горами, Черноводьем... Мама тоже была родом из этой республики, из Тарту; ее предки жили там еще с «дореволюции».

В советское время родителей в Эстонию явно не тянуло — за все время они всей семьей побывали там три или четыре раза; столько же раз к ним приезжали родственники оттуда. И все встречи заканчивались чуть не скандалами: эстонская родня не могла понять, как они живут в «этой Азии», в степи, «без Европы». О Европе вспоминали даже папины родители — староверы. Папа с мамой не соглашались:

«Это часть России, нашей родины. Мы — русские».

«Да мы тоже русские», — качала головами родня.

«А русские должны жить в России».

«Россия твердыми границами не ограничена. И в Аргентине есть русские — порусей многих здешних».

«За пределами России они обречены — два-три поколения, и всё».

«Но вот мы-то держимся сотнями лет».

«Потому что под боком у России. И счастье, что Россия собрала все земли вокруг, связала».

«Ох-х, сгнили вязки эти, сгнили напрочь».

В общем, не принимали жизнь друг друга.

Позже, пытаясь разобраться в этом противостоянии родных людей, Топкин, кажется, понял:

не «русские» было здесь главным, а «советские», что не произносилось.

Года до девяностого родители были абсолютно советскими людьми. Их ранняя юность совпала с оттепелью, романтикой, молодость пришлась на начало брежневского времени, когда хоть постепенно, медленно, но становилось всё лучше. Перебои то с одним, то с другим в конце семидесятых — начале восьмидесятых они воспринимали как временные трудности, верили, что жить, двигаться дальше мешают внутренние враги, эти хапуги, рвачи, несуны, диссиденты, происки внешних врагов — империалистов, сионистов...

Топкин запомнил, с каким воодушевлением они встретили меры Андропова по укреплению дисциплины.

«Надо спасать страну! — говорил папа вдохновенно. — Разболтались за последнее время. Правильно говорят: вы делаете вид, что работаете, а мы делаем вид, что платим».

В кинотеатре «Пионер» проходили тогда показательные судебные процессы над несунами (позже там будут судить пацанов из Андреевой школы). Папа с мамой посетили парочку заседаний, потом обсуждали дома:

«Правильно, что два года впаяли».

«Но за сумку газировки копеечной — жестко».

«Жестко, но правильно. Другим неповадно будет. Так и всё растащить могут».

Смерть Андропова родители в буквальном смысле оплакивали. Папа, выпивавший редко, в тот день сидел на кухне и глотал водку стопку за стопкой. Мама хлюпала слезами.

«Не успел, — сдавленно рычал папа. — Так мало ему довелось...»

«Это неспроста, — отзывалась мама, — кто-то постарался».

Политику следующего генсека — Черненко — не одобряли:

«Не замораживать надо, а вперед двигаться».

Первые шаги Горбачева встретили радостно.

«Кооперативы — нужная вещь, — говорил папа. — О них еще Ленин писал».

«Ничего плохого нет в частных парикмахерских, кафе, — вторила мама. — А какую обувь шьют хорошую! Знакомая из Новосибирска кооперативные сапоги привезла — от югославских не отличишь».

А потом покатилось, понеслось...

И вот — пустые полки магазинов, пожары во многих республиках, декларации о независимости, сокращения и увольнения, расформирование воинских частей. И ощущение скорого развала всего и вся...

Папа уже почти каждый вечер вспоминал о своем Черноводье, на глазах становящемся вместе с Эстонией заграницей, о своих предках-староверах.

«В детстве так стеснялся, что из них, а теперь каяться готов. Вот в ком сила! Никакая власть их сломать не может».

В свободное от службы время он стал редко носить форму, потом и на службу уезжал в гражданке, переодевался на территории части. Андрей понял, что быть в форме небезопасно — на офицеров иногда нападали...

Папа приносил из библиотеки какие-то книги и, сморщившись от напряжения, подолгу читал их.

Однажды пришел счастливый.

«Знаешь, с кем я познакомился? — спросил маму. — С людьми поморского согласия. Того же, что и мои в Черноводье!»

Мама не разделила радости, и они допоздна тихо, но явно горячась, что-то обсуждали на кухне. А утром папа стал звонить родне в Эстонию; Андрей, сидя у себя в комнате, убавил громкость музыки, прислушивался.

О переезде в тот раз речи не было — папа интересовался здоровьем, спрашивал, как у кого дела, как с работой... Да, открыто не говорил, что думает о возвращении, но было понятно: наводит мосты.

А через несколько дней по телевизору показывали репортаж о референдуме в Эстонии по вопросу независимости. Диктор пытался придать своему голосу иронические нотки, но не получалось: иронию то и дело сменяла тревога, а порой и откровенный страх.

Уже объявили о своей независимости Литва, Латвия, отделялась Грузия, с год назад армия — или какое-то подразделение под видом армии — штурмовала Баку, восстанавливая там советскую власть, после чего фактически стал независимым Азербайджан. И вот рванулась прочь Эстония, где почти половина населения — русские...

Папа не находил себе места. Каждый день приносил новые известия, демонстрировал новые трещины на теле страны. Трещала и связь маленькой Тувы, где жила его семья, не только с явно обветшавшим до последней степени Советским Союзом, но и с Россией.

В декабре девяностого года местный Верховный совет, который все чаще называли Хурал, принял декларацию о государственном суверенитете Республики Тува и спустя несколько дней — закон о признании тувинского языка государственным, а русского — официальным. Народный фронт Тувы постоянно собирал митинги, где его представители по-тувински что-то горячо говорили и говорили, в чем-то убеждали сотни, а то и тысячи соплеменников. А приходила на митинги в основном молодежь и с такой ненавистью смотрела на семенящих мимо некоренных, что ясно было: не о мире и добрососедстве им говорят.

Самым эмоциональным и громким на тех митингах был немолодой тучный мужчина по фамилии Бичелдей. Недавно тихий ученый, филолог, коммунист со стажем, а теперь — национальный лидер. Позже он стал депутатом Государственной думы, заместителем председателя комитета по делам национальностей. С трудом и без охоты изъясняясь по-русски, рассказывал по телевизору о преимуществах латиницы над кириллицей...

Днем митинговали, вечерами в больницы везли подрезанных, в морги — зарезанных, а по мосту через Енисей ползли КамАЗы с контейнерами, в которых было имущество русских и прочих некоренных. В проданные, а нередко просто брошенные квартиры вселялись тувинцы из районов. Освоившись в новом жилье, спрашивали своих некоренных соседей:

«А вы когда уезжаете?» — и с улыбкой ждали реакции.

Менялось население и их офицерских домов. Медленнее, чем других, но заметно.

«Не жить нам здесь, не жить», — все чаще повторял папа. Но рвать боялся.

Почти двадцать лет службы. Долг. Дисциплина. Топкин запомнил последний парад с участием папы. Это было Девятого мая девяносто первого года.

По традиции семьи офицеров собрались на площади Ленина, где по одноименной улице мимо памятника вождю проходили колонны: милиция, пограничники, артиллеристы, мотострелки — правда, в пешем строю: БТРы и тягачи с орудиями пускать не решались, чтоб не попортить и так вечно крошащийся от жары и морозов, тополиных корней асфальт.

Играл будоражащие душу марши духовой оркестр, шагали солдаты. А вот и папа во главе своей гранатометной роты. Он высоко поднимает ноги в хромовых сапогах, правая рука отдает честь, фуражка дрожит, медали на кителе звякают... Папа, задрав подбородок, преданно смотрит направо, где на временных трибунах возле памятника застыло руководство республики...

А поздно вечером, вернувшись из части слегка выпившим, бережно повесив в шкаф парадную форму офицера Советской армии, он бессильно как-то, как выдавленный, плюхнулся на диван и сказал:

«В последний, видимо, раз, — и, жутковато хохотнув, пропел: — Последний пара-ад наступа-ает...»

А потом, после паузы, во время которой наверняка решал, стоит или нет говорить, сообщил:

«Создается отдельная Российская армия. Как все это будет — уму непостижимо. Параллельно с Советской — Российская. И командующий определен — генерал Кобец. Как они с Язовым будут части делить, полномочия? По идее, Горбачев должен всех этих... всех отделенцев арестовать. Но тюрем не хватит — вон их сколько... Все делятся, рвутся, бегут. Тонет Союз, и они бегут. И тут хочется уволиться просто, уйти к староверам и жить без мира этого сумасшедшего».

Мама стала успокаивать, говорила, что ничего еще не потеряно, что обязательно силы найдутся, которые остановят развал, соберут в кулак.

«Ну, прибалтов не удержать уже, но остальных-то можно. Нужно!»

«Вряд ли. — Папа вздохнул протяжно, со свистом. — Цепная реакция... Азербайджан, Грузия, Узбекистан... И Россия — как оккупант для всех. Вон, даже все эти татары, башкиры, тувинцы Россию ненавидят. А куда они без России? Куда-а?»

И такие вопросы папа задавал очень часто. Даже с телевизором стал разговаривать. На службу шел через силу — видно было, что идти не хочется, не видит смысла. Но долг еще был сильнее. Добровольное увольнение считал предательством. Боялся поставить крест на деле жизни. Это ведь как смерть.

* * *

Топкин открыл глаза и долго, не мигая, будто и не спал, смотрел в потолок. Ровное поле без лампочки по центру... По полю бегут, колышутся тени, что-то вроде пара. Это с улицы — шторы раздвинуты, и там мутно светится ночными огнями, электрическим заревом город Париж. Словно подтверждение этому из плоской плазмы тихо журчала, всплескиваясь на «р», французская речь.

Хм, Париж. Тут вот прошлое обуяло, заполонило, наполнило каждую клетку мозга, души. Если у души есть клетки...

Как они пережили то время? Как его пережили миллионы других? Кто-то и не пережил. Читал или слышал, что убыль в девяностые составила какие-то огромные цифры. С войной сравнивают людские потери.

Может, и так. Но тогда не хотели верить, что всё так ужасно... Перебирая сейчас события тех лет, действительно страшных, разрушительных, жестоких, Топкин вспоминал одно плохое, тягостное. Наверное, потому приходило на ум только такое, что знал — он, сегодняшний, знал, — чем закончится, к чему приведет то постепенное ухудшение. А тогда-то не знали. И были праздники, были радости, была жизнь... Под конец уже и желали, чтоб наконец отсоединились, оказались за надежной границей эти кипящие ненавистью союзные республики. «Без них скорее восстановим порядок». О тамошних некоренных, «нетитульных» — слово, возникшее тогда из каких-то ученых трудов, — старались не думать. Не хотелось по-честному, без иллюзий заглядывать и в свое будущее.

Помнится, как воодушевился папа, когда в самом конце девяносто первого года, но еще до Беловежского соглашения, еще при Советском Союзе, Ельцин, президент России, а вернее, РСФСР, издал указ о повышении на девяносто процентов окладов военнослужащим да к тому же разрешил Минобороны самостоятельно устанавливать размеры окладов, доплат, надбавок.

«Заботится! Понимает важность армии!»

Правда, у самого же папы сразу возникли вопросы: «А почему президент России распоряжается Министерством обороны всего Союза? Горбачев в курсе? Шапошников? — Но он тут же давил в себе сомнения. — Пусть Ельцин, пусть для всех. Армия должна быть единой! Развалится армия — всё развалится. А наша армия — и в Прибалтике, и в Грузии. Пусть они там вопят сколько угодно, но армия — общая. Наша, советская».

Но не помог этот ельцинский указ. А скорее всего, он был пресловутым пряником перед носом, отвлекающим от главного: буквально через несколько дней состоялась встреча в Беловежской Пуще, где трое из пятнадцати президентов союзных республик подписали соглашение о создании Содружества независимых государств. Соглашение начиналось страшным объявлением:

«Мы, Республика Беларусь, Российская Федерация (РСФСР), Украина как государства-учредители Союза ССР, подписавшие Союзный Договор 1922 года, далее именуемые Высокими Договаривающимися Сторонами, констатируем, что Союз ССР как субъект международного права и геополитическая реальность прекращает свое существование».

Дальнейшее, десяток с лишним статей-условий, было неважно. Союз погиб.

Но и тут успокаивала, баюкала надежда: сейчас разойдутся, почувствуют, что независимы, потешат самолюбие, а через два-три месяца снова соединятся. По крайней мере эти три... Пусть не под названием СССР, пусть как содружество. Поначалу и СССР был союзом независимых государств, да и по Конституции все республики — государства, добровольно входящие в общий союз. И тут будет так же. Не пятнадцать республик уже, но большинство... Как Белоруссии без России? А Казахстану? А Армении? А Украине? И России без них?

«А вы в курсе, — говорил зашедший к Топкиным обмозговать ситуацию майор Попов, отец Белого, — в курсе, что Белоруссия с Украиной еще в сорок четвертом независимыми стали? Не формально, а вполне, так сказать, юридически. Еще война шла, а Сталин им все инструменты дал для независимости — наркомат обороны, иностранных дел...»

«Зачем?» — удивился, не поверив, папа.

«Ну, вроде для того, чтоб их в ООН приняли. Потом быстро расформировали национальные части. Но все равно факт интересный. На Украине и нарком обороны свой был — генерал Герасименко. Пусть опереточный, но народ-то помнит и хочет повторить».

Эти «интересные факты» всплывали то и дело. Из них, оказывается, и складывалась история страны, взаимоотношений между народами. До поры до времени об этих «интересных фактах» помалкивали, а теперь стали высказывать обиды, предъявлять права, которые были на бумаге, в документах, но которых никогда или давным-давно не существовало в реальности...

От шквала тогдашних событий, заявлений, от ожидания худшего и натужных попыток успокоить себя и окружающих запросто можно было сойти с ума. Спятить, шизануться.

Но все-таки жизнь состояла не только из этого. Во всяком случае, жизнь Андрея и его сверстников. Восемьдесят девятый — девяносто второй годы: шестнадцать-девятнадцать лет.

В это время он окончил школу и поступил в институт, женился. Повзрослел. Тот период по количеству открытий можно было сравнить только с детством, когда каждый день приносит нечто новое.

Новые, вчера еще запрещенные фильмы, книги накатывались валом... Однажды, классе в восьмом или девятом, на уроке литературы одноклассник Топкина Ринат Сейфулин вдруг с каким-то вызовом поинтересовался:

«А мы будем проходить роман "Доктор Живаго" Бориса Пастернака?»

Учительница окаменела. Недоуменно-испуганно смотрела на Рината. Потом тихо ответила:

«Такой книги нет в школьной программе, — продолжила было рассказывать по теме урока, но сбилась, подошла к парте, за которой сидел Ринат. — А откуда ты знаешь об этой книге? Я вот, например, ничего о ней не знаю».

«Ну как же, — снова с вызывающей полуулыбкой сказал Ринат, — в "Литературной энциклопедии" написано. Еще там про "Чевенгур" есть Андрея Платонова. Про них написано, а сами книги найти невозможно».

«Значит, такие книги», — уже строго сказала учительница.

А спустя несколько месяцев в одном литературном журнале был опубликован «Доктор Живаго», следом, в другом, — «Чевенгур». Полились произведения Набокова, Булгакова, Солженицына, Лимонова, Сартра, Камю, Маркеса, Виана, Селина, Генри Миллера, Кортасара, Борхеса... И все это успевали читать, передавали друг другу журналы и книги, обсуждали, собравшись компанией.

Эта литература открывала новый мир — мир свободы. Он жесток, конечно, опасен, но лучше быть свободным на воле, чем запертым в безопасной — относительно безопасной — клетке. Тем более что клетка эта шаткая, старая, и сильные руки стихии ломали ржавые прутья, вытаскивали оттуда: иди, живи, действуй.

Да, пафосно, не очень-то логично, но почти вся молодежь думала тогда именно так. Единицы хныкали и вздыхали, но на них не обращали внимания.

Руки стихии... Не совсем точно. Стихия — это нечто неуправляемое, спонтанное, неподвластное человеку. Но эта стихия была управляемой, направляемой. Скорее не стихия, а политика.

Политика была такой: выходи на волю и борись за лучшую жизнь. И люди стали бороться, отталкивая и давя других. Конкурентов. Рухнул источенный, подпиленный социализм — начался капитализм.

Андрей окончил школу летом девяностого года. Хотел пойти работать — в городе пооткрывалось множество магазинов, ларьков, рыночков, и ему предлагали стать продавцом, экспедитором, сторожем, — но родители настояли, чтоб поступал в институт. Тем более что маячила армия.

Всё прежнее рушилось, но призывников выхватывали по-прежнему активно.

«Забреют, — говорил папа, — и отправят куда-нибудь в Казахстан, на Урал. Будешь там... Вон в газетах пишут, чем солдаты теперь занимаются. И я помочь не смогу. Что я... кто, оказывается...» — и вздыхал, словно человек, проживший напрасно.

У родителей была идея отправить его в Эстонию, там попытаться поступить в вуз, а нет —

укрыться в деревне Рае у бабки с дедом. Андрей возмущался:

«Как я уеду?! Здесь Оля, друзья, вообще...»

Он просто не мог представить себя в другом городе, среди других, незнакомых людей, с которыми нужно налаживать отношения. Позже узнал, что существует такой медицинский термин — «ходофобия». Он, конечно, не считал, что болен — с удовольствием бывал в Абакане, Красноярске, Новосибирске, скучал, но не до какой-нибудь «фобии», когда родители возили его с сестрой в Тарту, Муствеэ-Черноводье. Но одно дело знать, что через неделю-другую вернешься домой, другое — уехать надолго.

А когда у родителей стала крепнуть мысль переселиться, перед Андреем замаячила угроза покинуть Туву навсегда.

Родственников у Топкиных в Кызыле не было, и, значит, если захочешь побывать здесь, где провел почти двадцать лет, нужно или проситься к кому-то из одноклассников (а каково это, когда в квартире чужой человек), или снимать номер в гостинице и пребывать здесь, на своей, в общем-то, малой родине, туристом. Абсурд какой-то...

А главное — Ольга. Без нее Андрей теперь, казалось, не мог прожить и недели. Сближение их шло медленно, хотя учились вместе с первого класса. А может, именно поэтому и медленно — знающим друг друга с детства легче стать друзьями, чем мужем и женой. Но в девятом начали не стесняясь ходить рядом, целовались, когда была возможность, а в августе восемьдесят девятого, после того как Оля вернулась с моря, где отдыхала с папой и мамой, случился первый секс... Соскучились и перескочили ту грань, что сдерживала настоящую близость.

С тех пор ждали восемнадцати лет, когда можно подать заявление в загс.

Родители Ольги и Андрея были знакомы с тех пор, как их дети пошли в школу, отношения сохраняли хорошие, и известие, что они решили пожениться, встретили хоть и не с бурной радостью, но без отговоров.

Наверняка и у тех и у других были на чад свои планы: папа Андрея к тому времени уже явно собирался увезти семью в Эстонию, а папа Ольги, которого Андрей с детства привык называть дядей Лёней, обладающий редкой и хлебной профессией, в конце восьмидесятых начавший выстраивать настоящий бизнес, не раз откровенно говорил, что покинет Туву с последним милиционером. И Ольга уезжать куда-нибудь не хотела, осторожные намеки на это пресекала коротким «нет». Это укрепляло в Андрее уверенность, что жить он должен здесь. Бороться за благополучие своей скорой семьи...

Летом девяносто первого, еще формально при социализме, издали закон о приватизации квартир. Заканчивалась эпоха обменов, разменов, хитрых комбинаций и схем, благодаря которым из однокомнатки можно было в конце концов перебраться в трехкомнатку. Но поначалу народ не ломился приобретать жилье в собственность — приватизация была тогда платной, да к тому же боялись, что каким-нибудь образом обманут или квартплату такую забахают, что разоришься. «Клюнули на капиталистическую приманку — получайте!»

Массово стали приватизировать после гибели СССР. «Всё рушится, — говорили, — так хоть жилье будет моим личным, ни от кого не зависеть».

Но меньшая часть кызылчан приватизировала тогда квартиры для того, чтобы в них надежно, настоящими хозяевами жить до смерти, оставить потомкам. Большинство, сделав ее своей, продавали и уезжали. По сути, приватизация квартир подняла людей с мест, двинула потоки по территории бывшего Союза. До того уезжали только в крайних случаях, часто бросая все, спасая себя, а теперь — из-за угрозы этого крайнего случая, за компанию, по примеру других. С контейнерами, пачками денег, на которые надеялись купить жилье в тихом спокойном месте или в огромном городе, где, говорят, есть работа, условия, будущее...

Да, против свадьбы обе родительские пары вроде как ничего не имели, но мягко оттягивали ее. «Подождите, решим вопрос с квартирами, выкроим вам отдельную, и женитесь». Это ожидание продолжалось много месяцев.

И вот ранней весной девяносто третьего Топкины всей семьей отправились приватизировать свою трехкомнатку. Папа до этого с великим трудом и угрозами подать в суд — терять на службе ему было уже нечего — получил справки из части, документы на квартиру. Долгая и сложная процедура должна была вот-вот завершиться.

Шли вчетвером по центру города; давно все вместе вот так никуда не выходили. Татьяна, сестра, заканчивающая в этом году школу, несколько раз спрашивала, долго ли надо будет торчать в жилищном отделе — у нее были какие-то дела. «Сегодня такой день, — в конце концов не выдержала мама. — Можешь потерпеть?»

Торчать не пришлось. Расписались в каких-то бумагах и узнали, когда можно будет получить свидетельство о государственной регистрации права. Всё очень просто и быстро.

Неподалеку была кафешка, и Топкины посидели в ней. Папа выпил водки, мама и Андрей — красного вина, сестра — «фанты». Папа пытался шутить, улыбаться, но видно было, что ему тяжело и страшно. Андрей не знал еще, что папа решился уйти из армии. Теперь, после оформления приватизации квартиры, следующим шагом было увольнение.

А для Андрея — свадьба.

***

Топкин всхлипнул — так глубоко погрузился в воспоминания, что будто уснул. И смотрел сон. И горький, и сладковатый.

Всхлипнул, заерзал на кровати, матрац упруго заколыхался. Послушно, как живой. Как девушка...

Первая взрослая близость произошла в его комнате в конце лета. Уже стали облетать листья. Впереди был выпускной, одиннадцатый класс. Им было по пятнадцать лет... почти по шестнадцать.

Родители на работе, у сестры секция самбо — она не то чтобы увлеклась тогда этим единоборством, но поверила в него как в надежную защиту от любой неприятности.

Оля стояла посреди комнаты и ждала. Он понял — она ждет именно этого... Подошел и обнял. Обнял не так, как обнимал до этого, а почти грубо, ощупывая ладонями спину, сползая ниже, сжимая, задирая подол юбки.

«Подожди, — сказала Оля, не высвобождаясь, но как-то вся напрягшись, — включи музыку».

Он с трудом оторвался от нее, дернулся к магнитофону, ткнул пальцем клавишу *"play"*, не помня, какая кассета там. Может, что-то идиотское, неподходящее вроде группы «Ноль»... Нет, песня была, кажется, в тему. По крайней мере музыка. Нежная музыка. А смысл текста Андрей не очень понимал.

Казанова, Казанова,
Зови меня так,
Мне нравится слово...

Ольга как-то странно улыбнулась, и Андрея проколол страх, что у нее уже был мужчина. До него... И он снова кинулся к ней, стал расстегивать ее цветастую блузку, чувствуя под костяшками пальцев бугорки грудей, защищенных лифчиком. «Как много всего», — с досадой подумал.

Лет с двенадцати он встречал у пацанов постарше фотки «с сексом» — явно переснятые картинки из каких-то иностранных журналов. Сами фотки были обычно красноватые — напечатанные почему-то при помощи красного фильтра. Говорят, их продавали глухонемые в поездах и на автовокзалах. Как и карты с голыми. Андрей видел такие колоды: на шестерках девушки в купальниках, на семерках — приоткрывающие грудь, на восьмерках — открывающие ее полностью... На тузах уже было видно всё, даже темное, манящее отверстие между ног, окруженное лепестками кожи, которые, как он позже узнал, назывались «половые губы».

Иногда кто-нибудь приносил иностранный журнал или листок из журнала. И пацаны, обступив принесшего плотным кольцом, впивались взглядом в фотку, со страхом новых знаний о жизни изучали всё до мельчайших подробностей — пупырышков на соске, складок между бедром и тазом, волосков на лобке...

Потом Андрей увидел не совсем откровенные, но будоражащие фильмы в видеосалонах.

Ему становилось муторно от этих голых тел, от мужиков с темными от прилившей крови, задранными вверх членами, которые они вот-вот всунут женщине в рот или между ног... Это было притягательно, но и мерзко. Даже реальная тошнота булькала в горле.

Он не раз пытался не смотреть, забыть о том, что видел. Читал книги, где женщины рисовались недоступными и небесными, а мужчины — такими галантными, что не смели поднять на женщину глаза.

Но плоть оказывалась сильнее усилий мозга. Днем ты управляешь собой, а ночью... Что там происходит ночью? Какие-то яркие и отчетливые, словно реальность, сцены. Подробности забываются, потому что просыпаешься от взрыва в паху и приятной боли. Трогаешь там рукой, натыкаешься на теплую слизь...

В первый раз Андрей сильно перепугался: что со мной? что это? я заболел?.. Лежал в кровати, поджав ноги, и боялся пошевельнуться. Перебирал мысленно причины произошедшего, но сильнее тревоги оказывалось ощущение чего-то чудесного, что случилось во сне и забылось от ужаса... Там, кажется, была женщина и был он, Андрей, и они были вместе, он трогал ее, он что-то делал с ней — что-то такое, что делали мужчины с Эммануэль, с теми девушками на фотках. Делали, наверное, для того, чтобы у них произошло такое же, такой же взрыв...

Утром тайком, опасаясь вопросов мамы, он достал из шкафа новые трусы, переоделся в ванной, старые, с затвердевшим беловатым пятном, зарыл поглубже в бак с грязным бельем.

Несколько дней находился под впечатлением от случившегося, пристально наблюдал за одноклассницами, за молодой учительницей истории... И когда ночной взрыв стал забываться, заслонился другими событиями — повторилось.

На этот раз сон сохранился яснее: в нем Андрей долго смотрел на раздевающуюся женщину; она была взрослая, но такая гладкая и сочная, что у него захватывало дух — реально становилось трудно дышать. Раздевшись, она поманила его к себе; он шагнул — и случился взрыв.

И снова резкое пробуждение, снова приятная боль, давящее напряжение в члене, эта слизь...

Повзрослев, Топкин снисходительно улыбался тому замешательству и смятению, в каком пребывал. Действительно, в четырнадцать-пятнадцать лет он почти ничего не знал о физиологии.

С детства ему было известно множество ругательных и неприличных слов, но он не вникал в их смысл. Точнее, не решался даже у дворовых пацанов расспрашивать, что они означают, и заменял знание фантазированием: под словом, означающим женский орган, он представлял звезду со множеством лучей, напоминавшую обитательницу морского дна; «молофья» ассоциировалась с этаким жидким, непригодным для питья молоком, «пидоргомия» рисовался в воображении каким-то уродцем, карликом, отвратительнее которого был только «гнойный пидор»; «педо́фил» (обязательно с ударением на втором слоге) — человек, болеющий чем-то заразным, видным, как язвы на лице...

В Кызыле было немало освободившихся из расположенных поблизости колоний, зэки работали на строительстве домов, и от них, видимо, пацаны набирались новой лексики, ругались смачно и разнообразно. Андрей впитывал, но произносить опасался, хотя эти слова его будоражили: он догадывался, что большинство не разрешенных к употреблению слов имеют не то значение, какое он для себя выдумывал, а обозначают какие-то действия между мужчиной и женщиной. «Секс», как говорили ребята тихо, опасливо и с загадочным придыханием...

К девочкам его тянуло чуть ли не с детского сада, и, кажется, уже тогда под животом начинало теплеть и свербеть, а членчик иногда набухал и топорщился, становясь похожим на карандаш.

В школе, классе в третьем-пятом, одной из популярных игр на переменах была такая — «защупать бабу». Пацаны договаривались между собой, кого они будут «защупывать», и налетали толпой, щекотали, теребили одну из девчонок. Самых красивых «защупывать» не решались, некрасивых — не возникало желания; налетать на девчонок из других классов было рискованно — можно нарваться на войну с их одноклассниками. Налетали на своих средненьких. Те визжали, сжимались, отбивались, обзывали пацанов «больными» и «дураками». Одни искренне, а другие, казалось, по обязанности реагировать именно так.

Андрей тоже участвовал в таких налетах и получал удовольствие от прикосновений — прямо так щупать, щипать не позволял себе — к грудке, боку, попе. Но однажды нарвался на взгляд Оли, которая была отнесена к разряду красивых, а значит, неприкосновенных, и перестал. Стало стыдно. А вскоре и сама игра эта в их классе сошла на нет — среди ребят и девчонок протягивались и крепли нити симпатий, и, когда пацаны договаривались, кого будут «защупывать», все чаще звучало: «Нет, не Ленку... Светку не надо... Юльку не трогаем, она списывать дает, и вообще...»

Да, к девушкам тянуло, но настоящий смысл этой тяги раскрыли не разговоры пацанов, книги, фильмы, даже не карты и картинки — смысл продемонстрировала сама природа этими ночными снами и обрывающими их взрывами.

Вскоре после третьего или четвертого случая Андрей, уже совсем прибитый, поставивший крест на себе — вот истекает жижей, а он знает про такую болезнь, когда «с конца потекло», — услышал от одного пацана из параллельного класса, Лешки Мыльникова, важное. Сидели за школьной теплицей после уроков, курили перед тем как разойтись по домам, и тот пожаловался:

«Заманали эти мокрые сны. Блин, плавки менять не успеваю. Мать косяки кидает — что, дескать, такое...»

Андрей прислушался.

«Тёлка нужна, а где?.. — продолжал Лешка, с удовольствием затягиваясь фильтровой сигаретой. — Те, которые дают, — с крутыми ходят, а другие — фиг поведутся... Было у кого уже с телками?»

Ребята заерзали на бордюрине, стали отводить прыщавые рожи — никому не хотелось признаваться, что у них не было. Лишь Белый, далеко не сразу, через силу сказал:

«Я с Маринкой... ну, с Маринкой Лузгиной целовался с языком и это... и кончил, короче. Ажник скрючило... Маринка такая: "Ты чего? Что с тобой?" А я: "Живот". Потом стоять не мог, ноги дрожали».

«Это из-за целованья так?» — не поверил Андрей; они с Олей целовались тогда чуть-чуть, краешками губ.

«Ну да».

Мыльников покряхтел и решился спросить:

«А она не дает, Маринка эта?»

Белого подбросило:

«Э, она моя! Моя девушка. Понял, блин?»

«Да я так спросил...»

«За вопросы такие... И никому чтоб — как друзьям рассказал».

«Я тоже! — спохватился Лешка Мыльников. — Чур, без передачи».

Этот разговор слегка успокоил Андрея, но прояснил немногое. Расспрашивать, какие ощущения испытал Белый, он не решился, даже когда они остались вдвоем во дворе своего дома. Судя по всему, не очень приятные — «ажник скрючило». Но хоть узнал, что его эти ночные взрывы не что-то необыкновенное, случающееся только с ним или с больными гадостной болезнью.

И все же было как-то унизительно, что ли, что организм не подчинялся разуму, воле. Голова диктует одно — надо читать книги, учиться, играть в футбол, собирать записи, — а стоит уснуть, и в любой момент могут начаться такие сны, от которых из него выплескивается теплая слизь...

Однажды, это было в апреле, в первые по-настоящему теплые дни, Андрей пришел с уроков особенно бодрым и одновременно усталым. Набегался на физре, голова гудела. Прилег на кровать, решил отдохнуть немного, может, подремать.

Отопление еще не отключили, в комнате было жарко, и Андрей открыл форточку. С улицы доносились девчоночьи голоса, смех. Невольно стало представляться, как они там сидят на лавочке, спустив с плеч куртки, в школьных платьях, которые многие укорачивали, чтоб демонстрировать ляжки...

Член стал набухать, расти, пополз под брюками, выискивая свободное пространство. Уперся в тупик из ткани, стало больно.

Андрей хотел поправить его, подвигал пальцами, и вдруг стало приятно, необыкновенно приятно. И рука сама, без участия мозга, обняла член, сжала в кулаке. Кулак стал двигаться... Глаза были открыты, но видели не потолок, не окно, а чье-то розоватое тело, даже на расстоянии горячее, ароматное. Оно извивалось, выгибалось, и соски на туго покачивающихся грудях изумленно-просительно таращились на него: «Почему не берешь?»

Показалось, сейчас член лопнет, разлетится на куски... Андрей выдернул руку, стал садиться, и в этот момент ударило.

Первый, самый сильный удар опрокинул его обратно на кровать. Потом последовали другие, постепенно слабея.

Он долго лежал без движения с распахнутыми, но слепыми глазами. Так вот ради чего мужчины живут с женщинами, парни крутятся вокруг девчонок. Вот почему его так тянет к Оле, да и, по-честному, к любой другой. Вот что заставляет жадно смотреть мерзкие вообще-то картинки.

Испытывать удары хотелось снова и снова. Как только Андрей оставался один, все другие мысли исчезали: потереть, подвигать в кулаке, и чтобы выстрелило горячее, живое... К реальным девушкам после такого открытия тянуть стало меньше — Андрей был уверен, что им должно быть отвратительно это потирание у них внутри, выплеск беловатой слизи. А те, кому это нравится, — идиотки какие-то, из тех, кого презрительно называют «шлюхи».

Он не мог представить, что ложится на Олю, всовывает в нее свой отросток и трется, а потом ударяет слизью в нее. Да, в слизи частица ребенка, но детей им рано...

Много времени и сил, которые бы стоило тратить на учебу, на полезные дела, Андрей в те месяцы убивал на размышления об этом.

Одно дело целоваться, трогать друг друга, гладить, знать, что эта красивая девушка — твоя, а другое... Лежать на ней, подергиваясь, с одним желанием... животным желанием...

Частенько он видел на улице собак с высунутыми языками и пылающими глазами, как оказалось теперь, занимающихся именно этим. Становилось противно и страшно, и хотелось запустить в них камнем или палкой... Да у пацанов и было развлечение — обнаружив собачью пару, похожую на Тянитолкая из книжки, налететь с криками, погнать. И собаки, не в силах расцепиться, рвутся в разные стороны, скулят, визжат, пытаются укусить друг друга.

Неужели так и люди? И пугни их — наверняка так же замечутся, будто склеенные...

За советом, объяснением он шел в видеосалоны, но там, если удавалось попасть «на эротику», видел лишь живые картинки, и то как бы через матовое стекло, а не объяснение. Зарывался в книги, но ничего настоящего, внятного о мужчине и женщине не находил. Почти в каждой описывалась любовь, часто несчастная, подробно рассказывалось о переживаниях, страданиях, тоске, томлении. Но какова цель любви, в чем тоска и томление — не раскрывалось. Писатели словно подмигивали — вы сами всё знаете. И не шли дальше какой-то черты. И казалось, что высшая степень счастья — это стоять рядом и держаться за руки, иногда соприкасаться губами...

Намеки были. Намеки были повсюду. У Толстого, Чехова, Достоевского, Ремарка. Бунин в своих рассказах истоптал всю ту черту, но так и не заступил за нее. Останавливался на том моменте, когда начиналось самое важное...

Убийство многие описывали подробно, даже с какой-то сладостью — как персонаж собирается убивать, как убивает, как течет кровь, что там у убитого под черепом, какие внутренности. Персонажи с избытком сморкались, чихали, икали... А вот любовь, та любовь, что после поцелуя, когда мужчина и женщина остаются одни, вдвоем... Это не описывалось.

Хм, буквально через несколько недель после первой близости с Олей Андрею попалась книга Владимира Набокова, в которой была повесть «Машенька», а там — описание того, что чувствовал герой на грани первого секса.

«Молча, с бьющимся сердцем, он наклонился над ней, забродил руками по ее мягким, холодноватым ногам... коленям было твердо и холодно на каменной плите; Машенька лежала слишком покорно, слишком неподвижно... Он застыл, потом неловко усмехнулся... поднялся. Машенька вздохнула, оправила смутно белевшее платье, встала тоже... Ганин, усталый, недовольный собой, озябший в своей легкой рубашке, думал о том, что все кончено, Машеньку он разлюбил...»

У них с Олей, в отличие от Ганина и Машеньки, получилось. Андрей, казалось, сделал все правильно и ловко, будто не в первый раз. Испугала лишь кровь, но Оля сказала: «Так должно быть...» И потом, когда он лежал рядом, смотрела на него с тихой благодарностью. А его постепенно, но неостановимо заливало отвращение и уверенность, что он зря это сделал, что он разлюбил Олю, да и вообще никогда не любил.

Боролся с собой, недоумевал, почему так, что с ним такое. Он казался себе уродом, псом, и Оля — противной и грязной... Прочитай он эти строки Набокова до первого секса, было бы понятнее, легче пережить тот момент. Ведь, оказывается, не с ним одним такое — может, и со всеми в первый раз.

Настоящее удовольствие он стал испытывать позже, когда они с Олей закрывались то у него в комнате, то у нее по три-четыре раза в неделю. Играли песни из двадцатки *MTV*, которые тогда крутила телекомпания «ВиД», — «Энигма», «Лондон бит», *R.E.M.*, «Вайя Кон Диос», Шинейд О'Коннор, Билли Айдол, Принс, Стинг, Мадонна, Джордж Майкл, Белинда Карлайл и, конечно, «Квин», «Депеш Мод»...

Оля с каждым разом становилась все желанней; несмотря на прежние фантазии и сны, Андрей не догадывался, что возможно быть таким счастливым от близости с другим человеком.

И теперь он недоумевал по иному поводу: ходят-бродят по улицам упрятавшие себя в одежду люди; мужчины недружелюбно, а порой и злобно поглядывают на женщин, а женщины — на мужчин. Но ведь так легко это: остаться вдвоем, сбросить одежду, тяжелые, грубые тряпки, — и испытать счастье. И тогда мир, наполненный испытавшими счастье людьми, изменится... Многочисленные «но», которые в конце концов отбросили Андрея и Ольгу друг от друга, были еще далеко в будущем.

Далеко. Хотя некоторые «но» возникали уже тогда. Тревожили, правда, не сильно — воспринимались случайными, возникшими из-за их неопытности, до конца не прошедшего детства...

Например, такое «но».

Вот они вместе — он и Ольга. Андрей мечтал об этом давно — еще с первых классов хотел, чтобы эта девочка всегда была рядом. И исполнилось, с добавлением уже взрослых желаний. Были рядом, вместе. Хотя и жили еще в разных квартирах, но могли остаться ночевать друг у друга — родители не протестовали. Им было о чем поговорить, нравились сами голоса, мелодии голосов; у них было много общих интересов, они любили одну музыку, одни фильмы, обсуждали прочитанные книги. А главным был, конечно, секс. «Заняться сексом», «заняться любовью», «делать любовь» — эти выражения как раз входили в обиход...

Они, словно по команде, посреди вполне далекой от секса беседы начинали раздеваться и падали на кровать. Иногда просто лежали, крепко-крепко обнявшись, дыша в такт, а чаще схлестывались в жесткой, напоминающей смертельную борьбу страсти.

Но случалось это самое «но» — Ольга неожиданно скучнела, отстранялась, отгораживалась как бы стеной, невидимой, но крепкой; если была у Андрея, начинала собираться домой, если была дома — давала понять Андрею, чтобы он уходил.

«У тебя эти дни?» — спрашивал он с искренним сочувствием; к тому времени уже знал о менструации, о том, что некоторые женщины переживают ее очень болезненно.

«Нет. — Ольга досадливо морщилась. — Просто... Пока, Андрюша... До завтра».

Или еще одно «но», более странное, отвратительное Андрею.

Ему было абсолютно хорошо с Ольгой в те месяцы. Даже коротенькие размолвки или вот такие перепады ее состояния не могли омрачить счастья. Но... Но он то и дело заглядывался на других. Нет, не то чтобы умышленно, специально. Не то чтобы он, Андрей Топкин, шестнадцатилетний обладатель самой классной девушки на свете Оли Ковецкой, хотел эту, и вот эту, и эту. Им управляла в такие моменты та же сила, какая управляла им в тех снах, которые обрывались взрывами. И он не мог этой силе сопротивляться.

Теперь, когда научился вести себя с девушкой, узнал, что делать, чтоб добиться близости, как хорошо в этой близости, другие девушки на месте Ольги представлялись довольно легко. Хотелось и не только девушек, но и женщину — спелую, лет тридцати... Нет, не ему хотелось! Не ему, а той силе, что вдруг возникала, приходила из глубин его существа и становилась им...

Он догадывался, что эта сила перешла к нему через поколения мужчин от диких самцов какого-то докаменного века. Когда не существовало еще семей, человеческих правил, законов. Самцы видели самок, и бросались на них, и, может быть, даже не получая особого удовольствия, покрывали. Вплескивали в них свое семя, и через положенный срок рождалось новое существо. Чуть менее волосатое, злобное, хищное.

Впрочем, и сегодня мужчины практически неутомимы: они могут заниматься сексом почти каждый день; женщины тоже готовы к сексу пусть не душевно, но физически — почти всегда. В отличие от других млекопитающих.

Людей сдерживает стыд перед окружающими, разные моральные ограничения. От зачатия защищают всевозможные изобретения. Не будь их — ограничений и изобретений, — люди расплодились бы неимоверно, сидели на каждом квадратном метре планеты. Их и так во много раз больше, чем собак и кошек.

Но порой так хочется стать тем диким самцом...

Топкин вспомнил себя шестнадцатилетнего. Тонкий, легкий, с прической под музыкантов «Депеш Мод». С часто стоящим, готовым к приятной работе членом, таким налитым, твердым, что было трудно ходить. Вспомнил Ольгу — тоже тонкую, стройную, гибкую. Ее мягкие икры на его плечах, лицо с прикрытыми глазами и приоткрытым ртом. При каждом его толчке из нее вылетает, медленно гаснет в пространстве тихий сладостный стон... Вот они перевернулись, и Ольга уже на нем. Невесомая, длиннотелая.

«Андрюш... — всхлипывающий шепот, — Андрюш...»

Топкин успел прижать к паху простыню, и в нее туго брызнуло горячее.

* * *

Еще не проснувшись, почувствовал першение в горле. А проснулся от кашля. Лежал, прислушиваясь к себе. Понял: заболел. То ли от того, что промок вчера и ходил промокший на ветру, то ли от холодного пива. А может, и не заболел, а это от пастиса — обжег горло...

Вяло поднялся, морщась, посмотрел на по-прежнему работающий телевизор, где что-то обсуждали.

Взял с тумбочки программу пребывания в Париже. Сегодня бесплатных, а точнее, входивших в стоимость тура экскурсий не было. Кто-то сейчас отправляется в Нормандию за сто сорок евро, кто-то — в Фонтенбло за шестьдесят пять. Про Фонтенбло Топкин читал: это дворец, который любил Наполеон, там вроде и отрекся, уехал на Эльбу... Что не жилось человеку? Ну повоевал, захватил почти всю Европу, но зачем надо было в Англию лезть, а тем более — в Россию?

— Вот самое время об этом думать! — хохотнул над собой; смех вызвал новый приступ кашля.

Попил воды из бутылки.

Надо идти завтракать, пока не поздно. А потом куда-нибудь погрести. Вчерашний день, считай, потерян, так еще в этот вполэает разбитым и вялым.

— А чего ты хотел после бутылки пастиса?.. Может, его вообще нельзя чистым пить. Передоз какой-нибудь анисовый... Так! — подстегнул себя. — Пожрать — и вперед!

Быстро надел джинсы, глянул в окно. По стеклу криво ползли струйки воды. Там снова дождь и ветер.

— Бли-ин...

Ничего, ничего, сейчас зайдет в первый попавшийся магазин и купит куртку или свитер. Зонтик. И все будет нормально.

Схватил карту, развернул. Забегал взглядом по темно-желтым зданиям, обозначающим достопримечательности. Сакре-Кёр, Гранд-опера, Лувр, Триумфальная арка... Да, обязательно надо пройти от Лувра до Триумфальной арки. Это пространство как раз и есть Шанз-Элизе. Елисейские Поля...

После кофе с молоком и вымазанного «Нутеллой» круассана стало полегче, горло успокоилось, и Топкин, снова надевший все, что у него было, пошел по узкой улочке на юг, рассчитывая, что выйдет если не к Лувру, то уж наверняка к Сене. А там, на берегу, определить местоположение Лувра будет несложно.

Можно сразу и в музей сходить. Экскурсия запланирована на последний день, но что там в последний день увидишь? На Лувр, говорят, надо потратить несколько дней, чтобы по-настоящему понять... Да, и выяснить, где импрессионисты — в самом Лувре или в другом здании. У Перрюшо написано — в Лувре, но вроде бы перенесли... Черт, заранее нужно было погуглить...

Топкин полюбил импрессионистов и их последователей не из-за картин, а из-за книги Ирвинга Стоуна «Жажда жизни». В детстве наталкивался на репродукции Ван Гога, Сезанна, Моне, Гогена и недоумевал, почему их каляки-маляки ставят в один ряд с картинами настоящих художников. А то и выше.

Но, странное дело, эти каляки-маляки остались зарубками в голове, а, как считал Топкин тогда, настоящее почти стерлось... До сих пор он во всех подробностях помнил свои ощущения, когда обратил внимание на картину Ван Гога.

Мама собирала репродукции — открытки, которые можно было, наклеив на них марку, отправлять по почте.

Открытки лежали в коробке, и Андрей с сестрой Таней часто перебирали их, играли в целые города, разложив на паласе. Вот дома — городские пейзажи, вот парки — пейзажи природы, вот жители — портреты...

Были среди репродукций изображения обнаженных женщин, которые мама почему-то не прятала, держала со всеми вместе. От некоторых Андрей не мог оторваться. Одна, очень-очень красивая, спала на лужайке, прикрыв треугольничек между ног ладонью; на обороте было написано: «Джорджоне. Спящая Венера. Дрезденская картинная галерея». Другая, как бы защищая лицо рукой, кокетливо улыбалась, глядела прямо на Андрея ярко-черным зрачком, а маленький мальчик развязывал ей синий пояс на платье, хотя платье и так почти ничего не скрывало — две сметанные груди с розовыми сосками были обнажены. Взгляд у девушки был такой... современный какой-то, как у старшеклассниц... Подпись гласила: «Джошуа Рейнольдс. Амур развязывает пояс Венеры. Государственный Эрмитаж». Третья, темноволосая, но белокожая, сидела, положив ногу на ногу, поправляя прическу. Смотрела тоже прямо на Андрея, внимательно, с любопытством, будто он ее фотографировал. А у ее ног пристроился подросток-негритенок и восторженно любовался девушкой. Самое волнующее на этой картине было то, что негритенок положил руку на ляжку девушке, и она, судя по всему, приняла это как должное. «Карл Брюллов, — читал Андрей знакомое имя. — Вирсавия. Государственная Третьяковская галерея».

Много в коллекции обнаруживалось картинок с неприличными сценами или с такими вещами, о каких не принято было говорить. Особенно Андрея увлекала, заставляла себя разглядывать снова и снова такая: деревенский праздник, но не русской деревни, а средневековой европейской. Стол во дворе, за ним пируют несколько человек. Один уже упал со стула и спит, другой, скрючившись у забора, блюет, еще один задрал юбку женщине и что-то там делает, а на них с любопытством смотрят коровы из сарая...

Завораживала чем-то и такая картинка: по центру сидит голый мужик, весь в складках жира и лишней кожи. В руках — чаша, которую наверняка вином наполняет — переполняет — толстая женщина. Женщина одета, но одна грудь вывалилась из платья. Позади них какой-то лысый старикан пьет вино прямо из кувшина. А внизу — дети лет пяти. Один ловит струйку вина, вытекающую из чаши, а второй, с осоловевшими глазами, мочится, задрав рубашонку...

Их с Таней мама была строгих нравов. Никогда Андрей не слышал от нее похабных словечек, она не развешивала на веревках свое нижнее белье (где сушила свои лифчики и трусы, до сих пор оставалось для него загадкой); лет до пятнадцати не позволяла Андрею смотреть фильмы после программы «Время», и он понимал почему — вдруг там какая-нибудь непристойная сцена вроде тех, что встречались в «Экипаже», «Раферти», «Табор уходит в небо». Но вот репродукции картин с этими непристойностями она смотреть позволяла. Странно.

Впрочем, когда проводила с Андреем и Таней занятия по живописи, рассказывала в основном о картинах русских художников, писавших тяжелую жизнь крестьян, пейзажи.

«Это Куинджи, — говорила она, — картина "Лунная ночь на Днепре". Видите, какая яркая и живая луна. И на первой выставке люди пытались заглянуть за полотно: думали, что там спрятана свечка или лампочка, которая подсвечивает... А эта картина называется "Тройка". Художник Перов. Дети-работники тащат по раскисшему снегу огромную бочку с водой... Название, конечно, ироническое, но это горькая ирония — дети выполняют работу лошадей...»

«Мам, — как-то перебил Андрей, — а это ребенок нарисовал?» — и протянул ей открытку, на которой грубо были нарисованы домики с высокими изогнутыми крышами.

«Нет, не ребенок. Это один из самых удивительных художников — Винсент Ван Гог. Я как-нибудь расскажу вам о нем подробно».

Но вместо рассказа мама дала Андрею книгу «Жажда жизни». Потрепанную, явно много раз читанную.

Довольно долго книга лежала у Андрея в углу стола: было не до нее, но однажды он открыл в момент скуки страницы и не смог оторваться. Даже в школе на уроках читал, положив под тетрадь.

Книга была без иллюстраций, на обложке — разноцветные пятна; картин Ван Гога Андрей ко времени чтения видел две — тот пейзаж с домами и подсолнухи в кувшине в каком-то журнале вроде «Огонька».

Поэтому творчество художника завораживало Андрея через описание его судьбы. Читал — и хотелось тоже заняться чем-то таким, идти наперекор, против течения, быть отверженным, но не отступать. Бороться, даже дойти до безумия, но в конце концов, пусть после смерти, победить...

Хотелось выбрать дело жизни немедленно, сейчас же; правда, удерживала заманчивая деталь: судя по книге, Ван Гог стал заниматься живописью после двадцати пяти лет, и это тоже очень героически — начать тогда, когда другие уже набили руку, перетерпеть насмешки, издевательства и опередить насмешников.

«Успею, успею еще выбрать дело — и рвану», — успокаивал себя Андрей; в четырнадцать лет все казалось впереди, настоящая жизнь начиналась после школы, а то и после института... Лишь позже, много позже он понял, что выбирать дело надо было еще в детстве. В двадцать пять начинают лишь гении, титаны. Он, Андрей, скорее всего, обыкновенный. Изначально обыкновенный. Один из миллионов.

Не самый плохой, конечно, но и не выдающийся из общей массы... И не факт, что, если бы начали из него с пяти лет делать художника, или музыканта, или архитектора, или еще кого-нибудь, он бы чего-то добился.

А Ван Гог... По сути, недоумение Андрея, возникшее, еще когда увидел репродукцию с домишками, не прошло. Новые картины тоже вызывали удивленные вопросы: искусство ли это? почему его называют одним из самых великих художников? разве можно его ставить выше Брюллова, Перова, Сурикова, Репина? Конечно, краски яркие, подсолнухи вон будто живые, сейчас посыплют вызревшими семенами, деревья в цвету, конечно, красивы, фигуры людей замерли, но вот-вот шевельнутся, звездное небо восхитительно... Но все равно... Тут скорее смелость, чем искусство.

Андрей мысленно спорил с мамой, с автором «Жажды жизни», другими, кто утверждал в статьях и книгах, что Ван Гог великий, и в то же время не мог оторваться от репродукций его картин — разглядывал и разглядывал. И, может, от усталости глаз, напряжения ему часто казалось, что фигуры действительно шевелятся, морские волны, колосья пшеницы, трава в поле покачиваются, люди на портретах прищуриваются, двигают бровями, а звезды мерцают...

Через довольно продолжительное время после Ван Гога, а может, и вскоре — трудно вспомнить, ведь у подростка, случается, неделя растягивается до размеров нескольких месяцев — Андрею открылись Ренуар, Гоген, Сезанн, Писсарро, Матисс, Пикассо и еще десятки художников, которые были совсем не похожи на тех, «нормальных». Это был, как ему тогда казалось, противоположный Рафаэлю, Леонардо да Винчи, Боровиковскому, Перову, Сурикову полюс.

Некоторые картины «ненормальных» Андрею действительно нравились — особенно женские портреты Ренуара, городские пейзажи Писсарро и Моне, балерины Дега, сидящая спиной к зрителю девушка Тулуз-Лотрека, — но и эти произведения были грубы, не доделаны. Словно подмалевок выдавался за готовое полотно.

А Гоген, наверное, и пропорции соблюдать не умел — его таитяне были какие-то неправильные, с разной толщины ногами, с несоответствующей туловищу головой.

Андрей готов был восхищаться Сёра, который писал точками — из тысяч крошечных разноцветных точек создавал картины. Но если пейзажи были интересны, то люди в движении явно не получались.

Матисс с Пикассо, был он уверен, из кожи вон лезли, чтобы их изделия были ни на что не похожи. Даже на живопись...

Куда интересней картин этих художников оказывалась литература о них. Однажды Андрей увидел в книжном магазине «Друг» — тогда в нем еще продавали только книги, а не все на свете, — томик с желтой обложкой «Жизнь Гогена» Анри Перрюшо.

Андрею давно хотелось узнать, как, почему этот француз, успешный брокер, бросил работу, семью. Скитался сначала по Франции, а потом уехал на островок в Тихом океане, где умер, измученный тропическими болезнями.

Денег не хватило, побежал домой. Родителей не застал, пришлось собирать по ящикам серванта, своим заначкам-копилкам, карманам в прихожей мелочь. Кое-как наскреб нужные три рубля пятьдесят копеек.

Купил и снова, как и «Жажду жизни», прочитал не отрываясь.

Потом попалась другая книга Перрюшо в таком же оформлении — «Жизнь Сёра». Того, что писал точками. У Сёра жизнь была почти ровная, без приключений, но в том упорстве, с каким он ставил эти свои точки, миллионы точек, было не меньше геройства, чем в отверженности Ван Гога и Гогена.

Тулуз-Лотрек, из графского рода, променял жизнь в замке на богему, кабаре, публичные дома, в которых снимал комнатки. Сезанна тоже ждало обеспеченное, благополучное существование, а он выбрал скитания и почти нищету...

Если кто из живописцев и добивался успеха и богатства, как Клод Моне, то после десятилетий борьбы.

И было непонятно: то ли эта плеяда действительно необыкновенно талантлива, а общество, в том числе и он, единица Андрей Топкин, глупо и косно, чтобы признать это, то ли она, эта плеяда, заставила сначала единицы, потом сотни, а потом и миллионы людей признать свой необыкновенный талант, таковым на самом деле не обладая, выдавая за талант смелость и упорство?

Уже взрослым человеком, по пути домой из Эстонии, от родителей, Андрей побывал в Эрмитаже. Он заметил, что люди проходят мимо картин Рембрандта, Гойи, Леонардо да Винчи, почти не замечая их, а в залах импрессионистов толпятся, обсуждают их шепотом, изучают мельчайшие штришки.

Почти в то же время Андрей вычитал у Генри Миллера такую мысль: «Я условился сам с собой: не менять ни строчки из того, что пишу. Я не хочу приглаживать свои мысли или свои поступки. Рядом с совершенством Тургенева я ставлю совершенство Достоевского. (Есть ли что-нибудь более совершенное, чем "Вечный муж"?) Значит, существуют два рода совершенства в одном искусстве. Но в письмах Ван Гога совершенство еще более высокое. Это — победа личности над искусством».

Важно, что речь идет не о картинах Ван Гога, а о письмах. Письмах, где Ван Гог описывал свою борьбу. По письмам была написана «Жажда жизни», другие книги о нем, сняты фильмы... Через эти книги и фильмы многие и пришли к картинам, как Андрей.

Да, получалось, те художники победили искусство своими жизнями. Приучили к своим картинам общество. Может, поодиночке они бы и не победили, но судьба собирала их вместе. Сначала старших — Мане, Дега, Писсарро, Сезанна, Моне, Ренуара, потом младших — Гогена, Лотрека, Сёра, Ван Гога, Синьяка, Руссо, Бернара... Да, судьба собирала их на несколько дней, на несколько месяцев в одной точке. И точкой этой был Париж.

***

— Нет, так я далеко не уйду.

Топкин остановился под матерчатым тентом возле какого-то кафе-погребка, из которого вкусно тянуло жареным мясом. Достал платок, утер мокрое и холодное лицо. С волос капало; он дрожал; магазинов одежды, как назло, по пути не встречалось.

Развернул карту, сверился по ней с табличкой на ближайшем здании. *Rue du Faubourg Poissonnière*. Она длинная, но растворяется далеко от Сены. Черт знает, сколько он уже прошел — номера домов на карте не указаны...

— Бонжу-ур, — выглянул из кафе плотный седоватый мужчина в переднике. То ли повар, то ли хозяин.

— Бонжур, — кивнул Топкин.

Мужчина что-то сказал, явно зазывая.

— Наверно... — И Топкин вошел в теплое душистое нутро кафе.

Зал оказался полутемным и уютным. Несколько столов с приборами, бокалами, салфетками, над каждым висит зеленый абажур. На стенах узкие открытые шкафы, в них посуда — блюда с цветочками, тарелки с золотыми каемками. Слева — стойка, а на ней — букет в синей стеклянной вазе, позади, на стене, — полки, заставленные разнообразными бутылками с прозрачной, зеленой, желтой, коричневой жидкостью.

Здесь, внутри, пахло уже не мясом, а горячей карамелью.

За дальним столом под горящим абажуром сидел очень пожилой, но благообразный человек с газетой в руках. Перед ним — маленький графинчик с чем-то желтоватым и стопочка с ручкой.

В тепле Топкин снова ощутил першение в горле и закашлялся. Человек опустил газету и неодобрительно на него посмотрел.

Хозяин пригласил Топкина сесть.

— Спасибо, — машинально отозвался он и присел; хотелось проглотить чего-нибудь горячего, чтобы согреться и смыть это першение.

— Спаси-ибо, — медленно повторил мужчина. — Русски?

— А? Да, русский... — Топкин неожиданно обрадовался и вспомнил, что больше суток ни с кем не разговаривал по-русски. — Из России.

— О, хорош! Пить?

— Не помешало бы... Да, да, выпить!

— Водка? — участливый вопрос.

Топкин мотнул головой:

— Нет. Но! Не водка. — Водку пить было страшно — опять ведь день насмарку пойдет. — Чего-нибудь...

— Кир?

— Что?

— Кир... М-м, аперитив.

При слове «аперитив» во рту Топкина стало сладко.

— Это сладкое?

— Сладкое... Нет, нет. Кис... кислинка.

— Тогда кир.

После стопки кира — действительно кисловатого, с небольшим градусом алкоголя — захотелось еще стопку. После следующей стопки проснулся голод.

С помощью хозяина выбрал кусок говядины, какой-то особенный рис, салат с дарами моря. Заказал графинчик кира.

Сейчас, в этом почти пустом утреннем кафе, ему почему-то вспомнился фильм Романа Полански «Жилец». Обыкновенный, без особенных претензий человек, которого играет сам Полански, решает сменить жилье. Поселяется во вроде бы симпатичной квартире, но тут узнает, что предыдущая жиличка выбросилась из окна. И постепенно с человеком, а вернее, вокруг него начинают происходить странные вещи. Хотя они не очень-то и странные, а обычные для реальной городской жизни, однако заставляют и его тоже выброситься... Особенно зловещая сцена в фильме происходит в кафе рядом с домом, в котором теперь живет герой: он заходит, и ему автоматически дают те сигареты, тот кофе, которые курила и пила выбросившаяся обитательница квартиры...

Хм, завтра умирает вот тот мужчина с газетой, а послезавтра в кафе приходит и садится на его место другой человек. И хозяин, этот полуседой, в фартуке, приносит ему газету, которую по утрам читал покойный, графинчик с желтоватой жидкостью...

«Жильца» в первый раз Андрей посмотрел вместе с Ольгой. Это было начало их семейной жизни, и по вечерам они часто тогда устраивали домашние киносеансы. Фильмы брали в видеопрокате.

«И подруга какая у него была, и все вроде в порядке, а так сложилось, что погиб, — сказала Ольга, когда по экрану поползли титры. — Эти люди вокруг... Потрясающий фильм».

Ему же фильм не очень понравился.

«Снято стильно, нагнетание есть, но все равно натянуто. Не может вот так человек взять и дойти до самоубийства».

«Может. Любая мелочь может свести с ума. От любого вроде бы пустяка все может разрушиться».

Спорить Андрей не стал, но утверждения Ольги казались ему слишком категоричными. Он объяснил себе это воздействием фильма. «Под впечатлением».

А ведь Ольга была права: мир для человека рушится чаще всего не из-за глобальных ударов, а из-за мелочей, вроде бы ничтожных, почти незаметных... Вот пришел этот жилец в кафе, и ему подают то, что каждое утро приобретала там разбившаяся девушка. И вполне у человека может в этот момент что-то случиться в голове. Порваться микроскопическая жилочка, отвечающая за разум.

У них с Ольгой совместная жизнь рушилась постепенно, почти незаметно.

Поначалу были счастливы тем, что вместе, в своей квартире. Оба были студентами; Ольге финансово помогали родители, Андрей подрабатывал у Ольгиного же отца дяди Лёни. Все было неплохо, относительно надежно в то смутное время.

И вскоре Андрей как-то расслабился, разленился. Купив военный билет с печатью «годен к нестроевой службе в военное время», взял академ в институте после третьего курса. Все свободное время, которого было навалом, лежал на диване, смотрел телевизор или видак, слушал музыку, читал...

А Ольга, наоборот, становилась всё деятельней. Сначала деятельность выражалась в разговорах — со своими новыми подругами, сменившими одноклассниц, обсуждали, чего нет в магазинах Кызыла из одежды, косметики, обуви, как у них тут все отстало по сравнению с Новосибирском, Красноярском, Абаканом, даже Минусинском...

Эти сетования стали перерастать в планы открыть такой-то модный магазин, сякой-то салон красоты, лавочку сладостей, установить аппараты воздушной кукурузы.

Андрей посмеивался над их трескотней на кухне или в одной из очень немногих тогда в Кызыле кафешек.

Но вот Ольга отправилась с подругами в Новосибирск, и они привезли несколько сумок косметики и бижутерии, очень похожей на ювелирку.

Девушки арендовали нишу в магазине «Юность», организовали там магазинчик «У Светланы» по имени их верховодчицы. Почти сразу — еще один магазинчик с тем же названием в Доме быта.

Андрей не забеспокоился, напротив, был рад, что жена увлеклась делом, причем без отрыва от учебы.

Сама она не торговала, и это Андрею нравилось тоже — жена в руководителях. Отец и мать Ольги относились к ее делу нормально, со сдержанным одобрением... Тем более что бизнес в их семье не считался чем-то постыдным: отец после разрешения приватизировать государственную собственность стал владельцем бокса для нескольких автомобилей, станции техобслуживания, еще чего-то. Мать открыла первый в городе солярий с двумя камерами. Горизонтальной и вертикальной.

Как-то незаметно Андрей стал превращаться в домашнего мужчинку. Даже сам себя иногда в шутку так называл — «я домашний мужчинка». Держал квартиру в чистоте, научился готовить разные интересные блюда, все больше времени проводил перед теликом, с пивком...

Снаружи, за дверью, было не то чтобы очень опасно — волна межнациональных напрягов и пацанских разборок пошла на спад, — а неуютно... Нет, не то... Уютно и раньше особенно не было, но какая-то сила выталкивала его туда, на улицу, заставляла непонятно что искать, узнавать, открывать. А теперь эта сила исчезла. Открытия, как ему казалось, кончились.

Еще недавно все бурлило в их маленьком Кызыле. Не только разнообразная грязь поднялась, агрессивная и опасная, но и ценное, важное. Вдруг оказалось, например, что здесь множество интересных музыкантов. И традиционных (хотя в советское время их выступления на родине были редкостью), и рокеров, и тех, кто синтезировал традиционность и рок. Одна из групп так и называлась — «Биосинтез».

Часто проходили музыкальные фестивали, театральные премьеры, выставки художников. Появились в изобилии шаманы, которых еще недавно невозможно было найти днем с огнем... Накануне приезда в Кызыл осенью девяносто второго далай-ламы многие тувинцы вдруг заявили о себе как о ламаистах, и далай-ламу встречали сотни монахов в оранжевых и бордовых одеяниях и со свежевыбритыми головами.

Андрей оказался среди собравшихся на центральной площади. С одной стороны она заканчивалась Домом правительства, с другой, противоположной, — Музыкально-драматическим театром на высоком фундаменте. Там, возле входа в театр, усадив в огромное красивое кресло, и чествовали воплощение кого-то божественного — Андрей так и не разобрался, кого именно, — главу всех ламаистов.

Глядя, с каким небывалым почтением и благоговением, поистине как к божеству, подходят к далай-ламе и люди в пиджаках и галстуках, и монахи, и старики со своими жиденькими бородами, и мастера национальной борьбы хуреш в своих трусиках, сапожках и шелковых жилетках, как смотрят на далай-ламу простые тувинцы на площади, слушают его проповедь, Андрей решил, что вот теперь народ обрел своего наставника, нашел цель и отныне все будет хорошо и правильно.

Но далай-лама уехал, праздник закончился, продолжились тяжелые будни. Бедность, отсутствие работы у одних и работа почти без зарплаты или с многомесячной ее задержкой у других. Духовное озарение утонуло в болоте реальности... Искусство тоже сходило на нет.

Однажды Белый привел Андрея на «эксклюзивный», как он сказал, концерт «Биосинтеза». Концерт должен был состояться в маленьком, но отлично оформленном зале в здании бывшего Дома политпросвещения. Наверное, раньше в нем проводили заседания для узкого круга партийных или еще каких товарищей, а потом отдали «Биосинтезу» для выступлений и репетиций.

Стены обтянуты черной материей, развешаны ламаистские маски, шаманские головные уборы с перьями, бубны, шкуры... Освещение таинственное, интригующее... Белый с Андреем устроились на предназначенных им местах в последнем ряду.

«На халяву и здесь ништяк, — шепнул Белый. — Знаешь сколько билеты стоят?!» — и не сказал сколько: и так было понятно, что запредельно. Белого пустили как собрата, а он прихватил Андрея.

Публика подобралась солидная. Андрей узнал известных в городе предпринимателей (тогда слово «бизнесмен» еще не особенно употреблялось), депутатов Хурала, артистов, литераторов... Белый занимался музыкой, у него была своя рок-группа под названием «Черная лестница», которая играла страшно модный в то время гранж; несколько раз она выступила на сборных концертах, получила хорошие, хотя и слегка испуганные отклики в прессе, даже в главной газете, печатающей документы и постановления, «Тыва республика».

Что-то такое было в той статье: «Изломы и противоречия нашего времени ярче всего выразились в надрывных композициях рок-коллектива "Черная лестница"»... В общем, Белого признали коллеги, большинство которых, правда, играло этническую музыку, пело о природе, шири степей и высоте гор.

Концерт задерживался. Люди начали проявлять нетерпение. Один из явно очень важных зрителей — коренастый молодой тувинец в кожаном пиджаке, с барсеткой на запястье — поднялся и стал ходить по проходу.

«Блин, двадцать минут как начать должны, — сказал Белый, глядя на вынутые из кармана часы со сломанным браслетом. — Пойду позырю, чего они». — И он шмыгнул в соседнюю комнату, которая служила гримеркой.

Вернулся почти сразу и дернул Андрея за рукав:

«Набухались. Не будет сейшена... Пошли отсюда».

Андрей поупирался, не веря. Как так? Ведь все готово, даже инструменты на сцене — гитары прислонены к динамикам, виолончель вставлена в специальную подставку... Но сдался, побрел вслед за Белым.

«Ну а что им делать еще? — уже на улице заговорил рокер-одноклассник как-то насмешливо. — От этого этно только и бухать до отруба. Скучно ведь. Смысла нет. Степь воспевать, Улуг-Хем неугомонный, голосом вибрировать. — И он изобразил что-то вроде хоомея; получилось, кстати, неплохо. — Сколько можно?»

У «Черной лестницы» тексты были социальные — под «Кино», «Алису», «ГО»... О суициде пели, никчемности и брошенности... «А я ничё не знаю, ничего не понимаю. Насрать!»

Андрею не очень-то нравилось, но упорство, с каким занимался этим делом тот, с кем он дружил с детского сада, удивляло и даже рождало зависть: вот Белый нашел смысл, а он, Андрей, так как-то болтается. Ну не болтается — живет. Но все равно — бесцельно, пустовато...

И хотя Белый ругал исполнителей этнической музыки за пьянство, порожденное безыдейностью, но и участники «Черной лестницы» тоже все сильней налегали на алкоголь. Благо после горбачевских ограничений и нехватки водки, пива в самом начале девяностых к девяносто третьему недостатка ни в чем не стало. Днем покупай в магазинах, ночью — в киосках. Хочешь — литровые бутыли, хочешь — поллитровки, читушки, мерзавчики, «скорую помощь» в стеклянных или пластиковых стаканчиках... Некоторое время очень популярна была водка в жестяных банках типа пивных. А спирт «Рояль»! Сколько его выглушили в то время...

Да, пили мощно, и деньги как-то находились. Но, что теперь казалось удивительным, успевали и многое другое. Дело здесь не только в юности, когда силы вагон, а и во времени — тогда все было быстрее, дни вмещали множество событий.

Андрей удерживался от каждодневных выпивок, нечасто бывал на посиделках, а они происходили постоянно. Здесь бухает одна компания, там — другая, там — третья. Но не просто вливают в себя водку, «Рояль» или пиво, а обсуждая новую книгу, новый альбом, фильм, политику...

Одно время в самом центре Кызыла существовал этакий закрытый, для своих, клуб: подкопив денег, «Черная лестница» арендовала подвал в уже бывшем к тому времени книжном магазине «Друг» — книгам оставили крошечный закуток на первом этаже — и открыла там первый в городе рок-магазин.

Сначала решили продавать только соответствующие товары: музыкальные инструменты, всяческие примочки, педали, струны, кассеты с записями (записывали сами с оригинала, множили на купленном после ликвидации Дома политпросвещения ксероксе обложки), еще пользовавшиеся спросом виниловые пластинки, только-только входившие в обиход сидюшки, майки с изображениями разнообразных групп, очки, напульсники, нашивки... Но дохода эта продукция приносила немного, и постепенно появились в продаже жевательная резинка, кола, сигареты, чипсы. Потом и алкоголь...

В подсобке-складе, который по размерам был раза в два больше торгового зала, устраивали гулянки. Во время работы. Магазин был открыт круглосуточно, за прилавком стояла нанятая продавщица, а хозяева-музыканты пили с друзьями за фанерной перегородкой.

Андрей бывал на этих гулянках время от времени, иногда с большими перерывами, поэтому мог наблюдать, как меняется их характер. Поначалу, весной-летом девяносто третьего, гулянки были веселые, с песнями, спорами взахлеб, но доброжелательные, с участием легких в общении симпатичных девушек. Парни откровенно упивались своей популярностью, не жалели денег, растрачивали переполнявшую их душевную и физическую энергию... Бывало, когда надоедало петь, смеяться, сдерживая себя, полушепотом, они отпускали продавщицу, закрывали магазин и начинали отрыв по полной.

Дела у них действительно шли неплохо: группа теперь не только выступала на сборных концертах, но и давала соляки, ездила на гастроли в Абакан, Красноярск, даже на фестиваль куда-то в Суздаль; телевизионщики сняли два клипа на их песни и часто ставили в эфир; к тому же появился независимый канал «Тува-ТВ», а на нем — передача «Рок-вторжение», где «Черная лестница» стала постоянным гостем. Магазин пользовался популярностью, с бандитами удалось договориться, и дань им составляла ничтожную сумму.

Но через несколько месяцев Белый посмурнел, во время вечеринок жался в углу дивана, морщился, когда кто-нибудь из девчонок пыталась с ним заигрывать. Пил он все меньше, зато стал приседать на траву.

Доставал из кармана шарик фольги, осторожно разворачивал, наскабливал с темно-зеленого колобка стружки, забивал папиросу. Пыхал, глядя невидящими глазами перед собой.

Поначалу остальные пугались — «запалят!» — махали руками, разгоняя дым, но постепенно сами перешли с алкоголя на гаш... Девушек стало меньше, и эти, новые, были какие-то тихие, блеклые. Разговоры велись вяло, все больше ни о чем, а порой наступало долгое и, кажется, не тяготившее завсегдатаев молчание. Но иногда прорывалось важное.

«Ну запишем еще альбом, два, пять, — медленно произносил Белый, — и что? Я уже щас чувствую, что мы в пародию на самих себя превращаемся».

«Да брось, Димон, — перебивал его барабанщик Вадька Щербин, жизнерадостный до последнего времени, тонкокостный паренек, на два года младше Белого и Андрея; в группу он пришел совсем зеленым и теперь больше всех радовался удачам. — Все начинается только. Вон уже сколько сделали».

«И что мы сделали?» — щурил прозрачные от гаша глаза Белый.

«Да как! Два альбома, сколько концертов, на общероссийский фест сгоняли. В "Мороз рекордз" наше демо одобрили...»

«И что? А дальше?»

«В натуре, Дим, — обижался Миха, басист, наоборот, на год старше Белого. — Этими "и что?" можно все разрушить. Нормально мы двигаемся, и впереди перспектив до жопы».

«До жопы? Так мало? — усмехался Белый и тут же снова становился серьезным, даже каким-то ожесточенным: — Ненавижу эти "перспективы", "шанс". Это капиталистические понятия. Нужен прорыв настоящий. Такое, чтоб все лопнуло. А двигаться постепенно — это дерьмо. Ничего это не даст».

«Никто вот так сразу не создавал то, что... — Миха, не находя подходящего слова, дергал рукой. — Отчего лопало. У всех был период разгона. Даже "Нирвана". Нам по двадцать лет, блин...»

«Ну вот, "Нирвану" вспомнили, — цеплялся Белый, — куда ж без нее... И на кого она стала похожа? Карикатура, пародия... Кобейн вон откровенно сам над собой стебётся. За пяток лет до тупика дошел».

«Ты не прав, — вскрикивал Вадька Щербин. — Песни у него для нового альбома — самые четкие».

«Ну, для двадцать пятого альбома, может, еще четче будут. Вы рассуждаете как музыканты...»

«Ха! А ты как кто?!»

Белый отвечал после паузы, явно сформулировав и проговорив фразу предварительно про себя:

«Для меня музыка является способом донести до людей идеи. К сожалению, они доносятся крайне слабо».

Слушая эти слова тогда, то ли в декабре девяносто третьего, то ли немного позже, Андрей откровенно не понимал причин такой депрессухи. «Рисуется, — находилось объяснение, — под Джима Моррисона косит». Как раз гремел фильм Оливера Стоуна «Двери» про группу «Дорз», его смотрели и пересматривали...

Эта параллель Белого и Моррисона, конечно, заставляла Андрея улыбаться. Хотя... Моррисон очень быстро разочаровался в роке, группе, последние года два из семи, в которые существовал «Дорз», принимал участие в записях кое-как, через силу, срывал репетиции и концерты, а потом уехал в Париж и как-то странно умер. Скорее всего, покончил с собой... Может, и Белый в свои двадцать с небольшим лет не рисуется?.. Моррисон погиб в двадцать семь, Башлачёв — тоже, Цой в двадцать восемь влетел на машине в автобус, Ян Кёртис повесился вообще в двадцать три... От этой статистики становилось не по себе, и поведение Белого представлялось уже не рисовкой, а чем-то серьезным. И что человек мучается не в Москве, не в Питере, не в каком-нибудь Нью-Йорке или Париже, а здесь, у них, в окраинном Кызыле, только усиливало тревогу.

Андрей тревожился за Белого, а беда случилась с Вадькой. Наелся то ли реланиума, то ли элениума и спрыгнул с пятого этажа. По общему мнению, отделался легко — ногу сломал. Но деятельность группы пришлось остановить — искать нового временного ударника, разучивать с ним партии, сыгрываться не стали...

А тут как раз, в самом начале девяносто четвертого, повысили аренду в «Друге», зачастили проверки, ревизии, требующие накладные, всякие прочие документы, — свободу торговли постепенно втискивали в рамки. Дела магазина стали не такими хорошими, как раньше, а к деньгам парни уже привыкли. Пришлось Белому с Михой играть легкую гитарную музыку в кабаках.

«Вот так! — зло смеялся Белый. — Правильно! Надо испить чашу полностью. Вот мы уже лабухи!..»

Весной в далеком, тоже окраинном Сиэтле разнес себе голову из ружья Курт Кобейн.

Его гибель, с одной стороны, взбодрила слушающую рок молодежь, доказала, что давний девиз «жить быстро, умереть молодым» есть кому осуществлять, что Кобейн — настоящий герой, а не имитирующий самоуничтожение шоумен. А с другой — этот выстрел как бы поставил точку в эпохе рока. Когда-то она должна была закончиться, и вот закончилась.

Впрочем, какое-то время эпоха агонизировала. В том числе и в судьбе Белого.

Он распорядился «закрыть к херам эту капиталистическую парашу», то есть магазин. Директору «Черной лестницы» и магазина Ире Коняевой кое-как удалось убедить Белого вместо магазина арендовать киоск: «Надо дораспродать остатки, да и продавщицам дать возможность найти другую работу».

После избавления от бизнеса парни засели записывать альбом. Третий и, как всем уже было понятно, последний.

Часть текстов имелась, часть сочинялась Белым — а он был основным автором — прямо в студии. Тут же подбирали мелодию, придумывали соло, разные фишки и навороты. Включали запись... Белый гнал, торопился, но процесс застопорился — Вадька стал жаловаться на боль. Медляки он отстукивал нормально, но в динамичных песнях его только-только сросшаяся нога, скачущая по педали бочки, очень быстро уставала.

Попробовали писаться с драм-машиной — фигня, лажа. Приглашать кого-то со стороны по-прежнему не хотели: «Мы группа!» Но в конце концов Белый не вытерпел, позвал очень взрослого уже, известного в городе барабанщика Сергея Калачёва, и тот не подвел — играл на высшем уровне. Такие переходы делал, соляки, синкопы, дроби, что просто заслушаешься с восторженным недоумением... Вадька сник, понимая свою ненужность.

«А что нам делать, Вадь? — злился на его кислый вид Белый. — Ждать, когда ты сможешь? Тут каждый день дорог... Через полгода — не то, а сейчас, памяти Курта...»

«Да я понимаю», — кивал Вадька, отводя глаза.

Альбом под названием «Угасание», злой, местами истеричный, вышел к сороковинам Кобейна. Обращаться к известным лейблам не стали. Отпечатали сто экземпляров сиди, сделали обложку, разослали по знакомым музыкальным критикам, в журналы, дали в Кызыле и Абакане два концерта (стучал Калачёв, а Вадька бил в шаманский бубен), и Белый объявил о роспуске «Черной лестницы».

По слухам, у них с басистом был тяжелый разговор, может, Миха и втащил Белому напоследок. Многие действительно поражались, как так можно все сломать. Ведь такой проект был, деньги приносил ощутимые, а мог бы вообще стать золотым родничком...

Миха стал лабать в разных этнических коллективах, чьи составы часто менялись, объездил всю страну и полмира, Вадька некоторое время тоже выступал — стучал на малой ударной установке, играл на перкуссии, а потом потерялся, говорят, уехал. А Белый...

Добровольно ушел в армию, не доучившись курса в политехе, потом стал охранником, потом, после того как его выгнали за частые обкурки, кочегаром; тихо, без свадьбы, женился на какой-то много старше его женщине с двумя детьми, поселился у нее в частном секторе.

Андрей несколько раз хотел его найти, встретиться, но не решался. И когда случайно столкнулся на улице, понял, что правильно делал. Белый был высохший, уже не блондинистый, а плешиво-серый, глаза опухшие, и от него едко, застарело пахло не гашем — гаш вообще пахнет слабо, — а наскоро высушенной и выкуренной коноплей.

Постояли рядом, помялись; говорить было не о чем, вопросы задавать — глупо. Будто не с раннего детства знали друг друга, почти двадцать лет были неразлучны...

После этой встречи Андрей долго вспоминал их юность. Как Белый был влюблен в Марину Лузгину и как она некоторое время боролась, чтобы не проявить ответную любовь. Не выдержала... После школы у них шло к браку, но тут Белый всерьез увлекся музыкой, все свободное время проводил с гитарой, потом, когда собралась группа, на репетициях. Марина была девушкой серьезной, ей казалось это пустой тратой времени, очередной мальчишеской игрой, и она нашла другого парня — вроде бы надежного, делового, с перспективами. Но что-то быстро у них сломалось, Марина с большим трудом — училась там же, где и Белый, в политехе — перевелась в Красноярск и позже стала то ли директором филиала какого-то банка, то ли кем-то в этом роде.

Не так давно Андрей нашел ее страницу в «Одноклассниках». На фотках — солидная, но еще моложавая, привлекательная женщина. Вот она в Турции, вот в Берлине, Париже, Барселоне... Глаза только везде грустные, и семейное положение «не замужем». И о детях нигде не упоминается. Может, их и вовсе нет.

* * *

— Уи, мадам, уи!..
Топкин стоял в очереди к кассе. В руках перед собой держал набитую бутылками и едой корзину. После выпитого кира и съеденной порции мяса с обжаренной картошкой — вкусно, но мало и дорого, — хотелось еще выпить и поесть как следует.

Впереди, через несколько человек, ругались женщины. Совсем как у нас.

Одна, полная, хотя и довольно молодая, вроде бы пролезла без очереди, скороговоркой объявив нечто вроде того, что она стояла, но отошла. Две пожилые ее, кажется, пропустили — во всяком случае, не выпихнули, — правда, при этом стали стыдить, что ли. Женщина раскричалась. Эти две замахали на нее руками:

— Уи, уи, мадам!

Она замолчала, и через полминуты пожилые опять что-то сказали. И снова крики, и снова:

— Уи, мадам! Уи!

Да, в российских супермаркетах тоже возникают очереди, но это совсем не то, что было когда-то. Когда стоишь и трясешься: хватит на тебя, или сейчас продавщица объявит тонким, чтоб лучше было слышно в набитом телами отделе, голосом: «Ко-ончилось!»

К середине девяностых магазины заполнились продуктами до отказа. Главным стало наличие денег. У них с Ольгой с деньгами было неплохо. Напрягаться не приходилось, и Андрей с некоторой иронией воспринимал занятия Ольги коммерцией, раздражался, бывало, ее частыми поездками за Саяны, поздними приходами домой, а потом перестал — после разлуки секс доставлял большее удовольствие, чем размеренный; да вскоре и не мог представить, как бы они друг к другу относились, находясь почти постоянно вместе, торча по двадцать четыре часа в одной квартире.

Случалось, Ольга как-то странно, продолжительно вглядывалась в него, но Топкин объяснял себе этот взгляд так: «Соскучилась за три дня, привыкает...» Но Ольга, как оказалось, взвешивала, решала... И вот решилась.

Это случилось летом девяносто шестого, когда, казалось, их совместная жизнь по-настоящему, накрепко вошла в свою колею, роли окончательно установились: Ольга — такая бизнес-леди, а он — домашний мужчинка, поддерживающий в квартире уют, наполняющий холодильник едой, при этом вносящий в семейный бюджет хоть небольшую, но и не мизерную лепту.

И вот, как обыкновенно в то время, Андрей сидел на диване перед телевизором. Не просто таращился, убивая часы, а смотрел эмоционально, иногда даже вскрикивая, хлопая себя по колену, ероша волосы.

Телевизор показывал предвыборный марафон «Голосуй, или проиграешь». Жизнерадостные до предела, говорливые, гибкие, как куклы из мягкой резины, молодые девушки и парни доказывали, что президентом должен снова стать Ельцин. Музыканты пели в его поддержку, мускулистые чуваки с голыми торсами и чувихи со стройными ногами делали кульбиты и не переставая улыбались, улыбались.

Особенно удивил — нет, поразил — Андрея ведущий этого марафона — гуттаперчевый человечек по имени, а может, по кличке Саша Пряников. Он был каким-то популярным радиоведущим, что ли, но Андрей его популярность пропустил и теперь с любопытным недоумением наблюдал за ним. Это был новый типаж не только на ТВ, но и, кажется, вообще в жизни. Способный говорить разборчивой скороговоркой сколь угодно долго, мгновенно на все реагирующий, неустающий, не умеющий отдыхать и грустить...

Вскоре такие заполонили всё телевидение, от музыкальных программ до политических ток-шоу, появились они и в повседневной реальности — подходили на улице, предлагая купить набор ножей, соковыжималку, супертерку и так забалтывали человека, что тот доставал деньги и менял их на ненужную вещь; они наполнили собой банки, страховые конторы, магазины, парикмахерские, кафе, телефонные трубки...

А тот Саша Пряников, кстати, пропал. Показал, как надо, и исчез. Очень редко и коротко появлялся на экране, но какой-то уже другой, словно после долгой, изнурительной болезни. Может, только в рекламе стирального порошка «Тайд» напомнил себя тогдашнего...

И вот Андрей тем июньским днем девяносто шестого года наблюдал за рождением новой эстетики, новой породы людей. Пришла Ольга, и он стал было делиться с ней впечатлениями. Столько накопилось, что сказать... Но она перебила. Слишком спокойно, сухо велела:

«Выключи, пожалуйста».

Андрей послушно нажал на красную кнопочку дистанционки. Шум праздника исчез.

«Что-то случилось?»

Ольга смотрела на него тем странным взглядом, который Андрея и тревожил, и нравился ему.

«Оль, что?»

Подумал: бизнес накрылся. «Ну и хорошо. Проживем... Она будет дома, будет вся моя... Будем вместе, как вначале».

«Андрей, нам нужно разойтись», — по-прежнему сухо, без надрыва и слез сказала она.

Эта интонация заслонила смысл слов. И Андрей переспросил, действительно не поняв, не расслышав:

«Что?.. Оль, что?»

«Зачем ты заставляешь меня повторять? — Она прошла по комнате. Тонкая, стройная, в голубых джинсах, бордовой кофточке, легких туфлях без каблуков.

«Не разулась», — отметил Андрей, хотя у них было принято разуваться в прихожей... И тут до него дошел смысл ее слов.

«Как — разойтись? Оль, что случилось?»

Он ожидал много слов, объяснений. Но она, его жена, была спокойна. Нет, это было не спокойствие, а уверенность, решимость. Решение зрело, зрело, и Андрей мог бы догадаться об этом, натыкаясь на ее странный взгляд, попытаться выяснить, что он означает, изменить ее мнение, изменить свою жизнь, но он не догадывался, лень было... А теперь уже поздно. Она решилась. И ушла.

Позже Андрей много раз наблюдал да и на себе испытывал это женское свойство: разлюбив мужчину, они рвут отношения, рушат семьи, и вернуть их невозможно. Любовь чаще всего сменяется каменным каким-то, ничем не разрушаемым презрением.

В фильмах, книгах сплошь и рядом — о несчастной любви, о любовных треугольниках и многоугольниках, об изменах... Шекспировские страсти. В жизни же чаще все иначе. По крайней мере в том, что касается ухода жен от мужей.

Мужчина нередко может жить с женщиной, которую разлюбил, даже не изменяя ей. Жить и жить по установившемуся распорядку, скользить по желобку дней и лет; без любви заниматься сексом, есть приготовленные нелюбимой блюда, целовать рефлекторно, автоматически, уходя на работу, возвращаясь с работы... А женщины редко способны быть вместе с тем, кого разлюбили. Кого они действительно любили, но потом перестали.

Раньше в основном уходили от мужей, не оправдавших их девичьих мечтаний, оказавшихся не принцами, молодые. Год, два, три ждали и — бросали. Теперь и пожилые уходят. По большей части не мужчины бросают состарившуюся жену, а жены — облени́вшегося, размя́кшего на диване мужа. И странным образом молодеют, находят дело, которое приносит радость и деньги. Примеров Топкин увидел за последние почти два десятка лет — после того как его бросила Ольга — хоть отбавляй...

Ольга ушла не потому, что кого-то полюбила, не к другому мужчине, а чтобы не размякнуть вместе с Андреем. Три года наблюдала за ним в роли мужа, подождала от него чего-то — чего-то мужского, не дождалась и сказала:

«Нам нужно развестись».

Позже, обдумывая причины, прокручивая и прокручивая в памяти свою семейную жизнь, Андрей как-то раз записал на случайном листке: «Мужчина, как какой-нибудь лев, хочет, добившись женщины (самки), чтобы она его обслуживала, а он бы ее потенциально защищал. А женщина хочет, чтобы ее мужчина каждый день совершал ради нее реальные подвиги. Удивлял, на худой конец. Одно с другим не стыкуется, и отсюда все проблемы, обилие разводов, глубинная несовместимость мужчины и женщины».

Выразив эту не очень-то свежую для человечества мысль письменно, Андрей почувствовал облегчение. Пусть слабое, но все же. Словно нашел лекарство от боли... Спрятал листок в коробку с разными квитанциями, чеками, паспортами на стиральную машинку, телевизор, миксер. Засунул на самое дно. Но знал, все время помнил, что лекарство там, что оно есть.

А поначалу было очень тяжело. Невыносимо. Вот есть выражение «мир рухнул». Для Андрея тогда именно так и случилось — мир рухнул. И он ютился на диванчике посреди черной пустоты...

Ольга почти ничего не взяла из вещей, и от этого было еще хуже. Во-первых, она как бы давала понять: мне противно все, связанное с тобой, сгнивай среди этого барахла, ничтожество, а во-вторых, казалось, что ее уход не по правде, что вот-вот вернется, скажет с улыбкой: «Испугался? Поверил? Ну как мы порознь... Но — берись за ум, стань мужчиной наконец. Мне не нужен комнатный мужчинка».

Больше недели Андрей не выходил из квартиры, ждал. Лежал, проваливаясь в сон, тут же выныривая, будто кто его выталкивал, снова проваливаясь... С трудом, как немощный старик, поднимался, ощупывал пальцами ног пол, медленно брел к холодильнику, что-то съедал, сразу чувствуя тошноту и отвращение к пище. Заглядывал в их спальню, смотрел на широкую, с таким удобным матрацем тахту...

Хотелось кому-нибудь позвонить, рассказать о своем горе, спросить совета. Знакомых и приятелей было полно, имелись и те, кого принято называть «друзья». Но... но как им рассказать? Стыдно. И родителям сообщать стыдно. Они оставили его, считая, что он стал серьезным, самостоятельным, а он...

Брезгливо щупал свое размякшее от пива и телевизора тело, ощущал свою тяжесть. Бессильную тяжесть слабого существа.

Найти Ольгу, доказать, что исправится... Нет, понимал: она не изменит решения. Тот ее взгляд

сказал об этом. Кончилась их семья. Но, может...
Мысль зацепилась за Ольгиных родителей: может,
они как-то смогут, повлияют, убедят...

Кое-как побрился, оделся, пошел к тестю с те-
щей. Жарило солнце, асфальт липнул к кроссов-
кам, а он зябко кутался в куртку. Пошатывался,
как пьяный. Мечталось, вернее, виделось как явь:
сейчас придет, а там Ольга. Заплаканная, подур-
невшая, раскаявшаяся в своем поступке. Разорив-
шаяся. Сидит у родителей, снова превратившись
в маленькую девочку Олю... Входит Андрей, и она
бросается к нему. И он уводит ее домой, в их общий дом...

Только возле двери — стальной, надежной —
пришла мысль, что родителей Ольги может не быть
дома. И что тогда? Обратно он не сможет дойти.
Будет сидеть здесь, на лестнице.

Но они были.

«А, Андрюша, — как послышалось ему, с плохо
скрываемой досадой встретила теща. — Проходи,
проходи».

«Здоров», — протянул руку тесть, на вид — ставший физиком лирик: сухощавый, в очках, не лишен-
ный дара интересно рассказывать, любящий читать, но и отлично знающий технику, вечно что-то
мастерящий, собирающий из рухляди ретроавтомо-
били, чудны́е самоделки... Рукопожатие его было
крепким, шершавым, мозолистые пальцы царапну-
ли мягкую кожу Андрея.

Его провели в большую комнату и принялись
успокаивать. Но успокаивали так, что делалось еще
хуже и беспросветнее.

«Что ж, случается, что люди не подходят друг
другу... Психологи говорят, что есть такое — "проб-

ный брак", и ничего нет страшного, если он распадется, — шелестел голос Ольгиной мамы. — Ничего страшного, Андрюша... Жизненный опыт... Детей нет, это и хорошо... Ты найдешь еще себе прекрасную девушку, найдешь обязательно!»

«Может, из-за того она и ушла, что детей нет? — рванул душу вопрос, и он перестал слышать голос тещи, редкие реплики тестя. — Надо провериться. Ведь шесть лет мы этим занимались, и ничего... Неужели со мной не так?.. Теперь понятно».

Андрей заторопился уходить.

«Насчет работы, — сказал тесть, — всё по-прежнему. Работай».

«Спасибо, дядь Лёнь...»

«И с квартирой пусть так пока, — добавила теща. — Потом разберемся, что и как».

Да, квартира. Квартира-то совместная. Придется делить... Переезжать... Андрею захотелось опуститься на корточки, прикрыться руками, зажмурить накрепко глаза.

Направился было в поликлинику. Пусть возьмут анализы, выяснят, способен ли он иметь детей. Но по пути свернул к универмагу «Азас», где у Ольги и ее подруг был главный магазин, а в задней комнатке нечто вроде офиса.

Ольга оказалась там. И Андрей ободрился — у родителей выяснил вероятную причину ее ухода, сейчас узнает, так это или нет. Все складывается...

На ее лице появился испуг и сразу сменился сдержанной полуулыбкой. Деловой.

«Здравствуй, — сказала. — Что-то произошло?»

«Произошло?..» — Андрей услышал в своем голосе дрожание.

«Подожди-подожди. Только без истерик. — Ольга поднялась. — Давай лучше выйдем».

По служебному коридору, узкому, с побитым кафелем на стенах, вышли во двор. Ольга закурила тонкую коричневую сигарету.

«Ты курить стала?» — спросил Андрей.

«Иногда... Что случилось? Вещи я заберу в ближайшее время, квартира пока в твоем полном распоряжении».

«При чем тут квартира? У нас ребенок не появлялся... Это из-за меня? Ты поэтому ушла, что я...»

Ольга посмотрела на него с чем-то вроде брезгливого сочувствия. И ответила:

«Нет, не поэтому. С этим, надеюсь, у тебя все в порядке».

«Но почему тогда не получалось?»

Ольга глубоко затянулась сигаретой, уголек стал ярко-красным. Отвела взгляд.

«Я принимала таблетки. И другие средства есть...»

«Зачем?»

«Рано».

Андрей начал было выяснять, в каком смысле рано, кому рано — ей или ему... Но осекся, развернулся и почти побежал.

«Только глупостей не делай никаких!» — наставительно крикнула Ольга вслед.

* * *

Открыл дверь, вошел в теплую полутьму — шторы сдвинуты — номера. И такой уютной показалась эта клетушка, что удивился, зачем утром покинул ее, выбрал холод и дождь. Здесь ведь, на этом десятке квадратных метров, тоже Париж. Самый настоящий.

Положил пакеты на кровать. Снял ботинки, мокрую куртку. Затем свитер, джинсы, влажноватые носки. Остался в трусах и майке. Прошелся по свободному пространству между столом и кроватью, чувствуя какую-то детскую легкость. Да, хорошо.

Вспомнилась, нет, будто встала перед глазами его комната. Та, в родительской квартире... Да, у него лет с восьми была отдельная комната. И у сестры тоже. Когда Топкину было лет восемь, им дали трёху в том же доме и том же подъезде, где жили до этого, — одна офицерская семья уехала, и их переселили из двухкомнатки.

Небольшая, прямоугольная. Под окном стоял письменный стол. Темный, старинный, мощный, с двумя тумбами-ящиками, следами чернил на столешнице... Стол остался от прежних жильцов, а может, был и до них. Может, за ним работал какой-нибудь местный военачальник. По ночам чертил рубежи обороны, опасаясь войны с Монголией, вторжения китайцев, японского десанта, или планировал, как бы выбить из независимой республики советские части... Кто знает...

Всегда, садясь за этот стол, Андрей чувствовал его основательность. И тянуло заняться чемнибудь серьезным — изучить геометрию, раскрыть толстую-толстую, тяжеленную книгу, взять у папы тактическую линейку и разработать схему учений...

На столе, слева, была настольная лампа. Тоже старая, с классическим зеленым плафоном. Глаза не уставали от ее света. Лампа тоже перешла по наследству, вместе со столом. И кровать — железная, панцирная, — и большой, из толстой фанеры шкаф. Позже, когда подрос, Андрей понял, что мебель казенная — на задних стенках он обнаружил белые циферки инвентаризации. Не исключено, что были они и на дне лампы, но ее, кажется, никогда не приподнимали, не передвигали: она воспринималась как часть стола.

Родители долго почти не покупали вещей, не меняли обстановку в квартире — зачем приобретать что-то серьезное, когда через три года, пять лет — в соответствии с негласным правилом — папу направят на новое место службы. Значит, нужно будет все паковать, грузить в контейнер... «Солдату сундук воевать мешает», — шутили папины сослуживцы.

И по своему детству Андрей помнил, что то одна семья, то другая из их домов уезжали. Как-то буднично уезжали, без долгих прощаний с соседями, без слез. Нет, девочки иногда плакали, расставаясь с подружками, пацаны клялись помнить друг друга, писать письма. Но вскоре имена уехавших друзей забывались — появлялись новые...

Единственный, кто для Андрея из таких уехавших не исчез бесследно, был одноклассник Славка Юрлов. Тот, что ходил на уроки в «кальсонах». Году в восемьдесят шестом, осень была, он вдруг с гордостью объявил:

«Через две недели свалю. Батю в Спасск-Дальний отправляют».

«Где это?» — заинтересовались пацаны.

«Дальний Восток! Почти у самого океана. И Китай рядом». — Тогда с Китаем еще продолжалась напряженность и условных противников в программе «Служу Советскому Союзу!» наряжали в форму, напоминающую китайскую.

В классе организовали вечер-проводы. Торт, конфеты, чай, газировка... На общешкольные дискотеки их возраст не пускали, поэтому устроили танцы в классе. Играли «Форум», «Модерн Токинг», «Спейс»... О поводе для этой вечеринки уже как-то и забыли, радуясь, почти как у старшаков, свободе.

На другой день или через день Славку провожали уже во дворе. Уезжали они всей семьей: папа, невысокий старший лейтенант — артиллерист с рыжеватыми усами, мама — воспитательница в детском доме, который находился в их же квартале, через дорогу от школы. Славка улыбался, гордился тем, что все остаются здесь, а он увидит новые земли. Спасск, о котором поется в «По долинам и по взгорьям», Тихий океан, озеро Ханка... А где-то там рядом — озеро Хасан, где наши солдаты дали японцам так, что те больше не смели к нам лезть.

А месяца через два Славка прислал Белому, но для всех одноклассников, слезное письмо: «Скучаю вообще... дыра, блин... живем в казарме... школы нет... пацаны злые вообще...» Славку поддерживали письмами, раза два-три удалось поговорить по телефону. Но время шло, письма от Славки приходили реже, и ему тоже редко стали писать. Вспоминали, но мельком, обычно, когда разглядывали фотографии: «А, эт Славян Юрлов. Классный был чувак».

Уже в выпускном классе, значит, в девяностом году, Белый снова получил от него письмо. На этот раз — из Кургана. Оказывается, Славкиного отца уволили из армии там, в Спасске. Жилье было у них в гарнизоне, перспектив устроиться в городе никаких, поэтому кое-как добрались до родных мест отца — в Курган. Поселились в домишке на окраине, где жила бабушка Славки.

«Мрак полный, Димон, — жаловался он Белому, — скорей бы в армейку».

После армии Славка связался с ребятами, которые «делали дела», а году в девяносто пятом приехал в Кызыл перепуганным — «одни чуть не вальнули, другие хотели посадить», — без денег, без вещей. Каким-то образом — кажется, благодаря оставшимся отцовским приятелям — Славке удалось устроиться в местный погранотряд. Сначала — контрактником, потом, после школы подготовки, стал прапором. Теперь по десять месяцев в году проводил на дальних заставах, иногда появлялся в городе, тащил, перекипающий энергией, бывших одноклассников, Пашку Бобровского, других старых корешей в кабаки.

«Мне, бляха, скоро обратно в степь хрен знает на сколько! Погнали бухать».

В сорок лет не женат, без своей крыши над головой, в нелепо сидящей гражданской одежде, какой-то, кажется, слегка свихнувшийся. Жалко его. А впереди — старость. Вот возьмут и однажды не продлят контракт, и куда он?.. В трухлявую избушку на окраине Кургана?

Славян иногда ночует у Топкина, но не исключено, в один прекрасный момент войдет, бросит вещмешок на пол и скажет: «Я поживу? Кончилась моя служба, некуда больше».

Ну, может, сейчас как-то более-менее цивилизованно увольняют, а с отцом Славки поступили, конечно, по-скотски. Да и с его — не уволили, но выдавливали очень настойчиво. Как и других офицеров их части.

Те, кто уволился сам, оказались умнее. Большинство хоть с жильем остались. А те, кто уехал с техникой на новое место дислокации — под Уяр (железнодорожная станция в Красноярском крае), — вынуждены были зиму пережить в палатках, семьи ютились в съемных комнатушках и домиках. В общем-то, как и предвидел папа. А потом все равно полк расформировали. Исчез полк, исчезла дивизия. Одна из многих десятков в те годы.

А у них здесь на территории части организовали сначала ремонтную станцию, потом боксы для техники; казармы, здание штаба, столовую кто-то приватизировал, разорился, и все это постепенно превратилось в руины.

Выводили из республики два мотострелковых полка в конце девяносто третьего года, вскоре после принятия новой Конституции Тувы — Тывы, как стала она официально именоваться. Первая статья начиналась так: «Республика Тыва, суверенное демократическое государство в составе Российской Федерации, имеет право на самоопределение и выход из состава Российской Федерации путем всенародного референдума Республики Тыва».

Родители и Татьяна уже уехали в Эстонию, пытались устроиться. Поднимали из архивов документы, доказывали, что их предки жили там с позапрошлого века. Разные метрики, записи в церковных книгах. «Да, этот Топкин, Сысой, мой прадед, а этот, Федор Сысоич, — дед... Моя девичья фамилия — Лунина, и мой двоюродный прапрадед — Николай Иванович Лунин, великий врач. Он родился в Тарту, учился. И вся наша семья местная...»

А Андрей устраивался здесь. Устраивался для долгой надежной жизни. И вроде бы все было отлично — любимая девушка стала женой, появилась своя двухкомнатная квартира, была работа, окончил третий курс института, подкапливал деньги, чтобы купить военный билет с освобождением от службы... Но на деле мир вокруг был зыбок, постоянно менялся, его словно бы била лихорадка.

И вот пронесся слух: войска уходят. Пронесся ледяной волной по и без того замерзающему — ТЭЦ работала кое-как — городу.

Молодежь да и многие взрослые ринулись к Енисею.

На этом берегу, слева от моста, находился пустырь. Зимой туда свозили снег с улиц, пацаны строили из него крепости, прорывали туннели и играли в войнушку. Сейчас снежные горы были распаханы, на пустыре стояли БТР, БМП, тягачи. Не рядами стояли, не колоннами, а как сбившиеся в кучу испуганные животные. Часть техники была заведена, и моторы на холостом ходу работали слабо, как-то бессильно.

Для большегрузов зимой мост закрывали — ниже по течению делали ледовую переправу. Вмораживали бревна, поливали водой, которая тут же превращалась в лед, посыпали щебнем. Получался этакий вал, по которому пускали КамАЗы, КрАЗы, а теперь вот по нему пройдут боевые машины.

Народ, выдыхая густые, как туман, облака пара, стоял на мосту, под мостом вдоль берега и с молчаливой горечью и тревогой смотрел на этот процесс. Эту процессию.

Вот прошли по переправе несколько офицеров и какие-то люди в гражданской одежде. Сначала на правый берег, потом обратно — сюда, на левый. Один из них махнул рукой, и первый колесный БТР, заворчав, пуская из выхлопной трубы синеватые струи дыма, дернулся, поехал. Медленно, словно то ли боясь ухнуть под лед, то ли ожидая команды «отбой». Но команды не было; следом за первым броником тронулся второй, третий...

После БТР потянулись тягачи. Офицеры руководили переправой, покрикивали на солдат, отдавали приказы; сквозь рев моторов прорывался мат, но голоса были жалкие, как у побитых. Их унизили, и теперь они вымещают злобу на нижестоящих.

Да нет, наверное, злобы не было — была обида. Обида отступающих. И приказы в такой обстановке почти бегства казались напрасными, абсурдными, что ли. Попытка провести бегство организованно...

Переправу еще раз проверили, дали отмашку, и ожили БМП, серьезные, так похожие на танки. Пережевывая гусеницами серый сухой снег, поползли по валу.

«Господи, Господи», — зашептала стоявшая рядом с Андреем женщина.

Из верхних люков торчали головы командиров. В парадах БМП участия не принимали, но сейчас это напоминало парад.

Лет десять-двадцать назад эту технику так же перегоняли сюда, а до этого долго, трудно везли откуда-нибудь с уральского закрытого завода сначала поездами, потом на тягачах через Саяны. БМП пылили по тувинским степям, стреляли во время учений, их здоровье поддерживало несколько поколений призывников-механиков. И вот они уходят.

Может, продолжат службу на новом месте, а может, их распилят, переплавят... Сейчас все утилизируют, пункты приема металлолома — самые оживленные места.

Первая БМП добралась до конца переправы, взревела и вылетела на высокий правый берег. Там ее ждал тягач с платформой.

«Слава богу, капитан Топкин этого не видит, в этом не участвует», — почему-то, как о мертвом, подумал Андрей о папе и не испугался.

* * *

Водка в супермаркете была, но он не решился ее покупать. Пить водку в одиночестве... Не стоит. Водка не любит одиночества. Набрал другого крепкого алкоголя — кальвадос, ром, бренди, маленькую плоскую бутылочку абсента с автопортретом Ван Гога на этикетке. Запивки, конечно, не забыл, закуски.

— Все пить, ясно, не буду, — говорил себе убеждающе, выставляя бутылки на стол. — Если что, с собой возьму... сдам в багаж. Боба угощу, Игорька, Славяна.

Да, им-то Париж еще долго не увидеть. Даже если денег будет навалом. Игорь в ФСБ работает, подполковник уже, Боб — кинолог в тюрьме, Славян — погранец. Им за границу нельзя.

Кто бы мог подумать, что Пашка Бобровский, этакий мальчик-бананан, станет кинологом. Будет зэков сторожить, тем более со здоровенной овчаркой, рвущейся с поводка на все живое, одетое не в форму... Но однажды прижало с работой, кто-то посоветовал: есть такая вакансия, и Боб, в жизни не имевший домашних животных, кроме белой крысы короткое время, но навравший на собеседовании, что умеет обращаться с собаками, знает основы дрессировки, был принят. Сначала на испытательный срок — и сам он, и все знакомые восприняли это как какой-то прикол, — а потом и на постоянной основе. И теперь, одевшись в камуфляж, сутки через двое проводит бывший брейкер, меломан, звезда дискотек, мечта девчонок в тюрьме на правом берегу, среди охранников, заключенных, надзирателей разных, колючки, решеток... В голове не укладывается.

— А твоя профессия укладывается? — с усмешкой спросил себя Топкин и глотнул горький, обжигающий горло кальвадос, прохрипел на выдохе: — Не-ет.

Да, и своя не укладывается... В детстве, понятное дело, мечтал стать, как и папа, офицером. Позже притягивали шоферы огромных грузовиков, летчики. В юности как-то уже никем не хотел стать, выбирал, но вяло, словно не его судьбы это касалось. Постепенно стал вникать, где больше получают и меньше вкалывают, с чем он может справиться, а с чем наверняка нет. Установщика стеклопакетов в этом переборе профессий не возникало. Да их, кажется, и не существовало тогда.

В середине девяностых по телевизору стали упоминать о евроремонте, еврооконах, но что это такое, в Кызыле мало кто знал. Казалось чем-то инопланетным, недостижимым, о чем и узнавать подробно не стоит. А потом начали ставить стеклопакеты в новых зданиях, разных учреждениях, в некоторых квартирах. Теперь же не редкость и такая картина: кривая, на ладан дышащая развалюха, а в окнах — белоснежный пластиковый профиль и свежие стекла.

Знаменитые вторые рамы, которые в октябре торжественно ставились в избах, а весной, перед Пасхой, так же торжественно снимались, уходят в прошлое. В квартирах уже почти везде евроокна, нынешние подростки и не знают, что такое клейстер, им не поручают стричь ножницами длинные полоски бумаги, которыми каждую осень заклеивали стыки, а весной сдирали.

Предупреждения, что стеклопакеты вредны, что дышать нечем, рак мозга из-за них появляется, слышатся все реже. Сбережение тепла, удобство победили.

Заказы в фирму, где работает Топкин, поступают стабильно. Заказы от частных лиц приносят небольшой доход, а вот когда какой-нибудь банк, магазин, налоговая инспекция решают заменить свои деревянные рамы на стеклопакеты, в кассу капает приличная сумма. Почти вся она, конечно, растекается по жилам огромной корпорации, сердце которой — в Германии, но кое-что перепадает и им: изготовителям, установщикам. В этом году, в преддверии празднования столетия единения Тувы и России, таких заказов было особенно много. А вот что будет в следующем... Говорят, непростые времена всех ждут. Новый кризис.

Но до установщика Андрей побыл еще кое-кем.

Работать у тестя после ухода Ольги, понятное дело, стало попросту унизительно. В первые дни после разговора у магазина с Ольгой, с ее родителями продолжил было — и вскоре бросил.

Недели две сидел дома в оцепенении и отупении, а потом понял, что если еще так посидит, то просто-напросто сдохнет, и его обнаружат по запаху гнилого мяса. Тухлятины.

Стал искать, куда бы устроиться. Оказалось, это дело сложнейшее, чуть ли не безнадежное. Даже в школы стал тыкаться, показывал свою справку о неполном высшем образовании.

«Пока учителей хватает, — отвечали директора и завучи. — Из районов такие специалисты переезжают, уникальные! — И с грустью добавляли: — Бог знает, кто там в деревнях детишек будет учить...»

Приятели, знакомые, которых были десятки, стоило Андрею заговорить о работе, отводили глаза, будто виноватые в том, что у них есть место для заработка, а у него — нет. Да им Андрей и не завидовал: большинство работало где пришлось, что нашлось, именно ради денег, а не по призванию, не получая удовольствия и удовлетворения.

«Счастье, — вспоминалась часто ему в то время поговорка, — это когда утром с радостью идешь на работу, а вечером — с работы». Он же безрадостно бродил по их небольшому городу, выискивая, где бы приткнуться, чтобы убивать по шесть-восемьдесят часов пять дней в неделю, а взамен получать пачечку рублей на еду, коммунальные услуги, на скромные удовольствия в виде пива, диска с интересным фильмом.

Бродил, искал и в то же время, не признаваясь себе в этом, оттягивал момент, когда его трудовая книжка (контрактная система еще не стала тогда у работодателей популярной) окажется в сейфе какого-нибудь отдела кадров. Работать на самом-то деле очень не хотелось.

Однажды столкнулся с Ириной Коняевой, бывшим директором группы «Черная лестница» и того магазина в подвале «Друга». Низкорослая, страшненькая, она прямо светилась от радости жизни.

«А ты чего такой, Андрэ? — недоуменно-сочувствующе спросила. — Прям всю родню похоронил».

Топкин стал было рассказывать о своих неприятностях — с недавних пор появилась потребность жаловаться, — но Ирина очень быстро остановила кивками:

«Знаю, знаю. Женушка твоя еще та стервозина. — У нее явно были свои счеты с Ольгой. — Слышала, ты и работу ищешь... Слушай, а не хочешь ко мне? Я расширяюсь по всем направлениям — от муки до салонов модной одежды».

«И кем? — усмехнулся Андрей. — Грузчиком?»

«Да какой из тебя грузчик — под первым мешком умрешь. Продавцом-консультантом. Бывал у меня в "Дженте"»?

«Джент» — магазин в здании универмага «Саяны» — славился на весь город. Там одевались местные бизнесмены, депутаты Хурала, покупали или брали напрокат костюмы для свадеб. Но не одежда притягивала основных покупателей, а так называемые аксессуары — ремни, запонки, зажигалки, перчатки, часы, барсетки, портмоне, очки, чехлы для пейджеров, галстуки... Даже мобильники лежали в витрине за толстенным стеклом — еще те, похожие на рации, — хотя мобильной связью в городе и не пахло.

В общем, в «Дженте» торговали тем, без чего обычный мужчина мог вполне обойтись, а статусный — никак.

«Да какой из меня продавец? — изумился и испугался Топкин. — Ир, подумай...»

«А что? — Ирина, хотя и была на две головы короче, как-то сверху вниз оглядела его. — Симпатичный, стильный молодой человек. Оживление на лице, некоторый навык — и цены тебе не будет. Соглашайся, зарплату нормальную положу».

Зачем она его пригласила, убедила? Вряд ли из сострадания к его положению. Скорее всего, как позже догадался, чтобы насолить Ольге, унизить ее. Наверняка Ирина думала, что разрыв их не столь серьезный, что в итоге помирятся. А это ведь такой кайф — муж бизнесменки Ольги Ковецкой работает продавцом-консультантом, почти обслугой, у ее конкурентки Ирины Коняевой.

Но в любом случае она здорово помогла ему. И дело не в зарплате — помогла преодолеть это убивающее чувство брошенности.

Конечно, в такой работе было мало приятного. Плевать, какое у тебя настроение — ты должен быть улыбчивым, готовым ответить на любой вопрос, в меру говорливым и бодрым. Именно «в меру»: переборщишь — и потенциальный покупатель испугается, почувствует подвох, шарахнется в сторону. Не купит.

И все же, пусть и с трудом, через силу, с ощущением гадливости собираясь в «Джент» — а собираться нужно было тщательно, чтобы выглядеть не хуже висящих костюмов и разложенных под стеклом аксессуаров, — Андрей радовался предстоящему дню, был в нем уверен.

Эта уверенность помогла пережить и те часы, в которые Ольга вместе с подругой-товаркой собирала вещи, а похожий на жеребца грузчик носил сумки и узлы, трюмо, тумбочки, компьютер в кузов пикапа. Чтобы не оставаться один на один с Андреем, Ольга ни на шаг не отпускала от себя подругу; раза два-три он ловил взгляды жены — пока еще формально жены, которая подала с ним на развод, — и эти взгляды были настолько холодны и сухи, что не верилось, что с этой девушкой он много раз сливался в единое целое, что она целовала его везде, гладила и шептала: «Люблю, люблю навсегда». И где это? Как теперь?..

Она действовала быстро, какими-то выверенными движениями сворачивала платья, джинсы, складывала их в сумки; она ни о чем не спрашивала, и Андрей тоже. Он то сидел на диване, то стоял у стены, глотая набегающие и заливающие рот горькие, едкие слюни, и наблюдал, как пустеет квартира. Нет, большинство вещей осталось, но исчезало важное — то, что создавало уют, тянуло быть здесь, проводить здесь время. Большую часть ежедневной жизни.

И когда Ольга, собрав необходимое ей, бросив быстро: «Всё, пока», ушла, он с удивлением осознал, как важны, оказывается, были женская одежда, стоявшие на полочке духи, помада, кремы, какое значение имели эти вроде бы мешающие, захламляющие жилище плюшевые игрушки, коробочки, статуэточки...

А потом состоялся развод — один из сотен разводов, оформляемых в их городском загсе. Том самом, где их женили.

Детей не было, имущественных претензий друг к другу тоже, поэтому развели быстро, почти автоматически. Женщина за широким полированным столом не уговаривала еще подумать, все взвесить. Андрей порывался спросить в ее присутствии: «Оля, что было не так? Почему ты не хочешь со мной жить? Почему так смотришь, как на чужого?» — но понимал: бесполезно. Ответа не получит, а позора хлебнет. Мало того, что Ольга презрительно усмехнется, еще и женщина наверняка поддержит ее, взглядом подтвердив: да, мудак.

Расписались в каких-то бумажках, узнали, где и когда можно получить свидетельства о расторжении брака, штамп в паспорте, и вышли на улицу.

Обозленный такой легкостью развода, своим поведением прибитого, Андрей пошагал было в сторону универмага: ждала работа.

«Андрюш, — схватил, придушил как аркан голос Ольги, — подожди минуту».

Он с неожиданной для себя готовностью остановился, даже как-то присел на ослабевших моментом ногах, обернулся. Мелькнуло не в голове, а где-то в груди: «Сейчас предложит попрощаться... Последнюю ночь вместе... А потом — снова вместе... Так бывает, — стал убеждать голос внутри, — бывает».

«Послушай, что с квартирой будем решать? — спросила Ольга. — Я не хотела раньше поднимать этот вопрос...»

Не из-за вопроса, а чего-то другого — интонации, может, или момента: «не могла подождать, вечером позвонить» — захотелось ударить ее. Ладонью по лицу. Чтоб не больно, но — звонко, оскорбительно.

«Можно подать на размен», — сказал первое пришедшее на язык.

«Но тебе, наверное, не хочется ее терять».

Он покривился. Желал, старался, чтобы получилась ухмылка, но наверняка вышла гримаса страдания. «Терять». Потерял любимую девушку, что уж тут думать о квартире.

«Давай так, — сказала она деловито, как, видимо, говорила у себя в офисе. — По возможности собирай сумму и в будущем, так сказать, выкупишь мою часть».

Его лицо опять покривилось. Помимо воли.

«Что?» — Ольга нахмурилась, и нахмурилась по-новому, как начальница, столкнувшаяся с глупым подчиненным.

«С каких шишей собирать? На это годы уйдут. Тем более рубль вон скачет как. И вообще, Оль...»

«И что, что годы? — перебила она, не дав ему заговорить о главном. — Жизнь, Андрей, длинная, а годы бегут быстро».

Насчет квартиры ни до чего они в тот раз не договорились. Позже Ольга сообщила ему цену двухкомнатки в их районе, разделила ее пополам. Эту половину и предложила Андрею выплачивать частями. «Если вдруг цены сильно подскочат, будем решать позже. Надеюсь, не доходя до суда». Он подумал и согласился. Разменивать, переезжать показалось куда более сложным и тяжелым процессом. Да и двушка есть двушка, не однокомнатная камера с кухонькой и туалетом. А ведь будет новая жена, появятся дети. Как без них?

Согласился, но к Ольге стал испытывать что-то вроде отвращения. Да она сама, кажется, хотела стать ему противной. Чтоб он поджег пресловутые мосты и со своего края... И когда Андрей узнал, что у нее появился новый муж — человек на два года моложе ее, но уже неслабый по местным меркам бизнесмен, — боли не почувствовал.

Впрочем, он и сам не оставался затворником. Девушки пошли косяком вскоре после того, как устроился в «Джент». С одними знакомился прямо в магазине, с другими — через общих знакомых, о третьих — с ними учился в одной школе, в институте — вспоминал и предлагал встретиться. Девушки с легкостью, каждый раз удивлявшей его, соглашались посидеть в кафешке, потом, чаще всего, — поехать к нему. Многие все с той же удивительной легкостью прекращали отношения, уловив, что Андрею с ними скучно, неинтересно, что секс не такой, какого он ожидал или они ожидали; что они, в общем, не подходят друг другу.

Временами казалось, что этот конвейер никогда не остановится. Нет, остановится, конечно, когда наступит старость, бессилие. И он обнаружит себя в этой квартире одиноким, немощным, выдавленным до последней капли.

***

— Ну да, — усмехнулся Топкин, отдышавшись после очередной порции кальвадоса. — К этому все и идет.

Посмотрел на себя в висящее на стене зеркало. Неровный, расширяющийся книзу овал, бороздка, из-под которой высовывается второй подбородок, две дугообразные вертикальные борозды у рта, мясистый нос с порами, темные набрякшие нижние веки, брови с седыми волосками, волоски и на ушах, кривые волны морщин на лбу, которые не исчезают, даже когда вытягиваешь лицо... Глубокие залысины медленно подползают к макушке...

Нет, сорок лет, сорок прожитых лет никуда не спрячешь, ничем не замажешь.

Пора думать, чтоб как-нибудь более-менее пристойно дожить эту жизнь. Первую и последнюю. Другой не будет.

— Да ладно, брось. Люди в пятьдесят жить начинают. И позже.

Оторвался от зеркала, шагнул к столу, плеснул в стаканчик еще. Внутри жалобно попросило: «Не гони!» Но Топкин не послушал, влил в себя горькое, жгучее. Откусил камамбера прямо от кругляша. С трудом проглотил.

Нет, конвейер девушек кончился. Точнее, прервался. Появилась Женечка и задержалась на два с лишним года. От нее остались два штампика в паспорте: «Зарегистрирован брак», «Расторгнут брак». Да нет, еще воспоминания остались. И светлые, и до сих пор вызывающие жуть. Вперемешку. Словно бы Топкин то оказывался на теплом пляже, то ухал в ледяную яму на реке Элегест, а потом снова выбрасывался на мягкий песочек, под солнышко.

Женечке очень подходило ее имя. Такая пухленькая куколка, каких делали в СССР, но в ней в любой момент мог проснуться пацаненок и повести ее черт знает куда.

Они и познакомились в довольно экзотическом месте — в пункте проката байдарок и другого туристического инвентаря под названием «Аржаан».

Андрей тогда уже уволился из «Джента» и стал благодаря парню из их школы, Паше Бахареву, сотрудником этого пункта. К выдаче его поначалу не подпускали, и он осваивал ремонт байдарок, заклеивал дыры и порезы на палатках, был на подхвате, а чаще слушал рассказы главного в «Аржаане», старого туриста Юрича.

Юрич — на самом деле его звали Юрий Антонович — приехал в Туву откуда-то с Волги в семидесятые годы, после окончания техникума. Работал на стройках, а в свободное время лазал по горам, сплавлялся по рекам. И теперь с грустным удовольствием, как о встреченных в жизни красавицах, вспоминал шиверы, карнизы, перевалы, холодные ночевки.

Иногда он сопровождал на сплавах приезжие туристические группы, но если только маршрут был не особенно сложным. «Здоровье не то уж», — оправдывался.

Однажды в «Аржаан» влетела стайка совсем молодых ребят.

«А сколько байдарки стоят?»

«Они не продаются, — строго ответил оказавшийся в зале Андрей, — это пункт проката».

«Ну да, ну да! А сколько прокат?»

«Это зависит от количества дней, на которые арендуете, от маршрута. В стоимость входят риски. К тому же байдарки бывают разные».

«Какой вы скучный! — вдруг сказала невысокая девушка с блестящими глазами; светлые волосы, собранные в пучок у самой макушки, топорщились, как хвост у жеребенка. — Я думала, здесь романтики работают, а здесь... Какая-то опять бюрократия».

Она напомнила Андрею девушек из фильмов шестидесятых. Ее живость одновременно и притягивала, и раздражала.

«Романтикам и ум не мешает», — появился из задней комнаты Юрич и стал допрашивать молодняк, зачем им байдарки, куда собрались.

«Да мы тут недалеко, — поняв, что попали на специалиста, замялись те, — по Сейбе поплаваем...»

«По Сейбе? — Юрич нахмурился, вспоминая эту реку, местность. — Туда на "Заре" доберетесь?»

«Ну да».

«А обратно?»

«На байдарках».

«Там же порог. Через него пойдете?»

Самый не то чтобы старший в компании, но на вид серьезней других парень мотнул головой:

«Мы что, самоубийцы? По берегу пройдем или "Зарю" закажем забрать. Не решили пока. — И, видимо, вспомнив, что они тут клиенты, а значит, всегда правы, довольно нагло спросил: — Ну чего, будете байдарки показывать? Нам нужны две трехместные».

Юрич усмехнулся:

«Что-то, честно говоря, опасаюсь. Случится что, меня ведь трясти начнут. Опыт-то есть?»

«А вы дайте нам этого своего помощника, пусть руководит», — кивнула на Андрея та наехавшая на него девушка; Андрей обернулся на Юрича и поймал его растерянный взгляд: начальник знал, что в искусстве сплава его помощник — профан. Но говорить об этом — подорвать авторитет «Аржаана».

«Насчет сплавляться с вами — не знаю, а вот позаниматься может», — сказал Юрич.

Андрей посмотрел на эту с блестящими глазами и неожиданно увидел в них то, что никогда не обманывало: она готова познакомиться ближе.

Осмотрели байдарки, забронировали две на следующую неделю.

«Шлемы, спасжилеты, весла у нас свои, — сказал тот самый серьезный по имени Денис. — Мы не чайники, с родителями походили в свое время... Байдарки истлели, правда. В гараже хранились».

«Ну всё, — перебил его приятель, — катим».

Девушка с блестящими глазами — Андрей уже знал, услышал, что ее зовут Женечка, Женёк, — напомнила напоследок:

«Так мы зайдем еще. Позаниматься».

«А ведь появятся, — сказал Юрич, когда они ушли. — Эта притащит, или одна. Клюнула на тебя, в курсах?»

«Да вижу», — с удовольствием подтвердил Андрей: девушка ему понравилась, приятно забеспокоила.

«И чего теперь делать будешь?»

«А что одинокий мужчина делает с теми, кто клюет?»

«Хм... Я не в этом смысле. Если потащит тебя заниматься с ними? Ты ж не бельмеса».

«Угу...»

«Ладно. — Юрич хлопнул его по плечу, потряс, и Андрей зашатался, как сухостоина со сгнившим корнем. — Если что, сам позанимаюсь, а может, и поведу. Или Борьке велю. Ему нравится руки на веслах стирать».

Борька — взрослый жилистый парень — работал в «Аржаане» в другие дни, чем Андрей. Был главным помощником Юрича.

Андрей отмолчался, но, перед тем как вечером разойтись по домам, попросил Юрича поучить его держаться в байдарке. Он не то чтобы уверился, что эти ребята придут тренироваться под его руководством, а как-то с тоской осознал, что, прожив в Туве почти четверть века, почти ничего не умеет: ни сплавляться, ни ходить по горам, нигде не бывал.

В детстве лазал с пацанами по прибрежным тальниковым зарослям, густым, как джунгли, ездил с папой по степям неподалеку от части, бывал на соленом озере Сватиково километрах в тридцати от Кызыла и на соседнем пресном Хадыне, на станции Тайга в горах, куда горожане выезжали покататься на лыжах, и на Ловушке, где катались на санках и камерах. Большая же часть огромной и разнообразной Тувы была ему неизвестна. А говорят, увидеть есть что. И тундра имеется, и пустыня с барханами, и снежные вершины — их из Кызыла видно, иногда и в июне белеют шапки на пиках хребтов, — и тихие таежные озера, узенькие речки со стоящими у дна хариусами... Много чего.

И если уж он решил здесь остаться, не поехал с родителями на другой конец распавшейся страны, то должен узнать этот край получше.

«Ну, приходи завтра часиков в одиннадцать, — пожал плечами Юрич. — Пошлепаем тут вдоль берега».

Вечером Андрей долго не мог уснуть. Удивлялся, что так волнуется. Представлял, как будет грести, выправлять байдарку, сносимую течением. Закрывал глаза, и появлялось лицо девушки. Этой Женечки... Вот же запала на ровном месте!

Пытался заменить ее лицо лицами других девушек — тех, с кем был неделю назад, две недели назад, месяц... Становилось противно. И, как спасение, снова выплывало, укреплялось лицо Женечки. Улыбающееся, блестящее глазами...

«Аржаан» находился метрах в ста от реки.

Енисей был тут без заливчиков, рукавов — катящийся водный поток, превращающий круглые камни в лепешки — «блинчики». Поэтому байдарку пришлось нести в сторону парка, где была заводь — устье перекрытой шлюзом протоки.

«Берегите себя», — то ли с шутливой, то ли искренней серьезностью пожелал остававшийся за старшего Борис.

Поначалу казавшийся вполне легким рюкзак с кильсонами, шпангоутами очень быстро стал давить, тянуть к земле; весло при каждом шаге как-то издевательски хлопало по заду. Андрей порывался попросить Юрича остановиться, поправить весло, передохнуть, но боялся: «Подумает, что хиляк».

Сделали привал один раз — в еловом скверике возле памятника Ленину. Прохожие с недоумением поглядывали на них, двух мужиков в болотниках, штормовках, с огромными рюкзаками в самом центре города...

Катание по заливчику возле парка Андрею понравилось. Он поймал ритм и греб синхронно с сидевшим впереди Юричем. Байдарка быстро резала стоячую воду.

Кружили, а казалось, путешествуют далеко-далеко. Вот дикий берег, заросший тальником, вон стена из гор — хребет Академика Обручева, вон утес, который с двух сторон грызут две реки, Бий-Хем и Каа-Хем, сливаясь в этом месте в одну — Улуг-Хем-Енисей. Вон гора Ленина, с которой правда убрали выложенное из белёных булыганов слово «Ленин», заменили на какие-то иероглифы, вот степь на том берегу, табунчик лошадей...

«Ну что, а теперь — спускаться, — сказал Юрич. — Не пешком же обратно ее тащить».

«Ага! Давайте!» — закивал Андрей, уверенный в своих силах.

Юрич направил байдарку к течению. И почти сразу ее затрясло, в бок ударила вода, надавил поток.

«Выравнивай... Отгребайся, — командовал Юрич, перекидывая весло с одного борта на другой. — Камень слева!»

Байдарка вильнула вправо, а слева действительно появился почти высовывающийся на поверхность валун. Наросшие нити водорослей стелились по течению, как волосы утонувшей русалки.

«К берегу давай. К берегу! А то на стрежень вынесет, утащит!»

Андрей отчаянно стал грести с правого борта. И тут же — новый крик Юрича:

«Да мягче, черт! Опрокинемся!»

Город пролетал рядом, но представлялся далеким, недоступным, навсегда потерянным. Шпиль Центра Азии, дома, тополя, набережная... Наверняка с набережной их махания веслами выглядели забавно, смешно. Но Андрею было страшно: и подумать не мог, что река так сильна и хищна. Вдруг возникал бурун и, как рука, хватал байдарку, тянул к себе; откуда-то рождалась волна, колотила в борт, словно осмысленно стараясь перевернуть, вытряхнуть людей, проглотить.

Конечно, с детства Андрей знал, что Енисей опасен, купаться можно только в заводях, затончиках. Часто люди тонули по совершенно непонятным причинам: плескается, фыркает и — раз! — исчезает. Кого-то находили потом много ниже по течению, а большинство пропадало бесследно. То и дело зимой по городу прокатывалась новость — опять кто-то провалился под лед, а это неминуемая смерть: вода сразу хватает и утягивает. Вроде мороз победил реку, сковал, завалил торосами; на самом же деле течение снизу слизывает лед, стирает, будто наждак стальную плиту, и вот ступаешь на такой стертый пятачок — и тебя нет. Булькнет черная вода, а через десять минут мороз затянет полынью новым слоем льда, будет его растить, река же, наоборот, слизывать, соскребать... Летом ослабевших пловцов утягивало под плоты.

И сейчас, глядя на мост, качающийся перед глазами впереди, Андрей понял, почему его строили так долго — Енисей мешал.

Каждую весну лед перед мостом взрывали. Не взорви, дай волю природе, и навалившиеся сверху течения ледяные горы опрокинут опоры-быки, разотрут железки, асфальт, бетон...

«Пристаём! Слышь!»

«Да!»

«Я выскочу, а ты весло в дно упри, чтоб не снесло».

«Понял!» — громко, будто Юрич был далеко или за грохотом водопада, крикнул Андрей.

Днище байдарки скребануло о камни; Юрич прыгнул в мелкую воду, Андрей ткнул веслом в дно с правой стороны, и лодка сразу всей своей тяжестью навалилась на древко. Еще секунда, и он бы наверняка не выдержал, или дюралевое древко согнулось бы, но Юрич одним рывком вытянул байдарку на две трети на сушу.

Когда минут через десять поднялись с неразобранной лодкой на дамбу, Андрей обернулся к Енисею, тот показался ему нестрашным и добрым. Весело подмигивал блестками всплесков и бурунчиков.

Юрич шел молча, как-то раздраженно впечатывая ноги в землю. Андрей, то и дело перехватывая сползающую с плеча байдарку, думал, что сейчас он скажет: «Бездарь ты, сопляк. Тебя к реке на километр нельзя подпускать. Да и в "Аржаане" такому делать нечего».

Дошли, поставили байдарку на козлы сушиться. Борис спросил с усмешкой:

«Ну как, благополучно?»

«Да неплохо, непло-охо, — вздохнул Юрич и закурил, сочно выпустил дым. — Андрюха молодец, быстро реагирует. В следующий раз на перекатах попробуем».

Андрей загордился, даже другой походкой — сам замечал — шагал домой. Вразвальцу, слегка сутулясь. Как бывалый, тёртый... Еще бы девушку под бок, положить ей отяжелевшую от физической работы руку на плечо...

Купил в круглосутке возле дома баклажку «Очаковского», двух сухих окуней. Долго, медленно пил на кухне перед открытым окном, за которым колыхал темной зеленью старый тополь, слушал когда-то любимый, а потом на несколько лет почти забытый «Депеш Мод».

На другой день было его дежурство в «Аржаане», и он все ждал, что сейчас прискочут студенты. Тем более и время поджимает уже — четверг. Наверняка завтра отправятся на вечерней «Заре»...

Студенты и Женечка не появились.

«Передумали, видать, — угадав мысли Андрея, сказал Юрич. — Молодняк, чего ж... Наши-то перекаты в силе завтра?»

«Да, да!»

Перекаты, он знал, на Каа-Хеме — Малом Енисее. Если пройти через парк, мимо стадиона «Хуреш», еще немного вверх по реке, то выйдешь на них. Несколько гряд подводных камней, которые поток минует хоть не с большим, но ощутимым усилием. Не злясь, но сердясь.

Для опытного сплавщика они, конечно, детский сад, но все равно нужно было поработать, чтобы преодолеть...

И Андрей опять долго не мог уснуть. Представлял, как ловко он управляется с веслом, со своим телом и получает от Юрича уважительное: «Непло-охо».

Утром плотно позавтракал, будто собираясь в долгий поход. Сложил в сумку несколько бутеров с колбасой, бутылку воды, запасные носки, трусы. «На всякий случай».

Вышел из квартиры, закрыл дверь на оба замка. Постоял в какой-то нерешительности. Очнулся, хмыкнул, побежал по бетонной лестнице вниз.

Борис с необычно для себя сосредоточенным видом помогал им собираться. Тоже как в долгий и опасный путь отправлял.

«Жилеты не забудьте».

И когда Юрич с Андреем готовы были взвалить на плечи огромные, высокие рюкзаки-чехлы, явились те студенты. Не все. Но Женечка была. В синем спортивном костюме, ветровке, кроссовках. Рыжеватые волосы собраны в хвост. Не на каблуках она оказалась совсем невысокой, коренастенькой, но от этого — удивительно — еще более соблазнительной. Румяная, как сдобка из духовки. У Андрея в буквальном смысле сперло дыхание. С трудом толкнул воздух в легкие. С ним такое случалось, когда готов был влюбиться.

«Ну как, целы наши байдары?» — спросил серьезный юноша Денис.

«Целы-то целы, — начал Юрич. — А вы прям сегодня отправляетесь? Я вам инструктора готовлю».

«У нас свой нашелся. — И Денис, как в каком-нибудь плохом, по дешевому сценарию фильме, высунулся за дверь, позвал: — Борис Гельмутыч, вами интересуются».

«Иду-иду».

И вошел, прихрамывая, сопя, квадратный седой старикан. Такому на лавочке у подъезда сидеть, а не по порогам... Но Юрич бросился к нему, схватил руку, затряс, приговаривая чуть ли не благоговейно:

«Борис Гельмутович, даже и не думал... Вот это да! Вы откуда?»

«Да решил места юности навестить. А племяш, Дениска, уговорил с ними скататься. Катер через час отправляется, нас подкинет. Попелёхаем на дикую природу».

«Ра-ад, ра-ад, — повторил Юрич, никак не отпуская руку старикана. — Борь, — обернулся к помощнику, — познакомься. Я тебе о Борисе Гельмутовиче столько... помнишь? Хе-хе, тезка ваш, толковый... Андрюх, познакомься...»

Андрею Юрич об этом человеке не рассказывал — наверное, не успел еще. И теперь быстро сообщил, что это один из тех героев, что в шестидесятые годы обследовали верхнее течение обоих Енисеев, составляли топографические карты, изыскивали лучшие места для прокладки дорог...

«И где вы сейчас, Борис Гельмутович?»

Старикан потускнел:

«В Новосибирске... Каменные джунгли, как говорится... Все думал переехать, а когда на пенсию вышел, уже и здоровье кончилось. Но, — спохватился, — кой-чего еще могу. — Взял стоявшее поблизости весло, покачал на весу. — М-м, удобное, легкое. Новые материалы...»

Андрей наблюдал за этой встречей, слушал, и фантастическая — всерьез он не думал, что без опыта станет инструктором группы, — но крепкая, точно густым маслом нарисованная картина, на которой он, Андрей Топкин, сидит в байдарке, а за спиной у него — Женечка, и он мастерски работает вот этим веслом, дает ей время от времени короткие команды, стала осыпаться. Осыпаться, как картина из песка. Побежали, побежали струйки, съедая прекрасный сюжет.

Глянул на Женечку. Она, улыбаясь широко и чисто, по-детски открыто, смотрела на двух немолодых, давно не видевшихся товарищей. Жалких и трогательных в своей радости... Поймала взгляд Андрея; улыбка на мгновение исчезла, сменилась чем-то вроде испуга, а потом появилась снова. Но уже другая, какая-то сожалеющая. Типа да, жалко, что нам не удалось отправиться вместе, очень жалко... И стала словно бы удаляться от Андрея, медленно уплывать.

Он перевел глаза на одного из парней, потом на другого, третьего, пытаясь определить, кто из них мог бы быть ее другом... Нет, наверняка никто. Так, однокурсники.

Захотелось подойти к ней, взять за руку, притянуть к себе. Захотелось так сильно, что он отвернулся, схватился за стеллаж со шлемами, спасжилетами.

«А Кызыл-то не тот стал, — говорил Борис Гельмутович, — что-то ушло... Важное что-то».

«Ваш дух ушел, — отвечал Юрич. — Вы же романтики были, да и мы. А теперь...»

«Ну что, дядь Борь, надо двигать, — встрял в разговор старших Денис. — Катер вот-вот будет».

Стали укладывать детали байдарок в рюкзаки, чехлы. Юрич поотказывался от денег за прокат, но Борис Гельмутович настоял взять:

«Вот когда вместе с тобой отправимся куда, я задарма буду».

«Да какое — задарма! Вы столько сделали, что нам век не расплатиться. Вы для нас как Колумб!»

Когда студенты, согнувшись под рюкзаками, потянулись к пристани, Андрей поймал момент и пошел рядом с Женечкой:

«Хотел с вами вместе. Даже тренировался...»

«Да, и я надеялась. — Она приостановилась. — Я вас давно знаю».

«Да?»

«Еще маленькой встречала на улице и мечтала, что вот бы мне такого жениха. А потом в магазине... в "Дженте"... подглядывала».

«Ни фига себе! Интересное дело».

«А почему вы из "Джента" ушли?»

«Так... Стрёмно как-то... Да и другие причины».

«Жень, ты двигаешь?» — оглянулся на них Денис.

Женечка не шелохнулась. Смотрела на Андрея.

«Слушай! — Андрей медленно приходил в себя от ее откровенности. — А можно тебе позвонить? Узнать потом, как и что... И ты мне тоже понравилась».

«М-м, спасибо. Диктовать?.. У тебя ручки ведь нет с собой?»

«Сейчас». — Андрей сбегал в «Аржаан», схватил ручку со стола, где обычно велись переговоры о прокате, бумажный квадратик. Женечка стояла на месте; на спине рюкзак никак не меньше, чем у парней.

«Пишу!»

Она произнесла пять цифр номера и сказала:

«Ну ладно, пока. Догонять надо».

Но тон ее давал понять, что расставаться не хочет. Андрей предложил:

«Давай помогу».

И забыв, что у него сегодня сплав по перекатам — да и на фиг он теперь, если девушка уезжает без него? — Андрей снял с нее рюкзак, влез в лямки.

За десяток минут пути от пункта проката до пристани успели наговориться. Найти общих знакомых, узнать, где живут, как учеба в политехе и какие у Женечки планы на будущее — «пойду работать по специальности, поднимать Туву. Это моя родина». Андрей признался, что был женат, но развелся. Покосился на девушку: та приняла эту новость спокойно, кивнула вроде бы удовлетворенно.

Как ему хотелось обнять ее, помять, как сдобную булочку, поцеловать крепко ее пухловатые губы... Будто у него сто лет не было девушки. Но Женечка казалась особенной: приведи именно ее в квартиру, оставь у себя — и обретешь счастье. Настоящее, надежное, беспрерывное.

Такого чувства Андрей еще не испытывал. С Ольгой было иначе — с детства он знал, что с этой девочкой они будут вместе. Просто знал, был уверен, даже когда ему ничего не было известно про секс, про то, что мама и папа когда-то не подозревали о существовании друг друга.

Он и Ольга росли рядом и доросли до поцелуев, до секса, до жениха и невесты, до мужа и жены.

А здесь — неожиданно, резко. «Блин, прям в натуре с первого взгляда, — с удивлением думал Андрей. — Не просто красивая фраза, оказывается, любовь с первого взгляда».

Когда добрались до пристани, парни уже таскали из маленького здания вокзальчика в катер чехлы с палатками, котелки, спальники.

«Вы когда возвращаетесь?» — хрипло от волнения спросил Андрей.

«В среду, кажется... Я особо не вникала».

«Да? А родители волноваться не будут?»

«До восемнадцати волновались, а теперь я — вольный человек». — Женечка сказала это строго, почти ожесточенно.

Андрей помолчал, переваривая эту новую информашку о ее характере. Снял рюкзак. Его родители волновались за него до самого своего отъезда. Волновались наверняка и сейчас, но не могли контролировать, во сколько он приходит домой, что вообще делает.

«Так я тебе в среду позвоню? Ближе к вечеру».

«Ага. Буду ждать, если вернусь». — И Женечка, неожиданно звонко чмокнув его в щеку, побежала к берегу.

«Блин, — повторил мысленно это идиотское слово Андрей, — действительно, как в фильме про шестидесятые».

Подошел Денис, взял рюкзак Женечки. Сказал обреченно:

«Спасибо».

Андрей не отреагировал. Скорее всего, он не отреагировал бы, даже если бы Денис сказал ему какую-нибудь гадость, плюнул бы на штаны: он смотрел вслед девушке и хотел быть с ней. Поехать, сидеть рядом в крошечной каюте, а потом у костра. Спать в одном спальнике. Он слышал, что это очень приятно — спать в одном спальнике.

* * *

— Ну и правильно, что не поехал, — похвалил себя нынешний Топкин.

Поднялся со стула шатаясь, будто его номер был на лайнере, попавшем в шторм, побрел в туалет.

Долго мочился, глядя на темно-желтую вялую струйку, вдыхал запах перебродивших фруктов. В голове вертелось: «Это ведь самогонка всё — кальвадос, остальное. Водка как-то иначе делается».

Нажал кнопку на бачке, и унитаз, выдав из себя поток воды, запел тихую печальную песенку без слов.

— Кретин! — сказал ему Топкин, сполоснул руки и медленно, осторожно, чтоб не хлопнуться о дверной косяк, вернулся в комнату. Хотел лечь, но что-то внутри убеждало, что надо выпить еще. Еще рюмашки-другой не хватает.

Топкин согласился:

— Не хватает.

Сел за стол, глянул на телевизор. Там почти беззвучно пела Милен Фармер. Страдала, билась в железной клетке.

Когда-то... Хм, когда-то... Лет двадцать назад она казалась ему неземной. Не то чтобы красивой, а именно неземной. Вот появилось здесь, на Земле, это неземное существо и запело свои неземные песни.

Потом она исчезла. Или Топкин стал смотреть те каналы, где она не появлялась. Может, и видел, слышал изредка, но уже не обращал внимания. А вот сейчас, в Париже, обратил...

Напоминает пародию на ту Милен Фармер, на те ее песни. Несмешную. Бывают же несмешные пародии. Грустно. Время все съедает, уродует, превращает в пародию. Единственный выход — быстро что-то сделать и уйти.

— Помним-помним: живи быстро, умри молодым, — безо всякой издевки сказал Топкин и отвернулся от телевизора, налил в стакан совсем немного абсента. На глоток буквально. — Поехали!

Абсент оказался на вкус таким же, что и пастис. А цена за эту крошечную бутылочку — почти как за ноль семь пастиса. Хрен с ним...

Какой теперь стала Женечка? Жива ли вообще? В таком темпе жить — ненадолго хватит. Хотя... Нет, полно тех, кто с детства до глубокой старости похожи на юлу. Крутятся, жужжат, нарезают круги в пространстве. И кажется, сноса им нет. По крайней мере эмоционального. А вот от физического сноса не отвертишься.

И представилась нынешняя Женечка. Точнее, какой бы она могла быть сейчас, спустя...

— Спустя... — Топкин постарался напрячь ватный мозг, считал, загибая пальцы.

Спустя четырнадцать лет после окончания их короткой семейной жизни. Тогда ей был двадцать один, теперь, значит, тридцать пять — тридцать шесть. Еще, конечно, не старость, но уже и совсем не юность. Экватор пройден.

— Какой экватор? — усмехнулся Топкин, плеснул в стаканчик еще.

Стало почему-то весело. Но не по-хорошему весело. Такая агрессивная веселость. Можно и разбить что-нибудь, в это окно в потолке полезть, подражая герою Форда из «На грани безумия».

Топкин поспешно, чтоб не почувствовать тошноты, выпил и лег на кровать. Покачался на соблазняющем матраце... Закрыл глаза...

Он тогда не успел позвонить Женечке. Она пришла сама. Пришла во двор и стала его ждать. Оказалось, что знала, где он живет.

«Ха-ай!» — помахала ему, выходящему из подъезда и мгновение назад не надеющемуся в ближайшем будущем ни на что хорошее.

«О, привет!.. Вернулась?»

«Ну да. Наши как раз байдарки сдавать потащили. А я душ приняла и сюда».

Она стояла перед ним и улыбалась. Но уже не так по-детски, как в «Аржаане». Как-то по-другому, повзрослому. Было жарко, на ней — белая майка с лицом певицы Мадонны; бугорки грудей делали взгляд Мадонны недоуменным... Короткая и узкая джинсовая юбка. Андрей опустил глаза, прополз взглядом по пухлым, но стройным ляжкам, красивым коленям, поблескивающим лодыжкам, на одной из которых была ссадина. Ссадина эта почему-то возбуждала сильнее, чем ровная розоватость кожи. Пальцы на ногах, высовывающиеся из сандалий, не такие тонкие и беззащитные, как у Ольги, какие-то надежные...

«Как сплавали?» — хрипнул он, с усилием отрываясь от ног.

«В целом благополучно. Хотя были моменты... — Женечка поморщилась. — Но это так, рассказывать надо».

«Намек принят, — мысленно кивнул Андрей и испугался своей нерешительности. — Чего мнусь-то?»

Он знал по опыту, что многие девушки, послав сигнал и не получив вовремя ответ, могут просто повернуться и уйти. И их уже не вернешь.

«Пойдем ко мне», — предложил. Нет, не то чтобы предложил, а почти велел. Собирался добавить про чай, конфеты, но вовремя осекся и просто взял ее за руку, повел.

Повел эту молодую, вкусную, сочную самочку к себе в логово.

...Кажется, они потом не произнесли ни слова. Все происходило молча. Лишь стоны, дыхание, всхлипы то ли от боли, то ли от невыносимого удовольствия. И она так вжималась, вбивалась в него, словно действительно пыталась в нем оказаться, спрятаться...

В последний момент, очнувшись от страсти, Андрей отпрянул и брызнул семенем ей на живот.

«Зря, — прошептала Женечка, задыхаясь. — Я предохраняюсь».

А она опытная... И Андрей ощутил ненужную, смешную сейчас обиду. Но хотелось, чтобы он был у нее первым... На секунду возникло недоброе лицо юноши Дениса.

Лежали рядом, отдыхая. Женечка осторожно, подушечками пальцев, провела по его ноге от колена к паху, шевеля волоски.

«А знаешь, я из страха к тебе сегодня пришла, — сказала тихо, но отчетливо. — И знала, что ты выйдешь вот-вот. Всего минут пятнадцать ждала».

«Что за страх?» — приподнялся Андрей на локте, хотел смотреть ей в лицо, но глаза не отрывались от груди, двух ярких, но не алых, не бордовых, а густо-розовых сосков с широкими кружками. И вообще грудная клетка у Женечки была крепкая, высокая. «Плавает, наверное, хорошо».

«Из-за чего страх?» — повторил вопрос.

«Так... Поняла, что никто меня не защитит. Кроме, может, тебя... надеюсь».

Доказывать сейчас, что он точно защитит, было нелепо, и Андрей промолчал. Женечка, кажется, и не ждала подтверждения — пауза была короткой.

«Плохо мы сплавали. Позорно».

«Да? С байдарками не справились?»

«Не в этом дело. С байдарками все нормально. Ребята умеют, и Борис Гельмутович, старичок этот, подсказывал. Не в этом дело... В первый же вечер... — Женечка не тяготилась наготой (обычно девушки после секса — даже Ольга, жена, — натягивали на себя простыню, одеяло), глядела в потолок, — ...стали на ночевку возле Севи. Это выше того места, где Сейба впадает... и прискакал местный. Покрутился вокруг на лошади, осмелел — и прямо к костру: "А вы чего тут топчете? Нельзя тут быть". Парни стали ему вроде в том плане, что его-то какое дело, а он: "Это наша земля, ёвана! Уходите, пока в реку не скинули". И стал угрожать, что сейчас десять их прискачет, сорок... Еще покрутился и уехал. Сказал перед этим: "Я предупредил. Смотрите!" И наши решили на новое место переплыть. Мы, девчонки — я и Марька, — убеждаем, что нельзя. Это значит, что мы зашугались, нельзя чмырями себя показывать. А парни, старичок доказывают: надо переплыть на километр-другой. Поводы выдумывают — типа, может, здесь святое место, еще всякую хрень... Уже по темноте пришлось вещи обратно по рюкзакам распихивать, плыть ниже. Островок там нашли. Парни рады: сюда не доберутся... В общем, как слизни себя повели».

Андрей хотел было заступиться за парней: он наверняка повел бы себя так же. Сдержался. «Зачем?» Вместо этого вспомнил случай, рисующий его героем:

«Я еще в школе учился, и мы с одним из нашей школы, с Пашкой Бобровским, поехали на дискач в дэка "Колос". Самое толобайское место — в районе Шанхая, возле завода жэбэи, психбольницы. Оделись как брейкеры: очки-"лисички", бананы. И поехали на автобусе. Потом пешком в гору... Пришли, осмотрелись: одни тувины. На нас косяки давят. Дескать, чего надо? И музон еще, как назло, попсовый до предела. Мы стоим у стеночки, понимаем, что тучи сгущаются реально. Уже несколько совсем рядом прошли, чуть-чуть не задевают, и водярой несет... И уйти боимся. На улице быстрее зарежут, чем здесь. И тут — тема подходящая. Мы выбегаем на центр и начинаем вваливать. Сначала верхний брейк, а потом и по полу. Боб такой флай завернул!.. Тема кончилась, мы снова к стене, а нас не пускают — аплодируют прямо, по плечам хлопают: "Молодец! Маадыр!" Богатырь, типа... Кто-то побежал еще такую же музыку ставить, стали просить научить движениям, бухлом угощают... Короче, оттуда героями уходили. Целая толпа нас до остановки проводила, посадила в автобус. Объясняли: "Мы вас охраняем. Вдруг плохой кто таких хороших обидит"».

«Вот-вот, действительно молодцы! — воодушевилась Женечка и с какой-то странной надеждой всмотрелась в Андрея. — Так с ними и надо себя ставить. Чтоб уважали! Согласись. — Андрей кивнул. —

Я вот тувинский язык учу. Говорят, на них это мощно действует, когда с ними на их языке говорят».

«Да, я знаю». — Андрей уронил голову на подушку; после нескольких минут передышки желание возвращалось, и еще большее, чем перед первым разом.

«Но это не для того, чтоб заискивать, — говорила девушка, — а чтоб... Ну, чтобы видели, что мы здесь по-настоящему укрепились, навсегда. Что это и наш тоже язык и земля. А получается... Как еврейские поселенцы на палестинских территориях».

Андрей хохотнул, кашлянул, поняв, что хохот не к месту, слегка сжал упругий, крепкий холмик ее груди. Женечка, еще недавно реагировавшая на каждое прикосновение сладостным стоном, сейчас, кажется, не заметила, не почувствовала этого. Была в мыслях.

«У меня папашка, — Андрея царапнуло "папашка", — решил года два назад вступить в Общество русскоязычных граждан. Так его сразу же начальник его вызвал, тоже русский, кстати, и сказал, что этого не приветствует. И он тут же побежал заявление забирать. А что плохого в этом Обществе? Защищать права, как-то хоть объединиться... Вот есть выражение — стадо баранов. А мы даже не стадо. Разбежались, и нас везде поодиночке забивают... Вот выборы мэра скоро. Я за Кашина болею, который из элдэпээр. Может, у него получится. Он пытается...»

* * *

— Пытался, наверно, но что-то не особо...
Топкин сел на кровати. Состояние было самое паскудное — организм устал от алкоголя, а сон не шел.

Водка обычно пришибала его, глаза слипались прямо за столом, а с этими кальвадосом, абсентом — иначе...

Да, мэр Кызыла Кашин явно хотел изменить ситуацию. Правда, умудренные перестройкой, Ельциным с шоковой терапией и переходным периодом люди сомневались, что изменения будут в лучшую сторону. Большинство проголосовало за него по одной причине — что русский. В Кызыле тогда еще русские были не в явном меньшинстве.

Вице-мэром элдэпээровца Кашина стал член «Демократической партии России» Генрих Эпп. Решал экономические вопросы. Со многими разругался, собрал документы, подтверждающие факты воровства и коррупции. Когда ехал в аэропорт с этими документами и билетом в Москву, его жигуленок подорвали, а выскочивший из кустов киллер несколько раз выстрелил в вице-мэра в упор. Документы исчезли.

После этого Кашин заметно сбавил активность, по инерции досидел до конца срока. В две тысячи втором попытался избраться на второй срок, но его даже не допустили до выборов. Придрались к каким-то мелочам и сняли. Умер спустя года четыре — отравился паленой водкой.

Да, интересные были времена, если повспоминать. Да и нынешнее не скучнее. Одну подготовку к столетию взять. Уж если он, Топкин, разглядел со своей кочечки такое, во что повсрить сложно, то что можно увидеть с колокольни в бинокль... Но не хотят видеть. А может — да скорее всего! — видят, отслеживают, но пока держат при себе. Чтобы потом, в нужный момент, предъявить.

Нынче, кажется, на каждого что-то, да имеется — собрано, припасено. На всякий случай.

Топкин шагнул к столу — благо метр расстояния, — налил и выпил. Еда не лезла. Глотнул сока.

Снова лег. Спать, спать... Даже в окно сейчас не смотрел — как там. Какая разница? Пусть завтра будет солнечно и тепло. И он — бодрый, свежий, хоть на время помолодевший — топает по Парижу.

Спать...

Но снова появилась Женечка. Словно бы наклонилась над ним. Дышала на него свежими струйками... Да, с ней, наверное, были связаны лучшие минуты его взрослой жизни. Именно минуты. Между которыми — усталость, тревога, злоба, раздражение, нервы, нервы, нервы...

По сути, тот разговор после первого секса оказался одним из самых спокойных и размеренных в их отношениях.

Наговорившись, Женечка вскочила, побежала в ванную, оттуда одобряюще крикнула:

«О, как тут чисто!»

Зашумел душ. Потом смолк, она появилась, вытирающаяся полотенцем, с бодрой улыбкой. Андрею вспомнилась картина какого-то художника тридцатых годов. То ли Дейнеки, то ли Серебряковой.

«Пойдем гулять, — сказала, — на Енисей или в парк».

Андрей, не стесняясь, не прикрываясь, тоже пошел в ванную, чувствовал, как Женечка рассматривает его. Мыться не стал, лишь ополоснул член, лицо. От того, что такая девушка рядом, с ним, реальность казалась какой-то сместившейся, и Андрей наблюдал за собой словно со стороны.

Это ощущение не проходило все последующие два года. Правда, смещение было разным: то в сторону рая, то — ада.

Женечка таскала его по всему городу, любила забираться в отдаленные опасные районы. Подолгу стояла в маленькой, тогда единственной церквушке на улице Оюна Курседи, но не крестилась, не шевелила губами, молясь, а пристально, неподвижно глядела на какую-нибудь икону. А потом бежала по улице, подпрыгивая, хохотала, махала Андрею, чтоб догонял.

Она перезнакомила его с кучей людей. Были, оказывается, в их городе замуровавшиеся в квартирах игроки в компьютерах, были молодые поэты, писатели, были философы-наркоманы, были казаки, Свидетели Иеговы, баптисты...

Кстати, благодаря Женечке Андрей снова сошелся с Ринатом Сейфулиным, своим одноклассником, и его отцом.

В советское время отец Рината был известным в городе фотожурналистом и фотохудожником, демократом, почти диссидентом. Ринат с детства увлекался математикой, находил в ней неведомое остальным удовольствие. Его посылали на олимпиады, которые он нередко выигрывал. В седьмом классе съездил в Артек, единственный, кажется, за все годы из школы.

После девятого класса Ринат поступил в Новосибирскую физматшколу, потом в университет, а дальше Андрей о нем почти ничего не слышал. Да нет, слышал наверняка и о нем, и о его отце, но тут же забывал: зачем лишняя информация? А когда встретился лично, обалдел от произошедших с ними перемен.

Столкнулись в баптистской церкви. Станислав Андреевич, отец Рината, хоть и был в обычном костюме, но с первых же слов интонацией дал понять, что он не просто мужчина лет пятидесяти, кое-чего добившийся в жизни, а проповедник. Пастор. Он тот, кто знает об этой самой жизни очень важное, может, и главное. То, что нужно сообщить другим.

«Достаточно хоть отчасти жить по заповедям, данным в Новом Завете, чтобы и самому чувствовать радость, и мир стал немножечко лучше. Нет, — повысил голос, — конечно, хотелось бы выполнять все заповеди, но общество устроено так, что это не всегда... очень редко удается. Слава Господу, теперь хотя бы государство не препятствует распространению Слова Божия, а еще недавно... — Станислав Андреевич горько вздохнул, кивнул на чашки с чаем. — Пейте, пейте, пожалуйста. Очень вкусный и полезный чай, с мятой».

Женечка, заметил Андрей, слушала старшего Сейфулина с такой же улыбкой, с какой наблюдала за встречей Бориса Гельмутовича с Юричем. От этой улыбки он сразу почувствовал возбуждение... Рядом с отцом сидел Ринат, совсем внешне такой же, как и перед отъездом в Новосиб; ему явно хотелось задать Андрею кучу вопросов, но отец говорил, и он не решался его перебить.

«А вы знаете, как долго и католическая, и православная церкви сопротивлялись переводу Слова Божия на народные языки? О, это чудовищная история! Людей сжигали за чтение Библии, скажем, по-английски, по-немецки. В России даже в конце девятнадцатого века каждое издание Библии на русском языке приходилось пробивать с боем... Людей заставляли верить в Бога, соблюдать религиозные обряды, но Слово Божие от них скрывали. Не говоря уж о советской власти, когда на нас, евангельских христиан, были такие гонения...»

Андрея потянуло спросить: «Неужели вы, Станислав Андреевич, в советское время уже были баптистом?» Не решился. Зачем? Сейчас выслушают и уйдут, добегут с Женечкой до квартиры и займутся сексом. Еще более страстно займутся после этой проповеди.

Но вспомнилось, что Сейфулин-старший, имеющий откровенно славянское имя и греческое, кажется, отчество, раньше иногда носил какую-то шапочку вроде мусульманской и сына назвал татарским именем. Не в честь же Рината Дасаева. В семьдесят третьем о Дасаеве и не слышал никто.

«Я долго искал путь к истине, — будто отвечая на мысли Андрея, сказал Станислав Андреевич. — И в коммунизм верил, даже строил его, и в развитой социализм, и Коран читал, слушал имамов. Но истину нашел в Новом Завете».

«Извините. — Андрей все же не выдержал. — Я году в девяносто третьем ходил слушать миссионеров. Помните, часто приезжали тогда, собирали людей в “Пионере”, еще в разных местах. И такие страшные вещи говорили... Призывали семьи бросать, например. Что семья мешает...»

«Да? Прямо так говорили?»

«Ну, смысл такой...»

«Может быть, вы услышали такой смысл, а он имел в виду нечто иное... Хотя в те годы появилось столько жуликов, что немудрено было услышать откровенный бред или проповедь от сатаны. Знаете притчу о зернах и плевелах?»

Андрею было, конечно, знакомо выражение «отделить зерна от плевел», но притчу не помнил.

«Я знаю! — вскинула Женечка руку, как на уроке. — Она о том, как один мужчина посеял хорошие зерна, — эти четыре слова она произнесла очень сексуально, — а его враг ночью разбросал по полю зерна сорняков. Сорняки взошли раньше, и человек на некоторое время усомнился, что посеял семена пшеницы, а не сорняков».

«Отлично, отлично. Но Господь вразумил его. Так же и с пророками. Есть пророки истинные, а есть ложные. Лжепророки. Силы ада еще долго будут отворачивать людей от истины... Впрочем, — голос Сейфулина-старшего изменился, стал мягче, осторожнее, — Иисус призвал верящих в Него уходить от тех ближних, кто мешает верить, и идти за Ним. За Иисусом. Недаром мы говорим "брат во Христе, сестра во Христе". Есть кровное родство, а есть родство в вере. Второе родство все-таки выше. — И, видимо, заметив во взгляде Андрея настороженность, поторопился добавить: — Это, кстати сказать, свойственно не только христианству или вообще религии. Так было и у коммунистов. "Кто не с нами — тот против нас". Помните этот лозунг? Я еще застал время, когда его пытались распространять и на семью. Наша церковь не разделяет этого принципа. Мы хотим, чтобы каждый в меру своих сил жил в соответствии с заповедями Иисуса, читал его Слово... У вас есть Новый Завет?»

«У меня есть!» — снова вскинула руку Женечка; Андрей мотнул головой — дескать, у него нет.

Ринат тут же подал ему маленькую книжицу в синей обложке. Спросил заодно, поймав момент: «Где ты работаешь?»

Андрей коротко рассказал про «Аржаан».

«Интересно?»

«Да так... Нормально, в общем».

«А с зарплатой?»

Отвечать на эти обычные вопросы было неприятно. Как-то унизительно, будто с ним не все в порядке и все это видят. Андрей пожал плечами:

«Да тоже. Хватает», — и хотел добавить: «Тем более я один теперь», но вспомнил про Женечку, проглотил эту фразу.

Ринат, цветущий, стильно одетый, юный, покивал теми же уверенными кивками, что и отец. И сказал:

«Если что, к папе обратись. Я улетаю через три дня — в Новосибирске живу, работаю... Папа поможет».

«Да-да, Андрюша, — поддержал Сейфулин-старший. — Мы ведь не чужие люди. У нас сеть фотопечати. Полезный и востребованный бизнес. Очень помогает нам в наших делах. Хорошие зарплаты».

Андрей из вежливости поблагодарил. Уходить от Юрича у него тогда не было никакого желания.

«Классно пообщались, да?» — радовалась Женечка, когда они медленно возвращались домой по вечерней пустой и широкой улице Кочетова, но солнце еще не зашло, опасаться вроде как некого.

Андрей неопределенно мыкнул на эту радость. Изменения, произошедшие с Сейфулиными, его озадачили. Были люди как люди, а теперь — церковь, проповеди, жизнь в соответствии с Библией. Или с частью ее...

«Странно это, конечно, — сказал вслух. — Знал-то я их совсем другими».

«Люди развиваются, — с легким удивлением, что он не понимает очевидного, ответила Женечка, — ищут смысл. Это признак разума — искать смысл существования... Да, я тут узнала, что у нас преданные есть! Представь. Давай сходим».

«Какие еще преданные?»

«Ну, которые в Кришну верят».

«О господи! — Андрей обнял Женечку. — Дай мне баптистов переварить».

Недели через две она без обсуждений, как само собой разумеющееся, переехала к нему. Несколько книг и тетрадей, косметичка, трусики... Эти трусики, сушащиеся на веревке в ванной, и дали понять Андрею: Женечка с ним всерьез. Говорить можно хоть что — что она давно за ним наблюдала, что с детства мечтала «вот бы мне такого жениха», но ее вещи в его квартире — это уже действительно всерьез. Надо бы ей ключи сделать...

Андрей радовался в то время ее присутствию искренне, беспримесно. Она с пробуждения заряжала его энергией, делала день легче, обещала горячий и сладкий вечер. Еще в полусне он тянул к ней руку, проводил по гладкой тугой коже бедра, забирался пальцами в теплое и влажноватое ущелище между ног. Женечка не отстранялась, не шептала зачумлённо, как многие другие девушки, с которыми доводилось встречать ему утро: «Подожди... потом... поспать...», а как-то вся придвигалась к нему и через полминуты, будто не было нескольких часов забытья, скакала на нем, или билась под ним, или распластывалась руками и грудью на простыне, задрав круглую розовую попку...

После секса быстро умывалась, делала легкий завтрак, а после завтрака... Если Андрею надо было идти на дежурство в «Аржаан», то планирование дня само собой отпадало, а если он был свободен, то у нее имелось с десяток вариантов, как его провести. И все это были варианты активного проведения — встречи с так называемыми интересными людьми, поход за город, концерт, кинотеатр, клуб...

«Давай дома посидим, фильм посмотрим какой-нибудь», — пытался сопротивляться Андрей.

«Еще успеем. Что мы — пенсы, дома сидеть? Погнали!»

При этом она успевала читать, что-то писала в своих тетрадях. Присядет за стол в зале или на кухне, полчаса позанимается и вскакивает, энергично собирает волосы в хвост.

«Отлично! Чем займемся?»

Да, поначалу эта ее вечная бодрость ему нравилась, помогала не растечься по дивану, но спустя месяц-полтора стала тяготить. Напрягать.

«Женьчик, я уже староватый для такого темпа», — пытался отшучиваться.

«Какой староватый, блин, двадцать пять лет! Это юность для мужчины. Это мы, бабы, к двадцати пяти через одну в теток превращаемся... Одевайся, нас ждут великие дела».

Андрей, кряхтя, сопя, натягивал джинсы. Хотелось схватить Женечку и завалить на кровать. Залюбить так, чтобы суток трое не могла подняться. Но вряд ли получится...

Однажды он высказал ту свою любимую мысль о льве, который почти все время лежит и помогает львицам охотиться лишь рыком. На это Женечка ответила так:

«А ты знаешь, сколько лев руководит своим прайдом? Года два от силы. Потом приходит молодой лев и выгоняет старого. И тот начинает бродячую жизнь и быстро умирает. Исключения бывают, но для этого лев должен быть активным, а не валяться сутками под баобабом».

Проверить достоверность ее слов возможности у Андрея в тот момент не имелось — интернет был чем-то почти фантастическим, — но ответ понравился — «умно». Хотя и как-то тоскливо стало: Женечке палец в рот не клади — прикусит. И вообще, дай волю — будет держать в ежовых рукавицах... И Андрей стал обдумывать, как бы, не обидев ее, не спровоцировав разрыв, предложить видеться два-три раза в неделю, а жить отдельно.

Но тут случилась встреча, во время которой он, получилось, сделал ей предложение.

Была середина сентября — лучшее время в городе. Первые заморозки прибили мошкару, слегка остудили солнце, но дни и вечера стояли теплые и тихие, долгие. С деревьев срывались желтые пахучие листья и медленно летели к земле. Хотелось собирать их и, как в детстве, класть между страницами книги — для аппликаций.

В один из таких вечеров Андрей с Женечкой гуляли по улице Ленина недалеко от парка. Это самая старая часть Кызыла, строившаяся тогда, когда он еще был Белоцарском, — высокие срубы из огромных черных бревен, двухэтажные каменные дома, одни напоминающие коттеджи новых русских, другие — бараки, но надежные, построенные надолго и даже украшенные кое-где лепниной. На газонах — толстые тополя, в июле посыпающие город удушливым пухом, а сейчас уютные, как колонны, поддерживающие золотистый свод.

Женечка в тот вечер была необыкновенно спокойна — не тянула с кем-нибудь встретиться, не за ливала Андрею мозг новой информацией; она мягко шла рядом, обхватив своими руками его левую руку.

И тут Андрей увидел так же неспешно идущих навстречу Ольгу и ее нового мужа. Он слышал, что Ольга недавно вышла замуж, но старался не придавать этому значения, забыть об услышанном, а вот сейчас, когда увидел...

Ольга была все такой же родной. За почти два года с тех пор, как не виделись, — выплаты по квартире Андрей пересылал ей на книжку, дальновидно сохраняя квитанции, — тоска по ней, оказывается, только росла. Он поразился и ее красоте — уже не девушка, а изящная женщина. Молодая дама.

С трудом сдержался, чтобы не дернуться ей навстречу.

Поравнялись. Ольга узнала его, улыбнулась как-то снисходительно-одобряюще. Дескать, «молодец, не зачах, тоже сумел найти себе пару».

«Привет, — сказала, приостанавливаясь. — Познакомьтесь». И назвала мужу имя Андрея, а Андрею — мужа.

«Это Александр, мой муж», — хлестнули его несколько коротких слов.

«Очень приятно, — слыша дрожь в голосе, произнес он. — А это... это моя невеста, Евгения».

Ольга, кажется, искренне обрадовалась:

«Отлично! — и, в отличие от мужчин, протянула Женечке руку. — Меня зовут Ольга. Одноклассница Андрея».

«Одноклассница?! — заорало внутри. — Всего-то одноклассница?»

И потом в мозгу долго колотилось одно и то же недоуменное: «Одноклассница?!»

Женечка, конечно, поняла, что встретились они не просто с его одноклассницей, но не мучила вопросами, лишь крепче обхватила его предплечье, будто боясь оторваться.

А на следующее утро, когда собиралась в институт, Андрей сказал, что они сейчас пойдут в загс.

Она не присела удивленно и растерянно на стул, не бросилась ему на грудь, а деловито покопалась в сумке и сказала:

«Паспорт у меня с собой».

«Ну я же сам вчера сказал, что невеста, чему ей удивляться?» — попытался объяснить себе ее деловитость Андрей.

* * *

Открыл глаза легко, как не спал. Долго, не шевелясь, прислушивался к себе. Было легко, почти невесомо. Ни похмелья, ни тошноты, ни ноющих болей, какие часто бывали при пробуждении. И дышалось свободно, обеими ноздрями. Воздух втекал в грудь, напитывал кровь кислородом, и она, свежая, разбегалась по телу до самых дальних сосудиков.

Лежал, наслаждаясь этой легкостью, но пошевельнуться боялся. Сейчас двинет головой или рукой, и навалится... Всё навалится. Все сорок прожитых лет. Тяжелые, холодные, липкие, словно вынутые из болота гробы.

Они и так наваливались. И наяву, и во сне. Но часто, что называется, мысленно, а по утрам после вечерней пьянки наваливались физически. Да и без пьянки он давным-давно не вскакивал с постели запросто, а сползал, кривясь и ругая новый день. Новый день, который нужно пережить.

Раньше по утрам часто прибегал сын. Тормошил, заставлял играть, возился в кровати. Топкин, помнится, раздражался. Не сознавал, что это и есть счастье...

А утро ли сейчас? В комнате был полумрак, но он здесь и ночью и днем. Разве что днем огней меньше. Топкин покосился на окно. Оно слегка светилось серовато-белым... Если и утро, то раннее-раннее. Дождя не слышно.

Еще полежать. Еще вот так полежать немного, пока ничего не ноет, не колет, не хочется в туалет...

О предстоящей свадьбе, конечно, сообщил родителям, но они, еще не привыкшие к его разводу с Ольгой, не приехали. Отправили сестру.

Татьяна стала совсем иностранкой. Даже интонация изменилась, сделалась какой-то нерусской. И в одежде — широкие штаны как бы из мешковины, бесформенная блуза, плоские туфли.

«Ты беременна?» — спросил Андрей.

«Я? Не-ет. Я только начала входить в курс дела на службе».

Татьяна в прошлом году окончила в Тарту Школу экономики.

«М-м... Эстонский-то выучила?»

«Конечно! Без него — никак. Образование переводят на эстонский и английский. А родители наоборот...»

«В смысле?»

Татьяна поморщилась:

«Совсем, э-э, орусились. Есть ведь такое слово?.. Папа бороду отпустил... эта, косоворотка...

Мама — крестьянка настоящая. Руки страшные стали... Всё на собрания ходят в общину, молятся...»

Денег на свадебную гулянку было в обрез; Андрей пригласил лишь ближайших друзей, со стороны Женечки собралась родня, несколько ее одноклассниц, однокурсниц по институту. Тех парней, что были с ней тогда в «Аржаане», Андрей не увидел. Только порадовался этому, как Женечка сообщила:

«Будем отмечать долго, несколько дней. Сейчас — официально-семейный уровень».

«Еще обряды заставит какие-нибудь проходить», — подумал Андрей чуть ли не с ужасом, и вспомнился главный кришнаит их города — староватый, сухой, с тонкой косицей, собранной из остатков волос. И вот он совершает над ним какой-то обряд, беспрерывно бормоча: «Лиам-лиам-лиам-лиам, Кри-ишна, Кри-ишна. Лиам-лиам-лиам-лиам, Кри-ишна, Кри-ишна...»

С родителями Женечки познакомился недели за две до свадьбы.

Они жили в квартале от Андрея, в такой же блочной пятиэтажке, на третьем этаже. Трехкомнатная квартира. Двое старших братьев Женечки выросли и уехали. Маму, моложавую, пухленькую женщину, уродовало навсегда, кажется, прижившееся на лице выражение тревоги, а папа, тоже совсем не старый, был словно пришиблен — всё курил, молчал, грустно смотрел на дочь, на жену, на Андрея, незнакомого парня, который вот-вот оторвет от них Женечку.

«Они у меня инженеры, из романтиков, — с усмешкой, но тоже грустноватой, сочувствующей, хотя и не без примеси злобы, сказала потом Женечка. — Жили в Калуге. Знаешь? С детства дружили, вместе институт окончили, женились на первом курсе. И потом попросились куда-нибудь подальше. На Дальний Восток хотели, на Сахалин. На БАМ простыми рабочими. Прикинь! А у них уже Славка был, мой брат старший. Ну, в итоге их распределили сюда, на ТЭЦ нашу. Молодая республика, развивается ударными темпами... Но сколько я себя помню, что-то у них романтики не было видно уже. И в перестройку не верили... Да и братья постоянно предъявы кидали: на фига, типа, из нормальной России в эту жопу мира забрались...»

«Погоди», — перебил Андрей, только сейчас вспомнив, что не знает, сколько Женечке лет, спросил.

«Четыре дня назад девятнадцать стукнуло», — сказала она как-то с гордостью. То ли гордясь, что такая взрослая, то ли, наоборот, молодая.

«А почему мы не отметили? И не сказала ничего...»

«Я свои дни рождения не отмечаю. Пока. Фигня это... Так, посижу, подумаю, что за год было, и — дальше жить... И вот, — продолжила рассказывать про родителей, — хотят переезжать. Уже бы давно уехали, если б не я. Теперь, может, и уедут».

«После свадьбы», — добавил про себя Андрей, а вслух спросил:

«А ты не хочешь?»

«Уехать? Не-ет! Никогда... Только если как беженка... Язык я почти знаю, пытаюсь в психологии разобраться... Ты вот злишься, что я тебя по всяким чудакам таскаю. — Андрей успел буркнуть "да я не злюсь". — Но это не просто так, не ради прикола. Нужно понять, что здесь будет. Место ведь... —

Женечка на мгновение запнулась. — Место сакральное — Тува. Центр Азии — не просто формальность. Это часть Вечного материка. Тибет, Гималаи, Тянь-Шань, Алтай и наши Саяны... И нельзя его потерять. И так уже сколько всего раздали, раздарили, позволили отделить...»

И Женечка стала говорить об огромном каменном русском кресте в Туркмении, о Новоархангельске, о российских флагах на Гавайях, о племенах на островах Тихого океана, просившихся под власть русского царя... Андрей, хоть и слышал об этих фактах, с удивлением слушал ее: не так часто встречаешь девчонку с такими знаниями, а главное — мыслями.

«Туву нам терять нельзя, — доказывала она горячо, словно Андрей спорил. — Из России ее, ясное дело, никто не отпустит, но без русских здесь не будет России. То же самое, что сейчас в Чечне... Хорошо хоть, что тувинцы не мусульмане».

«Почему?»

«Ну как... — Женечка серьезно, почти как преподаватель в институте, посмотрела на Андрея, и ему так захотелось от этого взгляда на юном лице подхватить ее и понести на постель, что ноги задрожали. — Мусульмане в любом случае стремятся вырваться из светского государства, чтоб создать свое, исламское. Ну вон как в Иране была революция, и в Афгане из-за чего война столько лет... Слава богу, у них тоже свои метания — сунниты там, шииты, — между собой пока в основном грызутся. А если бы были едиными, они бы весь мир своим сделали. Как они в первые века распространились — от Индии до Испании... А с тувинцами такими — полубуддистами, полушаманистами — можно поладить. Зря их, конечно, в православие не обратили в свое время, как хакасов с алтайцами. Там-то тишь и благодать почти... Так что, — она вздохнула, обрывая эту спонтанную лекцию, — я здесь родилась и здесь буду жить. Моя земля! — крикнула Женечка, и Андрей тревожно оглянулся: разговаривали на улице. — И ты ведь не уехал со своими. Тоже ведь не просто так».

«Угу... Сначала — из-за девушки... своей будущей и бывшей жены, потом — думал, что у нас наладится. Теперь...»

«Из-за меня?» — спросила Женечка.

Вообще-то она не любила кокетничать, навязываться на комплименты. И в этом вопросе не слышалось кокетства.

«Да, Женёк, из-за тебя», — обнял ее Андрей.

«А знаешь, — она мягко отстранилась, видимо, поняв, что ее вопрос может быть понят как женский приемчик, — мой папашка...»

Андрей поправил:

«Папа. Или отец».

«Да, отец... Мой отец подвиг совершил. Да-да, без шуток!.. Помнишь декабрь девяносто третьего, когда город замерзал реально?»

«Помню, конечно. Еще как!»

И первым делом возникла картинка: он, Андрей, и Оля сидят, обнявшись на диване, закутавшиеся в верблюжьс одеяло. За окном минус сорок пять; батарея еле теплая, лампочки горят в четверть накала — можно смотреть на них не щурясь, наблюдать, как тонкая спиралька то становится желтой, то чуть красноватой, как угасающий уголек. Телевизор при таком напряжении не хотел работать, и Андрей с Олей слушали акустический концерт Курта Кобейна. Батарейки в магнитофоне постепенно садились, звук плыл, голос Кобейна словно захлебывался в холоде и подступающем мраке. «Солнце ушло, но мне светло. День окончен, а я веселюсь. Может, я туп, а может быть, счастлив? Пожалуй, я счастлив, пожалуй, я счастлив...»

«Помню тот декабрь, — повторил Андрей. — Думал, крякнем тогда».

«Ну вот, мой па... мой отец не дал нам всем крякнуть. Он ведь на ТЭЦ работает. И тогда почти все специалисты уехали, некому было процессом управлять. Из-за этого и работа чуть не остановилась. В такой мороз. Три котла действовали, вода со станции уходила всего семнадцать градусов вместо кипящего пара, лишь бы трубы не разморозились».

«А я слышал, что из-за угля, — перебил Андрей. — Что не договорились с разрезом по ценам — и уголь перевозить перестали».

«Нет, это в другие разы. А тогда — из-за людей... А отца перед этим избили сильно. На улице, вечером. Как раз со смены возвращался. Он даже в больнице лежал. Прибежали с ТЭЦ: вот-вот станем, спасай. А там ведь сложно — давление, все дела... И он, избитый, злой на них... ну, на тувинцев, поехал, помог. Почти неделю на станции прожил, пока подкрепление из-за Саян не прислали. За большие деньги их вербовали там, говорят...»

***

Топкин долго смотрел в окно, ожидая, что там будет все светлей и светлей, но в окне, наоборот, темнело. Стала накатывать паника. Именно накатывать — как-то волнами. Сначала волны были слабые: сейчас стекло расцветет лучами, сейчас будет утро, а потом сильнее, сильнее... В конце концов не выдержал и поднялся.

В голове бултыхнулись остатки хмеля; Топкин качнулся, замер. Нет, нормально. Похмелье слабое и даже приятное... Кофейку бы — и вперед.

Посмотрел на часы. Почти восемь.

Почти восемь, а на улице темень. Неужели вечер? Проспал почти сутки?..

Включил телевизор, пробежался по каналам. Вместо мультиков, которые по утрам шли почти всюду, были фильмы, ток-шоу, игры. Стопудово вечер. Еще один день убит...

— Ну и хрен с ним, с днем! — подбодрил себя. — Есть парижские ночи.

И завспыхивали в памяти даже не эпизоды, а блики ощущений от чтения Генри Миллера, Газданова, Хемингуэя, Лимонова, Перрюшо, похождений героя «Горькой луны». И почему-то стало долбиться как пульс название — «Ночи Кабирии».

— Так, побрился, помылся — и на работу!

Но чем сильнее взбадривал себя, тем отчетливее начинал сопротивляться организм. Та легкость, почти невесомость умиротворения, что были полчаса назад, сменились не то чтобы тяжестью, а разжижением, вялостью... Топкин достал электробритву, и через минуту стало невыносимо водить ею по щекам, подбородку, мутило от жужжания моторчика.

— Да хрен с ним! — не выдержал, выключил. — Давно уже мохнорылые в моде.

Посмотрел на себя в зеркало. Точнее, на ту часть лица, которую брил. Щеки почти гладкие, на подбородке проплешины в щетине, а под носом обозначились мерзкие усики. Никакого рисунка. В таком виде на улицу не выйти. Даже ночью.

Постоял в каком-то остолбенении у зеркала, держа бритву на весу. Очнулся, только когда стал ощущать ее вес.

Заматерился, как умел зло, на себя, так пусто проводящего драгоценное время в городе, о котором мечтал с детства, на это бессилие, навалившееся именно сейчас, на усталость, груз воспоминаний, дождь... Дернул ногтем штырек на корпусе бритвы, с силой, быстро стал шоркать по роже.

Да, наверняка — и он только сейчас это понял — Женечка была лучшей женщиной в его жизни. Самым интересным из встреченных людей. Но как трудно с этими лучшими и интересными!.. Он не выдержал. Сделал все возможное, чтобы она разочаровалась и ушла. Но два года они все-таки были вместе. Немалый кусок жизни.

В августе девяносто восьмого разбушевался кризис. Дефолт, кажется. Андрей не вникал в его суть: «Я копейки получаю, мне не страшно». Но оказалось вскоре, что кризис касается и его. «Аржаан» перестал приносить доходы: к кризису добавилась и осень, когда ручеек туристов всегда мелел, а теперь совершенно пересох, и владелец, не Юрич, а кто-то там много выше, живший далеко от Кызыла, решил его закрыть. «Даже аренду не отбиваем!»

Известие об увольнении пришло в конце октября, буквально через пару недель после свадьбы. Андрей заметался. Сначала душевно — вот, только-только стал опять семейным человеком — и без работы. Как о потерянном рае, вспоминал теперь о «Дженте». «Дурак, зачем уволился?» В тепле, в стильном костюме, рядом с симпатичными, улыбающимися ему искренне и чуть ли не восхищенно девушками-продавщицами. Скольких он после рабочего дня водил к себе домой...

Да нет, не в девушках дело. Женечки было ему предостаточно. Но вот деньги...

В «Дженте» было классно, как он сейчас понимал. И с зарплатой, и с нагрузкой. И подмывало пойти, попроситься у Ирины Коняевой обратно. А куда еще?

Просматривал объявления в газетах, хватал взглядом слова бегущей строки на экране телика в надежде увидеть что-нибудь подходящее. Что именно — не мог сформулировать и потому, видимо, ничего не находил.

«Слушай, — как-то сказала Женечка, — а если к пастору обратиться?»

Андрей досадливо поморщился: слова жены уже начали иногда вызывать досаду.

«К какому еще пастору?»

«Ну, отцу твоего одноклассника?»

В первый момент это предложение показалось неподходящим, даже возмутительным по множеству причин: идти к почти сектантам на работу, в которой он ничего не смыслит... И Андрей довольно твердо ответил:

«Это не вариант».

А потом — через несколько часов размышлений — согласился.

В прежнем помещении оказалась уже какая-то контора, но Андрею доброжелательно сообщили, где находится храм евангельских христиан. Так и сказали: «евангельские христиане», а не «баптисты».

В недавно построенном здании из красного кирпича, напоминающем скорее спортзал, чем храм, шла служба. Или какой-то религиозный музыкальный вечер. Десятка три людей, русских и тувинцев, взявшись за руки и слегка покачиваясь, пели нарочито тонкими, кроткими голосами:

Радость, радость непрестанна,
Будем радостны всегда,
Луч отрады, Богом данный,
Не погаснет никогда-а!

Андрею сразу сделалось и хорошо, и противно, и одна часть его словно превратилась в якорь, а другая рванулась прочь. И тут же прилетела обратно, притянутая неким арканом.

Он прислонился к стене, стал наблюдать за поющими, за Станиславом Андреевичем, который в белой рясе или как это у них называется, с металлическим крестом на груди, словно бы дирижировал этим хором, но не руками, а глазами, всем телом.

Люди выглядели смиренными и счастливыми в своем смирении. Они никому не сделают зла, никого не обманут. Но такие ли они за стенами этого здания? И если действительно остаются смиренными, то как выживают в мире, где обманывают, грабят, бьют?

Андрей мотнул головой, отгоняя философские, без четких ответов вопросы. Не за этим пришел, ему вообще все это по барабану. Главное — найти работу.

«А теперь, братья и сестры во Христе, — сказал Станислав Андреевич, — материальное служение.

Ведь, к сожалению, не только духовным жив человек, плоть его. И чтобы нам было где собираться в такие ненастные вечера, как сегодня, нужна теплая крыша над головой, свет, вода для чая. За все это мы должны платить мзду... Пожалуйста, братья и сестры».

Маленький, худенький, явно чем-то больной юноша взял со стола медный поднос и стал обходить людей. Те клали деньги. Не особенно, кажется, много, но никто не отказывался, не увиливал. Юноша дошел до Андрея.

«Да я...» — но объяснять, что он здесь по другому делу, он не член их... как ее... общины, стало неловко, и Андрей, нащупав в кармане пуховика мелочь, сгреб ее, осторожно, чтоб не звенела, положил на поднос.

И сразу за этим раздался голос Сейфулина-старшего:

«Спасибо! Спасибо всем. А теперь — чай, наши любимые сдобы и шанежки».

Люди засуетились, стали вынимать из сумок и пакетов еду. Станислав Андреевич подошел к Андрею.

«Очень рад видеть, — протянул руку. — Ринат постоянно интересуется, появлялся ли ты. Какие проблемы?»

Андрей стал объяснять, что прежняя работа накрылась, все очень сложно, женился на той девушке, с какой был в первый раз, и вот не может ничего найти, нахлебником становится...

«Ясно-ясно, — перебил Сейфулин-старший. — Печатать фотографии возьмешься? Конечно, обучим, но ничего особенно сложного на самом деле. Зарплата приемлемая, возможны премии, надбавки, если будут большие заказы. В общем, никто не жалуется...»

Андрей кивал.

«Я очень рад. — Станислав Андреевич протянул руку для нового рукопожатия. — Только вот что, и это, Андрюша, непременное условие, — десять процентов зарплаты каждого идет в нашу общину».

Счастья от обретения работы слегка поубавилось, но спорить он не стал. Что ж, еще в школе читал про церковную десятину. Это не так уж и много.

«Да, согласен».

«Прекрасно. Завтра в девять утра встречаемся в Доме быта. Знаешь там салон фотопечати? Ну вот. Будем учить. А сейчас — приглашаю на чай. У нас очень душевные чаепития».

Андрей вежливо, ссылаясь на дела, на жену, отказался. В третий раз пожав Сейфулину-старшему руку, пятясь, вышел на улицу.

Мертвый морозище, который в Кызыле определяют словом «дубак», коловший его всю дорогу сюда, показался теперь не таким уж сильным. Тем более почти сразу к остановке подъехал автобус нужного, пятнадцатого маршрута...

Работа действительно оказалась несложной. В довольно просторном салоне в Доме быта стояли аппараты для проявки пленки и печати фотографий. Андрей после первых недель ученичества и неофитского рвения стал приезжать не к положенным девяти часам утра, а к десяти-одиннадцати. Его уже ждали конверты с проявленными пленками — быть проявщиком ему пока не доверяли, — на конвертах отмечено, какие кадры нужно распечатать.

По всему городу и в поселке-спутнике Каа-Хеме у Станислава Андреевича имелось штук двадцать пунктов приема пленок и редких тогда цифровых носителей, но аппаратов для печати было всего три — в Доме быта, в районе, называвшемся Восток, и в торговом центре «Агрокомплекс» на Горе, вокруг которого стояли кварталы девятиэтажек и жила треть населения города. В остальных местах пленки лишь принимали, оформляли и свозили к аппаратам.

Иногда возникали запарки, и Андрей чувствовал себя биороботом на каком-нибудь штамповочном конвейере. Но в основном работа не напрягала, дело шло без спешки, под чаёк. Девушки-приемщицы были молодые и скромные, из тех, кто участвовал тогда в службе, похожей на музыкальный вечер.

Почти каждый раз по пути из института заглядывала Женечка. Румяная с мороза, улыбающаяся до ушей, белозубая. Поначалу ее появление освещало для Андрея не только их огороженный фанерными листами салон, но и его самого изнутри. И он непроизвольно так же улыбался ей. Хотелось взять ее на руки и унести в укромное место...

Но каждый раз Женечка начинала грузить какой-нибудь информацией, сообщала, что сегодня вечером они идут туда-то или туда-то, встречаются с теми-то, что к ним домой придут те-то.

Чуть ли не все вечера оказывались чем-нибудь заняты. Самый щадящий для Андрея вариант — совместный просмотр фильма. Это он вообще-то любил; полулежание рядом на диване напоминало ему дни с Ольгой. Но Женечка ставила диски с такими фильмами, от которых начинал кипеть мозг. Пресловутый артхаус...

Роман Сенчин

Как-то раз она вбежала в Дом быта, светясь сильней, чем обычно. И Андрея — он отметил это — продрал ужас. Может, именно в тот момент он впервые захотел, чтобы она не появлялась, исчезла. Нечто большее, чем секундное раздражение.

«Приветик! — щебетнула. — Как дела?»

«Арбайте», — сказал Андрей, хотя в тот момент просто стоял, прислонившись к шкафу.

«Слушай, сегодня такой сейшен намечается! Группа "Там". Панки из Минусинска».

Андрей не сдержался, скривился:

«Жень, я хотел дома спокойно... Устал».

«Ну ты чего? — затормошила она. — Это вообще ребята клевые. Наши, кстати, кызылчане. Поет у них Чучалин, интересный парень, я его еще в Доме пионеров слышала, когда на гитаре училась играть».

Фамилия Чучалин показалась Андрею знакомой. Вслед за фамилией пришло имя.

«А его не Игорь зовут?»

«Игорь, да. — Женечка удивилась. — А ты его знаешь разве?»

Вспомнился институт, в котором тыщу лет не бывал, после пар — посиделки под банку беспенного пива, в которых участвовал первокурсник Игорь Чучалин, то стращавший армейской службой, то вспоминавший о ней с тоской. Потом Игорь перестал появляться в их компании, а вскоре Андрей взял академ.

И чтобы убедиться, тот это Чучалин или не тот, он согласился идти на выступление каких-то панков из Минусинска.

Играли в подвале «Байского дома».

«Байский дом», «Дворянское гнездо» — когда-то престижная пятиэтажка на самом берегу Енисея,

242

куда селили политическую и культурную элиту республики. Партийные деятели, министры, выдающиеся литераторы, актеры... Даже первый секретарь Ширшин имел здесь квартиру. В подъезде, помнится, сидел милиционер и скромно спрашивал: «Товарищ, вы к кому?» — и, если человек начинал мяться, тут же становился грозным, перекрывал путь.

Но в последнее время в городе появилось много удобного жилья; элита не давилась теперь в четырехкомнатках, а спокойно покупала или строила виллы. Просторный и сухой подвал «Байского дома», видимо, не очень был нужен жильцам, и в нем оборудовали нечто вроде концертного зальчика.

Вход оказался платный, но цена смешная — тридцать рублей. Принимая деньги, парень со значком анархии на свитере оправдывался перед каждым:

«На бухло ведь надо после сейшена».

Музыканты находились тут же — сидели на корточках возле деревянных поддонов, обозначавших сцену, и что-то обсуждали. Наверное, песни, которые будут исполнять. Среди них Андрей узнал Игоря. Подходить, конечно, не стал: зачем мешать, успеется...

Концерт не очень понравился. Музыканты часто сбивались, звук для тесного помещения сделали слишком сильный, и слов, которые выкрикивал Игорь, было почти не разобрать. Так, отдельные фразы припевов: «Я экзистенциальный нуль», «до этого доживешься и ты... нет другого пути», «я уже не умру молодым».

Слушатели сидели на скамейках и табуретках с серьезными лицами. Никто не порывался вскочить, закричать, сплясать. Женечка, сдвинув от напряжения брови, пыталась уловить как можно больше членораздельного из этого хрипа в пластмассовый бытовой микрофон.

После концерта несколько самых молодых пареньков и девчонок сразу ушли — видимо, их ждали дома родители, — осталось человек десять. На мониторы без мешканий поставили бутылки водки, наскоро порезанную толстыми ломтями вареную колбасу. Андрей понял, что сейчас, перед пьянкой, самое время поздороваться с Чучалиным.

Тот, на вид мало изменившийся с начала девяностых, довольно долго не мог вспомнить Андрея, и Андрею стало неловко, ощутил себя каким-то пройдохой. Но потом Игорь радостно дернулся, лицо просветлело.

«А, точно! Было!.. На "Пятилетке" пивком надувались, на Енисее. Как-то с плафоном за пивом пошли. Да? Тары не было — сняли плафон с лампочки в подъезде и пошли. И ведь налили нам. Налили!»

Андрей стопроцентно не участвовал в том приключении с плафоном, но покивал, поулыбался.

«А ты здесь по-прежнему? — бросив в себя первую порцию водки, спросил Игорь. — В Кызыле?»

«Куда мне... Вот женился недавно. — И Андрей притянул к себя явно робевшую перед музыкантами Женечку. — Моя молодая жена. Евгения. Твоя давняя поклонница, кстати».

«Да, еще с Дома пионеров, — сказала она. — Я на гитаре училась, а вы там репетировали тогда».

Чучалин покивал:

«Было время. Теперь в Минусинске живу, в Абакане... Родители вообще в деревне полумертвой. Хорошо хоть, получилось у них северные пенсии оформить, что-то получают. Я с ними пожил, но это... деревня — это вилы, короче. Вот уже лет пять болтаюсь по чувакам. Подвалы, студии. А тут все было — трехкомнатка, дача двухэтажная, гараж капитальный. Все, считай, бросили».

«Почему?» — сочувствующе и в то же время с осуждающим недоумением спросила Женечка.

«Что "почему"? Бросили?»

«Нет, это я понимаю... Переехали».

«Отец, короче, как-то ехал с дачи и увидел, как один парень, тувин, лезет к женщине в сумку. Ну, он его остановил. Перехватил руку. А их там штук пять оказалось. Ну и налетели... У меня отец спортсменом в юности был. Ввалил им, но и сам получил. Лицо разбили, руку отверткой... Пришел домой и сказал: "Давайте голосовать: кто за то, чтобы уезжать отсюда к чертовой матери?" Он и мы с братом подняли руки, мать была против. Ну, не против, но боялась переезда. Теперь жалеем, конечно, что так второпях собрались, за копейки всё сбросили. Деревня — ад. Отец по ночам не спит толком: всё тащат, все дворы обнесли. Брат младший комнату в общаге снимает, на торгушке грузчиком... Я вот вообще хрен знает в кого превратился. Панк поневоле... А с другой стороны... — Игорь протяжно вздохнул и подставил стаканчик под разливаемую басистом бутылку. — С другой стороны, здесь тоже не жизнь, как я вижу. Вот, все наши, с кем тогда в Доме пионеров лабали, собрались там в итоге, за Саянами. Вся группа. Теперь ездим, играем. Но так, за мелочь, на побухать чисто».

Андрею захотелось узнать, знаком ли Чучалин с Белым — тот ведь был заметным рокером, может,

Игорь что-то знает о нем. Женечка опередила своим вопросом:

«А это вы тексты пишете?»

«Да нет, все пишем. Я... — Игорь усмехнулся, — ...ни на чем играть так и не научился, поэтому вот пою как могу... А ты-то умеешь на гитаре?»

«Ага!»

«А песни сочиняешь?»

«Да».

«Так надо группу собирать».

Женечка, секунду назад улыбавшаяся, по своему обыкновению, до ушей, демонстрируя все зубы, здоровые и крупные, сделалась почти печальной.

«Да я бы хотела. Но среди девчонок здесь таких нету, кто мне близок в этом плане. А с парнями — не хочу».

Чучалин хмыкнул:

«Наоборот, это классно, когда девушка лидер, а музыканты — парни».

«Это банально, во-первых. Так же банально было бы, если бы вы взяли девчонку на подпевки».

Игорь затяжно и как-то слишком внимательно посмотрел на Женечку:

«Да, согласен, — и, слегка запьяневший, наверняка почувствовал потребность пооткровенничать: — родителям тяжело. Всю ведь жизнь здесь. Они местные. Из русских сел. В наш пед поступили в шестьдесят каком-то, познакомились, поженились. И вот — теперь не здесь. Каких-то четыреста километров, а все ведь там другое, под Минусинском. И степи другие, и горы, и Енисей даже... Отец мой, он ведь всю жизнь книгу писал. Роман о Туве. Верней, о том, как она с Россией сближалась. Тогда, в начале века... В архивах копался, материалы собирал, со стариками еще успел поговорить. Еще в советское время в наше... ну, в кызылское издательство предложил, а там и читать не стали, к названию придрались. А роман называется "Урянхай". И они там: "Вы что, не знаете, что это оскорбительное слово? Так нас монголы оскорбляли, китайцы, потом — царская Россия". Отец стал спорить, что на всех старых картах Туву нынешнюю обозначали как Урянхай, Урянхайский край. "И что? — эти. — Мы теперь будем популяризировать старую топонимику? Мы живем в советской стране". Ну, он разозлился, послал в Москву, оттуда, ясное дело, вернули. Типа: "Нужно еще работать". Ну он и работал... делом жизни эту книгу считал. Как вот Россия расширялась, несла культуру, просвещение, спасала такие вот народы вымирающие... И в деревне в первый год воспрянул вроде, сделал себе рабочий угол, а потом... Тут узнал от матери, что сжег всё. Все бумаги. Три коробки было... А я и прочитать не успел».

* * *

Побритый, одетый, бродил по комнате. Верней, по тому пространству, какое оставалось от кровати, стола, тумбочки. Бродил и не решался выйти за дверь.

Не то чтобы чего-то боялся — было как-то противно оказаться на холоде, под дождем или в том влажном воздухе, который не лучше дождя.

Но торчать в четырех стенах тоже становилось противно да и попросту глупо.

— А чего здесь глупого? — откликнулся на эту мысль Топкин и остановился, словно ожидая ответа. — Что глупого сидеть и... — и запел вдруг вспомнившееся: — Как хорошо без женщины вдвоем сидеть и пи-ить простой шотландский виски...

Достал из-под стола бутылку с остатками абсента. Отвинтил крышку, и абсент недовольно забурчал, как живой.

— Не бурчи, — сказал Топкин, радуясь и сердясь. И его теперешнее состояние напомнило ему то, в каком находился под конец их с Женечкой отношений.

Она все сильней раздражала, утомляла не только своей энергией, но и тем, что явственно перерастала его. Андрей замечал это и удивлялся скорости, с какой она развивается. И главное, он не мог уследить, когда она напитывается новыми знаниями. Это происходило у нее как-то молниеносно — как с учебой. Присядет за стол, полистает тетрадки с лекциями — и готова к экзаменам, что-то минут десять попишет — готов доклад. Посидит с книгой Шопенгауэра или Дерриды и потом рассказывает Андрею об их философии, полистает «Бхагавад-гиту» и рассуждает об индуизме, послушает англоязычную песню, а потом напевает ее по-русски в своем спонтанном переводе и даже с рифмами...

Секс, такой сладостный и горячий в первые месяцы, стал приносить меньше удовольствия. Тело Женечки-жены было изучено, вздохи, стоны, сжатия, слова — известны. Даже чередование поз происходило по одному кругу. Они экспериментировали, пытались находить новое, но и оно быстро становилось обычным. И Андрей нередко ложился в постель почти с ужасом перед сеансом близости.

«Вот так и становятся извращенцами», — думал он, потный, запыхавшийся, раскаленный, но не удовлетворенный по-настоящему, отворачиваясь от Женечки.

С Ольгой было иначе. Секс с ней был нежным, осторожным; Андрей боялся сделать больно, неприятно. И странно: именно эта боязнь, как он теперь понимал, давала самое большое удовлетворение.

Как-то постепенно, само собой стало получаться так, что он начал частенько приходить по вечерам в церковь к Станиславу Андреевичу. Бывало, сваливал с работы в то время, когда туда должна была вот-вот заглянуть жена. Она писала ему на пейджер — сотовых у них тогда еще не было, — спрашивала, где он. Андрей сначала врал: «Курьер заболел — или, вариант, уволился, — буду позже». Потом стал писать правду: «У Сейфулина».

Обстановка в церкви его умиротворяла. И теперь ему было странно, что тогда, в первые разы, он сопротивлялся этому умиротворению, брезговал пить чай, есть сдобу и пирожки, поглядывал на людей, собравшихся здесь, как на неполноценных, увечных, пусть внутренне, но усмехался их пению.

Он и сам теперь подпевал с удовольствием: «Ты моя опора и поко-ой, крепость и покров, Спаситель мо-ой!» А душу ласкал неслышимый — а может, и слышимый — другими голос: «Ну вот ты и нашел отраду и покой. Молодец, не дал врагу рода человеческого утащить себя во тьму».

Почти на каждом чаепитии кто-нибудь рассказывал кусочек из своей жизни. Кусочки эти были горестные, страшные, но люди говорили без слез, без злобы. Как о преодоленном.

У одной женщины, нестарой, но и не в том возрасте, когда можно начать все с нуля, родить новых детей, Майи Игоревны, умерли от болезней муж и старший сын, а младший насмерть разбился на машине. И вот она в пятьдесят лет осталась совсем одна. И нашла семью здесь, в общине.

У Шолбана, парня-тувинца немного за тридцать, спилась вся семья. Реально спилась, пустив по ветру жилье, вещи, превратившись в бомжей. Шолбан каким-то образом не разделил их судьбу, но как ему быть, не знал. Тем более что жили они не в Кызыле, а в небольшом поселке Шамбалыг, где семей, подобных его, полным-полно.

Несколько лет назад приехал сюда, пытался найти работу, сносное жилье. Ночевал в подъездах, подвалах. Случайно встретился со Станиславом Андреевичем, тот дал ему место в фотосалоне, снял ему комнату. Теперь Шолбан был, кажется, самым преданным учеником Сейфулина.

Рассказывал и Андрей. О своей подростковой дружбе с Ольгой, о себе, успокоившемся вскоре после свадьбы, о разочаровании в нем Ольги, ее уходе, разводе... Говорил через силу, со множеством междометий, долгими паузами. Его внимательно слушали, благожелательно терпели, когда он с минуту, а то и больше мычал, подбирая слова. Говорить было действительно тяжело, мучительно, мешал вроде разумный, умудренный внутренний голос: «Зачем ты делишься с посторонними самым личным, твоим? Нельзя. Храни это в себе». И потом, не сразу, приходила легкость, вернее, облегчение; вроде бы совсем простые слова поддержки укрепляли издерганную душу, словно цементом. Каким-то живым, теплым цементом, который не затвердевал до состояния камня, но не давал душе скатиться в яму с разъедающей желчью.

Постепенно он стал втягиваться и в деятельность общины. От сования прохожим листовок, призывающих задуматься о жизни и прийти в церковь евангельских христиан, воздерживался, а вот в раздаче еды, вещей бедным участвовал с удовольствием.

Может, удовольствие — не то слово, но ведь удовольствие можно испытывать и от помощи незнакомым, абсолютно чужим людям, а не только от секса, пивка, музыки. Но удовольствие это всегда было с примесью сочувствия, жалости.

По местному ТВ шла бегущая строка с объявлением, что по такому-то адресу такая-то община принимает одежду, памперсы, средства гигиены, нескоропортящиеся продукты для передачи малоимущим. В итоге за две-три недели в церкви скапливалось несколько мешков.

Вещи сортировали, что-то совсем негодное выбрасывали, кое-что стирали и чинили, а потом везли в один из неблагополучных районов Кызыла.

Центр города потихоньку старился, здания блекли, штукатурка осыпалась, асфальт крошился, но содержался в относительной чистоте. А вот окраины были реально страшны.

Кривые черные избы и бараки, горы мусора, полуповаленные заборы, ржавые до дыр, до невозможности сдать их в чермет кузова «запорожцев» и «москвичей», рассыпавшиеся грузовики... Редкие опрятные домики, крепкие глухие заплоты, палисадники с цветочками казались здесь чем-то нелепым, возмутительным даже.

Андрею хорошо запомнилась первая раздача. Она происходила на Кожзаводе.

Кожзаводом называют не столько сам завод, сколько несколько улиц избушек, бараков вокруг него, годов тридцатых постройки каменный магазин на высоком — на случай наводнения — фундаменте с полукруглым фасадом.

Андрей бывал там прежде считанные разы, но историю Кожзавода, одного из самых старых районов Кызыла, более-менее знал.

Когда-то, до освоения этой территории людьми, она была, наверное, красивым и живописным местом. Полуостров: с правой стороны — Енисей, слева — речка Тонмас-Суг, маленькая, но живая, веселая, не замерзающая даже в самые лютые морозы. Берега Тонмас-Суга загадили свалками, на дне валялись железки, автомобильные покрышки, кирпичи...

Полуостров, видимо, часто затапливался до того, как насыпали дамбу, и до сих пор кое-где на незастроенных, незатоптанных клочках растет высокая сочная трава, какая бывает на заливных лугах. На возвышенности уцелел кусок тополевого леса, в котором можно найти грузди. Растет шиповник с крупными мясистыми ягодами.

Вскоре после принятия Урянхайского края под протекторат России и основания Белоцарска, будущего Кызыла, стали строить кожевенно-пимокатный завод. Вокруг селились рабочие, торговцы. Возникло то, что когда-то было принято называть слободой.

Несколько десятилетий Кожзавод считался не то чтобы престижным районом города, но надежным, крепким. Работники самого завода жили в основном в благоустроенных домах в нескольких автобусных остановках отсюда, а Кожзавод, отделенный от остального города лесочком и рытвиной давно пересохшей протоки, сделался этакой деревней. Избы и дома-засыпушки, довольно просторные огороды, стайки с курами, свиньями, кроликами, а иногда даже с коровой. Тот магазин с полукруглым фасадом старики называли лавкой, а выход или выезд за пределы Кожзавода — «отправиться в город».

В середине восьмидесятых слободка испытала первый серьезный удар — началось воровство. Таскали кур, рвали все съедобное на огородах, снимали с веревок белье... Потом произошло нашествие наркоманов, ищущих мак.

Странно, до статей в газетах, сюжетов по телевизору их в Туве, где всегда было много бывших зэков, хулиганов, разных отпетых типов, как-то не замечали. Знали, вот тот колется и вон тот, но воспринимали это как болезнь, не очень опасную и незаразную. Тем более что эти колющиеся кололись десятилетиями, не теряя при этом человеческого обличья, не выпячивая свой кайф-недуг. А тут, после шквала в прессе, началось. И мак, росший во многих огородах самосевом вроде укропа, сделался огромной ценностью. Чтобы добыть его, ломали заборы, вытаптывали грядки. Владельцы огородов принялись истреблять мак, но тут пошли просьбы-приказы молодых наркоманов сажать его побольше...

Когда начались межнациональные волнения, жители Кожзавода, как и многие петувинцы Кызыла, стали переселяться за Саяны — в Красноярский край. Дома покупали нетувинцы, бегущие из районов. Потом и они почти все исчезли за Саянами. Их место занимали тоже из районов, ободранных, одичавших, но уже тувинцы. Надеялись на работу в столице, но ее на всех не хватало.

К концу девяностых Кожзавод стал обиталищем нищих, потерявших всякую надежду.

Дома обветшали до крайности, шпальные стены двухэтажного барака возле магазина почернели так, что напоминали уголь. Сам магазин, когда-то радующий глаз, зовущий зайти, каждую весну покрываемый подсиненной или розоватой известкой, облупился, ступени искрошились, и даже молодому и здоровому добраться по ним до двери было сложно. Полный развал и упадок.

Оказавшемуся здесь сразу становилось ясно, что жителям нужна помощь. Сами они не только не выберутся из этой трясины, но попросту не раздобудут пищи, чтобы наесться досыта. Большинство отмахивалось открыто или мысленно — «сами виноваты», а баптисты вот старались помочь.

В тот первый для Андрея раз загрузили мешки в автобус пятого маршрута на одной конечной остановке, «Востоке», проехали через весь город, правда, не по центру, а в основном по убогим и трухлявым окраинам, и через полчаса высадились на другой конечной — «Кожзаводе».

На лавочке, обозначавшей эту самую остановку, и возле нее сидели и стояли десятка два ребятишек и, как только увидели людей с мешками, бросились в разные стороны. Андрей поначалу не понял, что случилось.

«Нас караулили, — объяснил Денис Емельянин, один из самых активных членов общины, музыкант и актер ТЮЗа, но тоже с жизненными проблемами. — Сейчас родителей приведут».

И действительно, через две-три минуты из обоих подъездов барака, ближайших калиток стали торопливо выходить обитатели; по улицам, которые обтекали магазин с двух сторон, ковыляли старухи или похожие на старух женщины.

Наблюдая за их приближением, Андрей почувствовал подзабытый ужас, какой ощущал подростком после фильмов про зомби. Возвращался по темным кызылским улицам из видеосалона, и при появлении подпившего или медленно бредущей компашки тело сдавливало, ноги становились ватными, спину щипал ледяной пот. Так и теперь...

Странно было, что дети, только что резвые, быстрые, сейчас тащились так же, как их немощные матери, бабушки и дедушки. Не обгоняли, не рвались скорее к разложенной на длинном столе возле барака помощи.

А потом началась раздача.

Без радости, интереса, даже без особой жадности, молча, люди тянули к себе все подряд. Старухи — девичьи топики и джинсы, женщины — мужские брюки, мужчины — женские сарафаны...

«Ну зачем вам брюки? — спрашивали страдальческими голосами ребята из общины. — Мужу? Нет? Зачем тогда? Вот платье посмотрите, вам наверняка подойдет».

Дети гребли еду. Карамельки, пачки китайской лапши, овсяное печенье, консервы.

Андрей стоял несколько в стороне и оторопело наблюдал. Много раз он видел нечто подобное, но по телевизору. Раздача гуманитарки в Африке, на юге Азии. Казалось, что такое может быть только там, далеко, да и не совсем по-настоящему. Постановочные сцены. А оказалось, в их городе есть места, где своя Африка, свое какое-нибудь Сомали.

И люди эти, еле шевелящиеся, в лохмотьях, с лицами опухшими, покрытыми шишками и коростой так, что невозможно было определить их национальность... Встречая подобных в центре, Андрей не задумывался, где они живут, что с ними случилось. Алкоголиков, пьяниц в Кызыле всегда было хоть отбавляй. Но раньше это были бытовые алкоголики, они имели квартиры, работали, и хотя буянили иногда, падали на асфальт, засыпали на скамейках во дворах, обнашивались, обрастали волосами, но все же оставались частью человеческой цивилизации. Эти же... Андрей нашел вроде бы подходящее слово — «морлоки». Из книги Герберта Уэллса «Машина времени». Но там морлоки агрессивны, опасны, они что-то делают в своих туннелях, что-то строят, следят за машинами, подающими воздух под землю, а эти, кожзаводские, — просто трупы. Трупы, которые еще двигаются. Ни утащить в свое подземелье, ни укусить они уже не способны.

Позже Андрей побывал с раздачей в других страшных районах Кызыла — в Шанхае, на Болоте, Безымянке (по названию улицы Безымянной, заканчивающейся бетонным забором СИЗО), за теплотрассой, где с середины девяностых расползались трущобы самостроя, в которых селились тувинцы из районов. Глядя на эти коробочки из горбыля, кусков ДСП, обломков сухой штукатурки, невозможно было представить, как в них можно зимовать. В коробках стояли железные печки или были устроены первобытные очаги с вытяжкой в потолке, подобно юрточным, но такой обогрев явно не спасал от мороза. Часто случались пожары и выгорали целые кварталы трущоб вместе с пьяными или измученными недоеданием людьми...

Женечка поначалу обижалась, что Андрей слишком много времени проводит в общине, потом стала присутствовать на службах, участвовать в чаепитиях, пару раз съездила на раздачи и в конце концов решилась на серьезный разговор.

Андрей видел подготовку к нему: Женечка была в эти дни молчалива и часто взглядывала на него так, что вспоминались взгляды Ольги перед уходом, но страха не чувствовал. Наоборот, щекотали интерес и азарт; он ни разу не ругался с ней, да и вообще с женщинами, и теперь этого захотелось. Не умом, а как-то иначе. В груди сосало желание...

В тот день — была осень, совсем недавно отметили годовщину свадьбы — Андрей не ушел раньше времени с работы. На улице пылил дождь, мелкий, но частый и словно бесконечный, налетали порывы ветра. Редкая для Кызыла погода. Почему-то тогда Андрею вспомнилось побережье Чудского озера, где жили теперь родители, и его первое впечатление от него. Тоже лил дождь, секли порывы сырого ветра. Вместо неба был огромный беловато-серый сгусток, деревья стояли обмякшие, с поникшими ветками, трава ярко-зеленая, как после заморозка. Озеро без видимого берега на той стороне чуть шевелилось, но это шевеление не было течением, вода никуда не текла и, кажется, кисла, умирала...

«И что, часто у вас такая погода?» — спросил Андрей папу, тоже будто обмякшего, прибитого к земле, шевелящегося, но бесцельно, впустую.

«Не часто. — Папа слишком резко, стараясь разубедить, замотал головой и тут же перестал, вздохнул: — Но и не редко. Льет иногда по неделе».

И вот то, что тогда сразу оттолкнуло от места, где поселились родители, пришло сюда. Да нет, конечно, затяжные дожди случались каждую осень, каждое лето, но сейчас казалось, что это тот самый сгусток добрался с Чудского озера до Енисея. Добрался и разъедает кислыми каплями город, степь, заражает чистую речную воду.

Ехать в церковь не стоило. Вряд ли там соберется сегодня много людей, а если будет трое-четверо-пятеро, они станут больше внимания уделять каждому пришедшему. Внимания к себе Андрей не хотел, уделять другим — не мог. Хотелось быть с людьми, но так, почти незаметно. Тихонько сидеть, слушать добрые слова, отвлекаться на свои мысли.

Домой не тянуло. Это новое ощущение было Андрею неприятно, пугало. Как можно не хотеть домой? Тем более что там он встретится с молодой, красивой, улыбающейся, бодрой девушкой. Своей женой. Но именно это — ее бодрость — и отталкивала от нее, от дома. Правда, Женечка последние дни была молчалива, обдумывала что-то важное, но тем не менее. Забыть о том, как она таскала его туда-сюда, грузила информацией, от которой тяжелели мозги, не получалось.

Но вот салон закрылся, волей-неволей пришлось выходить на улицу, согнувшись, прячась от дождя, бежать к остановке.

Был час пик, люди возвращались с работы, и маршрутки — автобусов к тому времени почти не осталось — шли все забитые под завязку. В некоторые удавалось втиснуться двум-трем везунчикам, не больше. Андрей, конечно, не лез первым: и, как говорится, воспитание не позволяло, и просто опасно наглеть. Стыдить — «куда вперед женщин прешь?!» — вряд ли станут, а вот по роже дать или заточкой ткнуть могут запросто.

Пятачок под жестяным навесом был занят, и Андрей вымок и замерз до костей, пока наконец не подъехала «ГАЗель» относительно свободная. Вместился, встал в проходе, согнувшись буквой «Г». В салоне тоже было прохладно, влажно, пахло давно не стиранной одеждой, грязными волосами. И, стоя вот так, словно кому-то кланяясь, вдыхая тошнотворные запахи, Андрей почувствовал такую тоску и беспросветность, что чуть не разрыдался. В горле вскипело, забулькало, рванулось вверх, глаза зачесались.

«Э, э, э! — осадил себя, заставил проглотить вскипевшее. — Ты чего, блин? Квартира есть, пусть за нее еще платить и платить, жена есть, пусть и слишком резвая. Родители живы, хотя и далеко, но все же... Работа, деньги кой-какие, приятели. Чего раскиселился?»

Помогли, скорее всего, не эти мысли, а глаза совсем юной тувиночки. Она сидела в начале салона, на тех местах, которые повернуты против движения, и сквозь туловища, все эти плащи, куртки, пристально и слегка удивленно смотрела на него. Не просто смотрела, а влипла. И Андрей влип в нее взглядом. И впервые, наверное, за годы жизни в Туве, да и вообще, получается, впервые за всю сознательную жизнь почувствовал, что такое азиатская красота. Не эта восточная, багдадская, а настоящая — красота женщин Чингисхана.

У Андрея не было тувинки, метиски, не возникало мысли попробовать такую, а сейчас захотелось. Действительно, странно не узнать тувинку, когда обитаешь среди них. Разные путешественники, этнографы первым делом заводили себе аборигенку и через нее изучали ее народ.

И как запрет — на месте лица юной красавицы возникло лицо тувинского парня. В глазах — угроза. Андрей отвернулся.

Женечка была дома и обрадовалась Андрею совсем по-детски. Подскакивала возле, как жеребенок.

«Пришел! Пришел!»

А ему от ее радости сделалось еще муторней, и она заметила это, мгновенно изменилась.

«Я тебя раздражаю, — не спросила, а сказала утвердительно. — Извини».

Андрей стал оправдываться, успокаивать и сам слышал, как неубедительно, лживо звучат слова... Разделся, прошел на кухню. На плите стояла сковородка с мясом.

«Ждала меня», — мелькнуло удовольствие и тут же растаяло, сменилось новой волной раздражения. Не на это мясо, которого не хотелось, не на Женечку, не очень-то любившую готовить, но вот приготовившую ужин, а вообще.

«Слушай, — голос жены за спиной, — я тебе надоела?»

«Да нет... Нет, не надоела. Устал просто».

Женечка обошла его, посмотрела в глаза.

«Нет, — болезненно поморщилась, — это не усталость. То есть другая усталость. От меня. И в церковь ты каждый день бегаешь поэтому».

«Не каждый день».

«Ну через день. Какая разница... Но, понимаешь, я так жить не могу. Потихоньку. Мы с тобой уже об этом говорили. Может, когда-нибудь научусь. А сейчас — нет. Знаешь, самое ужасное — это когда... это меня в детстве еще поразило... когда родители лежали рядом на кровати и смотрели телик... Я специально так подглядывала, думала, они чем-нибудь другим заниматься начнут. Разговаривать хотя бы или целоваться, гладить друг друга. Или возьмут и книгу откроют. А они в телик смотрят, и всё. Часами. Неподвижно. И лица неподвижные, страшные такие. Как неживые... И я не хочу так же, Андрей. Понимаешь?»

«Я тебя и не заставляю».

«Словами — нет, а так — да. Я ведь вижу, что тебе этого хочется. Чтоб мы лежали и смотрели. И не шевелились... Ты из-за этого и в церковь ходишь».

«В каком смысле — из-за этого? — хмыкнул Андрей. — Какая-то странная логика».

«Не странная. Просто там ты лежишь. Там тебе уютно, хорошо. Сидеть, чай пить, никто не тормошит, а время идет... Так ведь?»

Женечка говорила внешне спокойно, но видно было, что спокойствие дается ей с большим трудом. Наверняка хотелось кричать, может, и заплакать, произносить слова хлесткие и обидные...

«Я ведь заметила, что, если мы куда сходим, ты потом к стене отворачиваешься и типа засыпаешь. Не прикасаешься ко мне. Типа устал. Но это не так. Просто показываешь, что недоволен. И чтоб я выбирала: или куда-то идем, встречаемся, или телик, а потом ласки. Но ведь так нам надоест через две недели. Мы друг другу надоедим».

«Но твои родители друг другу не надоели».

«Надоели. Они живут по инерции. Никаких общих интересов, никаких дел... Поели после работы и легли. А в выходные — по целым дням. Это не жизнь, понимаешь?»

Андрей дернул плечами так, чтоб было непонятно, то ли он понимает и соглашается, то ли понимает и досадует. Смотрел в сторону от жены, но взгляд не потуплял: виноватым себя ни в чем не чувствовал. Да и что это — быть виноватым перед девчонкой на пять лет младше...

«Правда понимаешь? — в голосе Женечки послышалась радость. — Если так, то немножко изменись по отношению ко мне. Ладно? И я меньше буду тебя дергать. Обещаю. И, пожалуйста, не встревай сильно в эту их церковь, ведь может так засосать. Ни во что не стоит сильно... Знать — одно, а быть частью — опасно».

«Разумно», — с некоторой иронией отозвался Андрей, обнял Женечку и почувствовал, как ее напряженное, почти каменное тело расслабляется под его руками.

* * *

Попытался встать со стула. Сразу повело, ноги согнулись в коленях, Топкин упал.

— Не упал, — заспорил зло, но бессильно, — не упал, а присел...

Посидел на полу, кое-как переместился на заду к кровати, вполз на нее, как парализованный.

Бормотал, пугаясь своего состояния:

— Надо выбираться... надо как-нибудь выбираться...

А Женечка продолжала быть рядом, в его объятиях. Живая, из косточек, мяса, покрытых гладкой теплой кожей.

Топкин залез рукой в штаны, потеребил там, между ног, но член не отозвался, был мягким и маленьким...

С того разговора и началось их расставание. Без скандалов, криков, выяснения отношений. Просто с каждым днем и каждой ночью они становились все более чужими.

Андрей реже ходил в церковь, а Женечка реже звала его куда-нибудь, почти прекратила приводить гостей. Андрей вечерами сидел перед телевизором, она же где-то с кем-то общалась. Возвращалась часов в десять-одиннадцать, и они, изможденные — он от пива и фильмов, она, скорее всего, от разговоров, — ложились спать. Секс случался нечасто, да и какой-то пресный, не приносящий настоящего кайфа.

Нельзя сказать, чтобы Андрей этим особенно тяготился: полуравнодушие жены было удобней ее постоянного внимания.

И в конце концов произошел разрыв. Он очень походил на разрыв с Ольгой. Сначала Женечка стала уезжать за Саяны, звала с собой и Андрея, но он отказывался:

«Что там делать?»

«Развеешься. Абакан — классный город. Живой. И Минусинск... Чего тут тухнуть?»

Помнится, Андрей усмехался:

«Ты ж фанатка Тувы. А теперь — тухнуть».

«Я же не насовсем».

А в итоге получилось, что насовсем... в сентябре двухтысячного... И так же, как в момент разрыва с Ольгой, телевизор рассказывал о важных событиях: версии причин гибели подлодки «Курск», бои в Чечне, взрывы в городах на Северном Кавказе... И тут Женечка по телефону заявляет, что полюбила другого и остается в Абакане.

«Кого полюбила?» — спросил Андрей, не удивившись, не испугавшись новости да и не особенно интересуясь, кого полюбила жена. Так спросил, автоматически как-то.

«Игоря... ты его знаешь... Чучалина».

«Да? — И тут прокололо, словно его предали. Скорее не Женечка, а Игорь. — Интересно... Но он же бездомный вроде. Жаловался».

«Так... Устроился, все нормально... Я потом приеду, вещи забрать, и заявление насчет развода».

«Как хочешь». — Андрей отключил телефон.

Несколько дней ожидал от себя переживаний, желания вернуть Женечку, ее тело, глаза, улыбку эту детски-восторженную, до ушей, и не дождался. Внутри была приятная опустошенность. Словно он эти два года напряженно работал, а теперь наступил отдых.

Ходил в салон, печатал фотки, равнодушно глядя на лица чужих людей, складывал в конверты. Пил чай, с ленцой и равнодушием болтал с приемщицами.

Бывал в церкви, слушал рассказы женщин и мужчин, снова тянул чаёк... По-хорошему утомленным приезжал домой. Спал без сновидений. Даже почти не выпивал.

Родители Женечки отнеслись к их разводу спокойно, будто знали наперед, что так будет. Когда Женечка забирала свои вещи, оказалось, что и забирать-то ей особенно нечего. Все уместилось в две сумки.

Напоследок она остановилась в дверях. Думала, видимо, что Андрей что-нибудь скажет, о чем-нибудь спросит. Он молчал. Потом хмыкнул пришедшему на ум каламбуру: «Покатилась от Топкина к Чучалину». Женечка попрощалась — «пока» — и вышла.

Развели их легко через положенный месяц. Больше он о ней ничего не слышал. Закончила ли институт, родила ли детей, прославился ли ее избранник или сдох в очередной съемной норе. Вообще, те два года отрезало, будто и не было... Только теперь, спустя четырнадцать лет, вдруг вспомнился этот кусок жизни под названием «Женечка», и захотелось узнать, увидеть, а может, и переиграть прошлое. Переформатировать.

Детская мысль, которая, правда, в детстве не возникала. Или старческая.

* * *

Четырнадцать лет. Четырнадцать лет прошло. И что вот так можно вспомнить из этих четырнадцати лет не головой, а сердцем? Душой.

Топкин напрягся и даже, казалось, протрезвел, открыл глаза широко, пристально смотрел на потолок, по которому плыли и плыли какие-то блики.

Нет, много было. Одно появление Даньки чего стоит. Всего остального стоит... Ожидание рождения, жена в фойе роддома, этот сверточек с синей лентой, который ему осторожно передают...

Сначала Андрей боялся, что ребенок будет ему неприятен — читал об этом у многих писателей, видел в кино, — скоро надоест, но ничего такого не произошло. Стойко менял памперсы, мыл попку под краном, смело купал; сын оказался совсем не куклой, он развивался, почти каждый день чем-нибудь удивлял.

С одним только Данькой связано столько, что хватит воспоминаний на годы... И до сына было... Как с третьей женой познакомился, их спокойные, но надежные отношения. Как Андрей включился в почти крестьянский труд ее семьи: вскапывал огород, рвал сорняки, чистил кроличьи клетки и свинарники, ездил по грибы, ягоды, тянул бредень в холодной воде, чтоб семья была с рыбой; как бил колотушкой кедры, а потом собирал упавшие шишки, как сдирал проволочной дугой заледеневшую облепиху с кустов...

Но это всё другие воспоминания, это воспоминания взрослого человека. Молодость закончилась, когда исчезла Женечка. Перестала его тормошить. Он хотел этого, а теперь, спустя четырнадцать лет, готов был выть по тому времени на кровати в отельчике у подножия Монмартра.

— Хе-хе, — скривился, — смешно.

Но было не смешно. Топкин сейчас будто кружил вокруг черного пятна, непроглядной ямы, в которую провалились четырнадцать лет его жизни, и пытался что-то стоящее оттуда достать, что-то теплое, хорошее воскресить в памяти...

После расставания с Женечкой год или даже больше отдыхал. Дремал. Работа, квартира, иногда — вечера в церкви, раз в два-три месяца — участие в раздаче еды, одежды в бедных районах. Приятели, одноклассники, с которыми за время с Женечкой он и так почти не встречался, забылись совсем, женщин не хотелось. Если желание донимало, он открывал порносайт и наблюдал, как сексом занимаются другие. Он помнил все ощущения близости с женщиной, поэтому быстро и без усилий входил в состояние участия в совокуплении. Испытывал удовольствие, порой, кажется, большее, чем от реального: вот только что была горячая, сочная, упругая рядом и исчезла после выплеска семени в салфетку. И не надо вести лишние разговоры, пристраиваться к ее жизни, спорить, уступать. Спокойно засыпаешь, погасив компьютер.

Но жизнь есть жизнь, в ней происходят события, перемены. Даже если не хочешь.

В общине стали случаться конфликты. Некоторые женщины вступали в спор со Станиславом Андреевичем. Поначалу Андрей не понимал сути спора, да и не хотел понимать, но споры вспыхивали в основном во время чаепитий, поэтому не прислушиваться, не вникать было невозможно.

Женщины сравнивали их службы с православными и пеняли Станиславу Андреевичу за то, что у них все не так торжественно, благолепно.

«Благолепие? — сдерживая раздражение, отвечал Сейфулин. — Вам нужно это показное благолепие, желтая краска? Но ведь это внешнее, показное. Согласен, во времена Средневековья человека нужно было поразить красотой, величием храма. Для этого и строили высокие храмы. Что православные, что католики. Лютер восстал против этого. Он доказал, что Бог не любит богатства и роскоши, Ему не нужны храмы до неба. В пещерах и норах первых христиан Он появлялся чаще, чем в Кельнском соборе, Парижской Богоматери, в Василии Блаженном. Бог в первую очередь в слове, в головах тех, кто старается жить не в грехе. Грешить же, а потом нести деньги, чтобы построили церковь или сделали иконостас еще более пышный, — это лицемерие».

«Но ведь храм — это воплощение рая, — отвечали женщины, — облачение священника — одежда Христа как Царя Царей. А у нас что... Мы вот с Галиной поговорили и решили уйти. Не сердитесь, но там нам как-то теплее».

Станислав Андреевич сокрушенно качал головой:

«Ох, сестры, сестры, попали вы в фарисейские сети».

До скандалов не доходило, но чаепития сделались неуютными, напоминали поминки, и пустые стулья покинувших общину были страшны, будто места мертвецов... Андрей бросил приходить в церковь. Десятина вычитывалась из зарплаты автоматически. Он не возражал, воспринимал это как плату за непыльную и нетрудную работу.

Видимо, боясь, что и он отпадет, Станислав Андреевич то по телефону, то появляясь в салоне, пытался с ним поговорить. Спрашивал о Женечке, предлагал помочь, если «помощь нужна»; звонил и Ринат из Новосибирска. Андрей уклонялся от разговоров: ни шевелить языком, ни думать не хотелось. Шевеление и думание потянут за собой переживания...

Единственной более-менее сильной эмоциональной вспышкой в те месяцы — и то потому, наверное, что это не касалось Андрея лично, — стал снос автовокзала на Горе, возле телецентра. «Новый автовокзал», как до самой гибели называли его горожане старшего поколения.

Раньше в Кызыле был автовокзал недалеко от парка. Но он оказался неудобным, когда появилось много маршрутов: маленький зал ожидания, тесная площадка для автобусов. И построили этот.

Лет в одиннадцать-двенадцать Андрей с пацанами любили приходить сюда, чтоб посмотреть на уезжающие в другие города огромные «Икарусы». Завороженно читали таблички на лобовых стеклах: «Кызыл — Абакан», «Кызыл — Красноярск», «Кызыл — Ак-Довурак», «Кызыл — Самагалтай».

Внутри здания, двухэтажного, просторного, с огромными окнами, были автоматические камеры хранения, кафе (а кафе в то время в городе имелось наперечет), парикмахерская, аппараты с газировкой, а главное — игровые автоматы. «Морской бой», «Снайпер», «Скачки»... Короче, это был кусочек не совсем того Кызыла, в котором они ежедневно жили тогда.

Потом подросли, стали гонять в аэропорт; если Андрей позже куда-то отправлялся — в Абакан, Туран, — то забегал на вокзал, всегда торопясь, скорее покупал билет, и было не до разглядывания обстановки. Но ощущение некоторой необыкновенности места сохранялось. А с конца девяностых он перестал ездить с вокзала: за Саяны ходили довольно дешевые, ненамного дороже автобуса такси — восьмиместные «тойоты».

И теперь, увидев из окна маршрутки бетонный остов с черными раздолбленными проемами окон без рам, Андрей испугался. Даже сказал вслух:

«Что с ним?»

Одна из пассажирок с готовностью стала отвечать:

«Да вот, рушат. Нерентабельный, говорят. В газете читала. Рейсы-то поотменяли. Какие остались — со старого ходят. А тут — то отопление лопнет, то крыша... Снести-то легче, чем ремонтировать. Скоро всё поснесут».

Когда «новый» автовокзал исчез окончательно, на его месте стали строить большую православную церковь.

Церковь в Кызыле была с самого его основания. Правда, крошечная и хоть не на окраине, но в стороне от центра.

Впервые в ней, точнее, возле нее Андрей побывал на Пасху девяносто второго. Тогда у русской молодежи возникла мода на крестики, иконки, и многие неформалы стали сочетать «Металлику», «Депеш Мод», «Гражданскую оборону», напульсники и косухи с православием. И главной фишкой было провести пасхальную и рождественскую ночи в церкви.

Но это оказалась именно мода — через пару лет она исчезла. Единицы сделались истинно верующими, соблюдающими обряды, а большинство забыло о своем мимолетном увлечении.

В ту апрельскую ночь народу собралось очень много. Церковь не вмещала и малой части, и человек триста стояли во дворике, а то и за оградой. Одни крестились, другие, правда, без криков и ржания переговаривались, пили пиво и ждали главной диковины — крестного хода и колокольного звона.

Оттесненный в задние ряды, Андрей крестного хода почти не увидел, да он и получился таким, чисто символическим. Церковь обойти было невозможно: одним боком она примыкала к самой ограде, за которой начинался крутой спуск к болоту, из которого рождалась речка Тонмас-суг. Священник, его помощники с хоругвями и иконами побродили по свободному пятачку под стенами, две-три женщины, знающие церковные песнопения, спели их тонкими голосами, священник три раза не совсем уверенным голосом произнес: «Христос воскресе», и несколько голосов ему три раза ответили: «Воистину воскресе», и под тусклый звон процессия вернулась внутрь.

Люди на улице зажгли свечи, некоторые поцеловались и стали расходиться.

Компания, в которой был Андрей, тоже двинула в свой район. У Пашки Бобровского пустовала хата — мама на даче, — в сумке позвякивали три бутылки рислинга, и маячило приятное окончание этой ночи.

Кто там шел тогда по улице Комсомольской в сторону Красноармейской? Да вся их тогдашняя тусовка — Белый, Боб, Игорек Валеев, Саня Престенский, Марина Лузгина, Юлька Солдатова. Ольга.

На Топкина, сегодняшнего, сорокалетнего, снова накатила колющая волна тоски. Такой, что он застонал и сжал, как вражью шкуру, одеяло в кулаках.

Неужели каждое воспоминание будет теперь сопровождаться тоской? Болью тоски?

Женечка, Ольга, автовокзал, сто лет ему не нужный...

Да, на месте автовокзала теперь большая церковь. Как там, точнее? Епархиальный собор.

Строили долго, с перерывами, обсуждениями в прессе. Многие грустно посмеивались: «Сначала республику от потенциальных прихожан очистили, за Саяны выдавили, а теперь — храм такой. Кто в него ходить-то будет? И денег бухают — жуть».

Деньги бухал в основном бизнесмен Сергей Пугачев. И не только в строительство храма.

В Туву он, а верней, одно из его деловых щупалец, попал в конце девяностых. Енисейская промышленная компания, которой владел Пугачев, открыла в республике крупнейшие в мире — так говорили по телику — залежи коксующегося угля редкой марки «Ж». Чтобы укрепиться на этой земле, Пугачев вскоре сделался сенатором от Тувы в Совете Федерации.

В Кызыле его встречали с белыми полотенцами, символизирующими особое уважение, надеялись, что он поможет наладить жизнь бедной республики. И кое-что бизнесмен-сенатор делал, но больше, конечно, старался для себя.

Вывозить уголь КамАЗами через Саяны до ближайшей ж/д станции под Минусинском было дорого, и Пугачев стал пробивать проект железной дороги в Туву. Идея многим понравилась, в том числе и тогдашнему министру МЧС, самому известному тувинцу Сергею Шойгу.

В уши жителей республики и остальных россиян (хотя остальным до этого было мало дела) полились потоки благостных речей: «Железная дорога превратит депрессивный регион в процветающий край, даст тысячи рабочих мест, привлечет инвестиции... Железная дорога откроет России дополнительные ворота в страны Азии, а это обеспечит увеличение товарооборота в разы и разы... Туризм!.. До Москвы без всяких пересадок!..»

Особый упор делался на патриотические чувства: «Со времен Советского Союза не было столь масштабного проекта в транспортной сфере. Его реализация — прокладка четырехсоткилометровой железнодорожной магистрали через горы и ущелья — продемонстрирует, что Россия — новая Россия! — действительно сверхдержава!»

Простые люди поначалу считали, что дорога — это в самом деле избавление от всех бед, нищеты и безработицы, но потом до них стало доходить, что она — гибель для их земли. Залежи угля находятся на территории всей Кызылской котловины, добыча будет вестись открытым способом, а значит, угольная пыль накроет и город, и все окрестные поселения.

«И так от Каа-Хемского разреза, от ТЭЦ, частного сектора, которые этим коксующимся углем топятся, дышать нечем, — ворчали, — так еще новые разрезы понаделают. Говорят, под Межегеем будет, на Элегесте... Может, до того дойдет, что сам Кызыл помехой станет добытчикам этим, и его снесут на хрен. А нас переселят. Подобное бывало уже, ничего невозможного нет».

К активному вывозу угля после строительства железной дороги наверняка добавится вывоз леса, редких земель, рудного золота, асбеста-хризотила, ртути, сульфидных руд и прочего, прочего, чем богата зажатая и хранимая горными хребтами Тува.

Уже и сейчас местность вокруг заповедного озера Азас перекапывают китайцы — огородили огромный кусок, закрыли дороги шлагбаумами, выставили посты, строят обогатительный комбинат; в Ак-Довураке европейцы, казахи, киргизы роют руды и редкие земли. Но в основном шуршат свои. Вернее, российские.

К Пугачеву многие относились с подозрением, а то и откровенно враждебно. Потом, когда он рассорился с властями, потерял или продал за копейки свои богатства и убежал куда-то в Англию, пожалели об этом. После Пугачева началась полная неразбериха.

Собственники компаний постоянно менялись, стройки затевались, а потом замораживались или вовсе исчезали, будто ничего и не строилось; приезжали странные господа, расписывали свои достоинства, выигрывали тендеры и пропадали с деньгами... О Пугачеве вспоминали как о своем, «нашем».

А железная дорога... В две тысячи одиннадцатом лидер нации, в тот момент в должности премьер-министра — между двумя своими президентскими марафонами, — торжественно забил символический костыль на первом метре магистрали со стороны Кызыла, и с тех пор эти первые метры так и стоят без продолжения. Получился памятник нереализованному грандиозному проекту.

«И слава богу», — тихо радуются одни.

«К сожалению», — вздыхают другие.

«Еще построят, — уверяют третьи. — Путин слов на ветер не бросает. Кончится кризис, и примутся».

А единственное вот такое явно реализовавшееся, наглядное — храм. Стоит на видном месте, белый, свежий, чистый.

На его освящение приезжал патриарх Кирилл и объявил, что в Туве будет создана отдельная епархия. Вскоре это состоялось — Абаканскую и Кызылскую епархию разделили, в республику прислали молодого епископа-корейца. Говорят, хороший.

* * *

Утро наступило. Да, это было именно утро: разрывая серую вату, солнце лезло все выше и выше, припекало редкими лучами лежащего Топкина. В конце концов пришлось встать.

Долго корчился над унитазом. Не блевалось, но он очень хотел содрать с глотки налипшую смолу этих пастисов, абсентов, кальвадосов. Казалось, смола забила все внутренности и отравляет кровь, разъедает мозг, не давая жить.

Смола не сдиралась, Топкин потратил на спазмы и кашель те немногие силы, что скопились за время сна. Дрожа от холодного пота, на подгибающихся ногах добрался до кровати. Лег, накрылся одеялом, поджал ноги к животу.

— Вот так и сдохну, — бормотал, — так и сдохну один...

И что-то внутри сладко подтверждало: да, да, вот так, как какой-нибудь чахоточный гений девятнадцатого века в дешевом отеле Парижа, но страх был сильнее этого сладкого шепота. Страшно было быть одному.

И в третий раз он женился из-за страха одиночества.

Этот страх пришел не сразу после развода с Женечкой, через несколько лет, но оказался сильным, непобедимым. Никакие доводы разума не помогали.

После работы и в выходные Андрей подолгу гулял по главной и более-менее людной улице города — Кочетова. От Парка культуры и отдыха до Молодежного сквера. Это километра три. Туда, потом обратно. Заворачивал в магазины, на почту, в кинотеатр «Найырал», в бывший кинотеатр «Пионер», ставший теперь Центром русской культуры. Смотрел, как строится огромное здание республиканского музея... Он убеждал себя, что гуляет, а на самом деле бродил, словно потерянный, бесхозный.

Два года с Женечкой он находился в тонусе, в постоянном напряжении: в первый год — почти непереносимом, во второй — в относительном, но все же, потом отдыхал от него, а теперь не мог найти себе места, не знал, что делать со свободой.

Приходил к немногим оставшимся в городе приятелям. Как-то не в гости даже, а так, глянуть на них, на их семьи, обстановку квартир, в которых обитают дети.

У Пашки Бобровского было двое детей, Игорь Валеев с женой Сашей ждали второго. И у остальных сыновья и дочки, надежная, кажется, устоявшаяся, крепкая жизнь. Лишь он, Андрей Топкин, вообще-то неплохой, бесконфликтный, не особенно привередливый, до сих пор симпатичный, снова один, без потомства. И теперь не в двадцать три, как после ухода Ольги, а почти в тридцать.

Он упорно, вымученно не признавался себе, что тяготится одиночеством, боится его. Наоборот, показно радовался, на вопрос «а ты-то когда наследника забабахаешь?» отмахивался: «зачем мне эти запары...» Но сам часто ощущал, что смотрит на детей с тоской, в домах приятелей торчит как бобыль, которому не хватает уюта, запаха хозяйки.

Иногда прежнее всплывало, хватало его, тащило, и он с готовностью подчинялся: как-то услышал, что муж Ольги тяжело болен — то ли рак, то ли что-то типа рака, ездил на операцию в Красноярск, — и позвонил бывшей жене. Трезвый, вполне, казалось, разумный, стал уговаривать вернуться, начать все заново.

«Начать заново, — перебила Ольга насмешливо, — какое идиотское выражение... У нас все хорошо, не стоит беспокоиться, Андрюша. И не забывай, пожалуйста, о выплате за квартиру. Четыре месяца уже не было переводов».

Это, про квартиру, она сказала откровенно, чтобы унизить, поставить на место. Прибить к земле...

Возникало желание вернуться к той жизни, какую он вел между разводом с Ольгой и встречей с Женечкой. Менять девушек каждую неделю, заслонить обилием секса потребность любить, завалить тоску разнообразием животов, сисек, волос, поп. Но то ли возраст уже (и, может, еще) был не тот, то ли общение с баптистами повлияло, то ли тоска была слишком крепкая — Андрею противно становилось целовать, обнимать, класть в постель малознакомую; противен он становился сам себе, пыхтящий, дрыгающийся, потный. И если раньше после секса возникал вопрос: «Ну и что?» — то теперь возникал еще до секса, и между ног становилось мертво и пусто.

Да и девушки стали другие. Это были не безбашенные симпотные оторвы девяностых, а осторожные, деловитые, планирующие будущее особы. Почти все, кого удавалось привести домой, первым делом оценивающе оглядывали мебель, обои, кухню, интересовались, его ли это квартира или снимает, почему у него до сих пор нет ни жены, ни герлфренд. (Его, кстати, поначалу коробило это «герлфренд», а потом понял, что для девушек такой статус куда круче жены: жена — что-то такое в халате у плиты, а герлфренд — совсем другое, но такое же близкое и дорогое, как жена.) И за последним вопросом Андрею слышался другой: «С тобой все в порядке?»

И еще — русских девушек становилось в городе все меньше и меньше. Пусть не так активно, как десять лет назад, но нетувинцы продолжали уезжать. И тувинцы, впрочем, уезжали тоже.

Работа в фотосалоне, такая легкая, почти что халявная, сделалась в конце концов невыносима. Годами совершать одни и те же простые операции оказалось мучительно. Но не только это... Счастливые рожи на фотографиях, чужие праздники, пляжи, какие-то европейские и южноазиатские города, туристические походы рождали зависть, злое раздражение. Хотелось не класть фотки в конверты, а рвать, рвать на мелкие кусочки. И повторять: «Сволочи!»

Вдобавок донимали приставания Станислава Андреевича и других членов общины, явно по указу пастыря пытавшихся вернуть его на чаепития, привлечь к активной деятельности. Пошли и намеки на то, что, если не послушается, может лишиться места.

«И десятины им стало маловато», — морщился Андрей.

Начал подыскивать другую работу.

Подыскивание могло, как и раньше, растянуться на месяцы, но помог случай — Андрей столкнулся с парнем из параллельного класса Пашкой Бахаревым, который когда-то помог ему устроиться в «Аржаан», и тот предложил идти к ним, установщиком евроокон.

«Я сам там с полгода уже, рад вообще! Деньги считать перестал... Новое дело — конкурентов нет, а спрос растет. Давай, вливайся, пока не поздно».

И таким вот образом он, когда-то нежный комнатный мальчик, фанат «Депеш Мод» Андрюша Топкин, занялся монтажом окон.

Работал в одной бригаде с Бахаревым, учился у него.

В школе здоровый гоповатый Паша — его называли Паха — относился к Андрею довольно враждебно. Не то чтобы наезжал, чмырил, но не здоровался, кривился, глядя на его прическу с начесом, цветастые футболки, белые кроссы. А вот спустя годы, считай, сдружились.

И Андрей перестал быть модным, и Паха забыл про свое гопачество. Объединило выживание и схожие судьбы — родители обоих уехали из Тувы, а они остались. Андрей — из-за Ольги, Паха — из-за хорошей в тот период — в середине девяностых — работы. Занимался турбизнесом, отремонтировал с партнерами на целебном озере Сватиково два брошенных профилактория, в советское время принадлежавших погибшим организациям, — на деле два одноэтажных здания с двумя десятками комнаток; соорудил душевые, кухни, провел свет, дал рекламу по Туве и Красноярскому краю. Стали приезжать больные и просто любители довольно экзотического — крепкосоленое озеро посреди почти пустыни — отдыха.

И хоть по документам все у ребят было законно, как только дело наладилось, профилактории отобрали, и Паха из обеспеченного чувака сделался почти нищебродом. Жена с ребенком уехала к ее родителям в Новокузнецк, а Паха уперся и решил остаться здесь. Доказать кому-то, а скорее в первую очередь себе, что в родной Туве он сможет подняться. И вот который год пытался, тычась то туда, то сюда.

«Лом принимал, все отлично шло. Это вообще золотая жила, если по-нормальному... А один раз привожу на станцию, ну, в Минусинск, и мне говорят: "Фонит". "Чего фонит?" — говорю. Ну не врубился сразу. "Радиация, — говорят, — такое железо мы не принимаем". Я так, этак. Ну пришлось целый КамАЗ в тайгу свалить. В другой раз приезжаю, а мое это железо как раз в полувагон загружают. И чуваки те же, что у меня его в тот раз не приняли. "Оно ж с радиацией, — говорю. — Как так?" — "Да это, мол, другое". "Я, — говорю, — свое железо, которое вот этими руками тягал, не спутаю. А вас, суки, щас учить буду". Ну морды порасшибал и уехал. Так мой бизнес с ломом закончился. Эти чуваки ведь там все держат. И в Минусинске, и в Курагине, и в Абазе, в Абакане... Не обойдешь их, а дальше куда до железки везти — дорого... А с окнами — классный вариант. Конечно, не сам себе хозяин, но, может, это и хорошо. Крутоват я для бизнеса, хе-хе, чуть чего — по морде гнилым партнерам".

Увольнение из фотосалона происходило тяжело. Тяжело морально. Станислав Андреевич изменился в лице, когда услышал, что он уходит. Сначала вспыхнул в глазах испуг, потом появилось недоумение, а потом мелькнул гнев, тут же прикрытый сожалением и обидой.

«Что ж, Андрей, — заговорил он с усилием, — держать тебя я не могу. Ты взрослый человек. Но прошу подумать, все взвесить».

«Да я подумал, Станислав Андреевич, — замялся Андрей, чувствуя себя провинившимся подростком. — Спасибо вам, но нужно менять жизнь».

«Менять?.. Хм, менять, конечно, нужно. Необходимо менять... Только — в какую сторону... Можно и в пропасть ухнуть в процессе этих перемен. Вот Света Губина ушла... Помнишь Свету?»

Андрей помнил ее, щупленькую девушку с длинным носом, обычно тихую и молчаливую, которая однажды во время проповеди закричала, что все это ложь, что она больше не может... Убежала из церкви, уволилась с работы. Сам Андрей не был свидетелем ее истерики, но приемщицы обсуждали это несколько смен.

«Вот ушла Света, а буквально позавчера я узнал, что ее в петле нашли. На столе пустая бутылка, а она — висит... От нас освободилась, и дьявол сразу забрал... А Ондар Сережа. Знаешь его историю?»

И про Сережу Ондара Андрей знал. Сережа ушел спокойно, без скандала. Уехал в Кара-Холь, на родину, где, как он сказал, его ждет дед, шаман, чтобы передать знания и силу. Через месяц пришло известие, что его там зарезали. За что — неизвестно. Но если бы остался здесь, наверняка жил бы да жил...

Понятно, что Станислав Андреевич беспокоился не столько за Андрея, сколько за свою общину, которая убывала на глазах. И хотя Андрей давно почти не бывал на собраниях, но все же надежда на то, что станет активным членом, сохранялась. Увольнение же эту надежду убивало. Да и десятины община лишалась. Не факт, что новый работник согласится отчислять часть денежек.

«Прошу, подумай о моих словах, — придав голосу предельную душевность, произнес Сейфулин, — обдумай свое решение всерьез, взвесь все за и против. И через неделю скажешь. К тому же здесь у тебя идет стаж, есть запись в трудовой книжке, а там... Пенсия ведь не за горами, Андрей. Ты обговорил, на каких условиях тебя принимают?»

«Пока нет».

«Ну вот видишь. Может, это вообще шарашкина контора. Поработаешь месяц, и выгонят. И что? И как ты?»

Андрей, снова ощутив себя подростком, покивал, глядя в пол:

«Да, Станислав Андреевич, я подумаю. Спасибо».

К тому времени он уже больше недели ходил на курсы обучения монтажному делу, вникал в мир пенных швов, отливов, профилей, нащельников. После разговора с Сейфулиным узнал у будущего начальства, точно ли его берут, будет ли запись в трудовой книжке. Получил по всем вопросам убедительное «да» и уволился из фотосалона.

Лично со Станиславом Андреевичем больше не встречался, но несколько тягостных телефонных разговоров с ним, с Ринатом и с двумя активистами общины у него произошло. Иногда звучали почти угрозы, но как бы не от них лично, а от Бога, который обязательно накажет отступника, предателя. Андрей на это вздыхал, мыкал вроде как с сочувствием их беспокойству за него. Не спорил.

Наконец звонки прекратились, и Сейфулин, его церковь, чаепития, два с лишним года работы на станке, отпечатывающем фотографии, сразу ушли в прошлое, отрезались памятью. И по-настоящему ярко и живо вернулись лишь теперь, здесь, в совсем не подходящей для этого точке мира.

* * *

Съежившись под порывами ветра, упорно, зло, как герой какого-то французского фильма шестидесятых, шел по узенькой улице вдоль серых, увитых сухими лианами домов с окнами, закрытыми ребристыми ставнями. Шел в направлении юга.

Небо было высоким и чистым. Слишком чистым, почти белым. Словно дождь промыл сам воздух, спустил в стоки голубизну...

Топкин усмехнулся этому поэтически-банальному образу, огляделся. Автомобили, забытые и остывшие, стояли плотно один к другому, будто пытаясь друг от друга согреться, людей не было; единственное движение — бег по асфальту целлофановых обрывков, смятых бумаг. Но и их бег короткий — намокают, цепляются и замирают.

— Фауборг, Фауборг, — повторял Топкин заученное наверняка неправильно название улицы, которая доведет до косо пересекающей ее Рю де Клерю или как там ее, а дальше — два шага до Лувра.

Добраться, сделать хоть что-то за эти дни. Хоть что-то увидеть...

Придя в себя сегодня, глянув в почти разрядившийся телефон, Топкин с настоящим, от которого шевелятся волосы, ужасом увидел, что уже понедельник и, значит, провалялся, провспоминал, просрал три дня из пяти. Послепослезавтра утром он поедет обратно. Хоть что-то успеть увидеть...

Версаль пропустил... Вчера по программе была экскурсия в собор Парижской Богоматери и по Латинскому кварталу. Вчера он мог побродить по воскресному блошиному рынку и купить какую-нибудь старинную безделушку на память. А вместо этого...

Черт, как же холодно! Вряд ли их группа получала удовольствие от прогулок, да и блошиный рынок вряд ли был — дубак.

Так, вот какая-то широкая улица пересекает Фауборг... Нет, это не та — не Клерю. Надо идти дальше... Светофор, зебра... Дальше...

Бросить кочевряжиться и поехать к жене и сыну. Наладить отношения. Сойтись. Чего теперь, кому нужны его принципы, его эта глупая решимость.

Вот-вот уедет Игорь Валеев — ему года полтора до пенсии, и почти готов дом под Краснодаром; Пашка Бобровский скурится, его выгонят с работы; Славян тоже дослуживает, скорее всего, последний срок по контракту, жалуется: намекают, что больше не продлят — кому нужен сорокалетний полусумасшедший прапор... Всё надеется квартиру выслужить, может, и получится... Паха Бахарев не выдержал и уехал года два назад, Саня Престенский — года три, Ленка Старостина тоже, слышал, уехала. Юлька Солдатова стала королевой свалки. В прямом смысле. Живет там с каким-то авторитетным бомжарой...

Да почти все уехали из тех, кто не сбухался или не выслуживает пенсию.

В бригаде люди до недавнего времени менялись каждые полгода чуть ли не наполовину — слегка поднатореют и находят варианты за Саянами. Едут туда или насовсем, или на время, подзаработать. Летом эта миграция маленько угасла из-за обилия заказов к столетию, но столетие прошло, заказов наверняка станет меньше.

Тянет к Даньке. Даниилу Андреевичу Топкину. А вот к жене... Через неделю-другую, после того как ее не стало рядом, Топкин с изумлением осознал, что совсем по ней не скучает. Словно и не было почти десяти лет, проведенных вместе, не было семьи, их двоих как пары. И, перебирая в памяти тех девушек, женщин, с которыми оказывался близок, определяя, чем отличались друг от друга, чем нравились или не нравились, о ней, об Алине, он забывает.

Они познакомились на дне рождения одного из ребят их бригады. Виталик его, кажется, звали, а может, Вадик, — он быстро уволился. Алина находилась здесь в числе подруг его жены. Праздновали небогато, но широко — условия позволяли. Виталик (или Вадик) жил в своем доме, и во дворе поставили столы, на них — кой-какую закуску, а выпивку гости приносили с собой. Бутылки и были подарком отмечающему тридцатилетие.

Что тридцатилетие, Топкин помнил наверняка: ему самому вскоре предстояла эта дата, и она не сулила ничего хорошего. Один, в не совсем своей квартире, работающий на странном для себя месте, которое хотелось бросить: не мог привыкнуть к высоте, чувствовал неуверенность, понимал, что до пенсии там попросту физически не дотянет...

День рождения сослуживца тек тоже без всякой радости. Дом стоял неподалеку от ТЭЦ, труба которой, несмотря на лето, выбрасывала столб черного, жирного дыма. Время от времени — видимо, направление ветра менялось — столы и сидящих за ними, словно черным снегом, посыпало крупинками пепла.

«Сколько говорили про фильтры, экологию, а всё вот так, — громко вздыхала мать Виталика (или Вадика). — Еще когда селились сюда, обещали... На огороде вон не растет ничего, вянет, сохнет».

С ее горем незамедлительно соглашались:

«Да-а, какой тут огород при таких-то осадках...»

«Любые фильтры бесполезны. Этот уголь в мартеновских печах жечь надо».

«Моя тетка тоже в избе живет, так они ведро засыпают, а потом полведра шлака выгребают».

За другим столом журчала своя беседа, и тоже непраздничная.

«А мне тут Юрка, брат сродный, рассказывал... Он по административке судится, ходит на заседания. Он один русский, остальные тувинцы все. И они на своем спорят, выясняют. Он посидел-посидел, не выдержал: "Алё, давайте заседание на государственном языке вести". Те перешли на русский, но еще хуже — ничего не понятно, и они сами не понимают, переспрашивают друг друга постоянно».

«Ну дак, а чего ты хотел — судей русских уже и не осталось никого. Карнаухову съели, Соломатова съели, Ганина съели, даже Вайштока съели».

Андрей слушал, выпивал, когда предлагали, сгонял вилкой с тарелки черные шарики пепла. Было скучновато, виновника торжества он знал довольно плохо, лишь по работе, с остальными же, кроме ребят из бригады, вообще познакомился только здесь, да и то не со всеми. Паха Бахарев оказался далековато, так что поговорить о чем-нибудь самому было не с кем. Вот и слушал.

Напротив сидела миловидная девушка лет двадцати пяти. Кругловатое широкое лицо, старомодное голубое платьишко с мелкими фиолетовыми цветочками. Явно не из тех, что тусят в клубах, ходят по каким-никаким, но все же относительно дорогим и статусным кызылским бутикам. Пила не водку, как большинство, а по чуть-чуть вина.

Попереглядывались, а потом познакомились. Андрей не удивился, что такую простенькую девушку зовут Алина. Странно было бы, если б она оказалась Жанной или Анжелой...

Выяснилось, что Алина с родителями живет здесь же, в Каа-Хеме, но не в этом коттеджном районе возле ТЭЦ, а дальше, у берега Енисея.

«Чем занимаетесь? — спросил Андрей и тут же предложил: — Может, на "ты"?»

«Давайте... Давай. Я? Я окончила пединститут».

«Да? Однокашники, значит. У меня три курса истфила».

«Очень приятно. Я — начальные классы... А работаю здесь, в круглосуточном».

«В магазине?»

«Угу».

«Не страшно? По ночам, наверно, алкашня лезет».

«Бывает. — Лицо Алины погрустнело. — Всяко бывает. Но меня на ночные смены редко ставят. По ночам у нас парни».

Эта грусть простой и, судя по всему, чистой, хорошей девушки тронула. Андрей глянул на пальцы ее правой руки. Кольца не было.

«Не замужем?»

«Нет».

«Не нашла достойного?»

«Ну... — Лицо стало краснеть, Алина отвела глаза. — Нормальные позаняты все, а на первом встречном как-то... — замолчала на несколько секунд, будто взвешивая, перепроверяя себя. — Нет, не нужен первый встречный».

Но получилось, что такой вот первый встречный — случайно оказавшийся рядом за столом на чужом празднике Андрей — и стал ее мужем.

Проводил ее до калитки, слегка иногда приотставая, чтоб полюбоваться розовыми спелыми икрами, попросил номер телефона и в ближайшую субботу позвонил.

Гуляли по центру, по тем же самым местам, где десять лет назад Андрей гулял с Ольгой, пять лет назад — с Женечкой... Тихая, уютная улица Ленина от парка до площади Арата, скверик «Елочки» возле памятника Ленину и главного здания пединститута, который с недавних пор стал университетом, белоснежный драмтеатр, еще один скверик — у гостиницы «Кызыл»... Посидели в кафе «Чодураа», и Андрей с любопытством наблюдал, как Алина стесняется есть при посторонних, при нем и вообще чувствует себя на людях неловко, зажато. «Как, в натуре, с другой планеты», — подумалось.

После нескольких таких суббот начались встречи по два-три раза в неделю. Андрей рассказывал о родителях, бывших женах, работах, Алина — о своей семье.

Оказалось, что ее прадед и прабабка по отцу еще до революции пришли в Урянхайский край с группой переселенцев-крестьян. Осели в селе Верхне-Никольском, нынешнем Бай-Хааке.

«Это Шаталовы... и я Шаталова. Их род из Рязанской области... губернии, — сбивчиво, но с желанием говорила Алина. — А по маме мы — казаки. Одного нашего предка убили черные киргизы на Иртыше в одна тысяча восемьсот пятьдесят шестом году».

«Ты и дату помнишь?» — иронически улыбнулся Андрей.

«А как? С детства слышу... У нас любят говорить о прошлом... В общем, он и еще одиннадцать казаков охраняли коней. Киргизы им отрезали головы и насадили на колья. Брат его... они вместе служили... не убежал от страха обратно на Урал, а пошел дальше — на восток. И дошли до Забайкалья. Мой прапрадед, дед мамин, жил под Кяхтой, город такой есть там... раньше он по-другому назывался... Прадед тут служил, в Кызыле, то есть в Белоцарске, когда Урянхай к России присоединили».

Андрей поправил:

«Не присоединили, а взяли под покровительство. Протекторат».

«Ну какая разница...»

Спорить Андрей не стал. Сам до конца не мог разобраться в тонкостях.

Однажды оказались возле старого кладбища. Оно находится неподалеку от той церковки, где Андрей наблюдал крестный ход. Здесь хоронили до шестидесятых годов, а потом открыли новое — в степи, на выезде из города в западном направлении.

На новом кладбище Андрей несколько раз бывал: на похоронах соседей, одноклассника Жеки Алёшина, умершего в девятнадцать лет от белокровия. А на это — окруженное какими-то базами, превратившимся в руины недостроем — зайти никогда повода не возникало. Если и проходил или проезжал мимо, поглядывал на заросшие полынью памятники за полуповаленным деревянным забором из реек с брезгливым недоумением: может, лучше сравнять с землей этот остров заброшенности, какой-нибудь сквер разбить. Очень тоскливо.

И вот Алина предложила:

«Давай покажу могилки родни».

Было нежарко, солнце скрывала дымка, особых дел впереди не маячило, и он согласился.

По узенькой, кочковатой тропинке пошли меж обелисков с облупившейся краской, трухлявых тумбочек и крестов, ржавых оградок. Кое-где росли — нет, уже не росли, а мертво торчали — засохшие без полива кусты и деревца.

«Раньше красиво было, — говорила Алина, — много памятников необычных. Шоферам рули приделывали, летчикам — алюминиевые самолетики. Теперь всё на лом посодрали».

Некоторые могилы оказались ухоженными: трава вырвана, обелиски покрашены, на проволочках висят хоть и выгоревшие на солнце, но вполне еще свежие цветы из пластмассы; видимо, на Родительский день прибирались.

«Вот и наши, — с каким-то умиротворенным облегчением выдохнула Алина. — Старшие. Другие на новом лежат. У нас там тоже свой участок».

Захоронения ее родственников окружала крепкая стальная ограда. Внутри — семь или восемь могил. По центру — два больших гранитных памятника с выбитыми именами и годами жизни. Фотографий не было.

«Это вот мои прадедушка и прабабушка. Мартемьян Федорович и Екатерина Игнатьевна Канчуковы. Мамина линия».

Мартемьян Федорович родился в восемьсот девяносто третьем и умер в девятьсот пятьдесят пятом.

«Когда Туву присоединяли, — говорила Алина, — тогда, до революции, сотню, в которой он служил, прислали из Забайкалья сюда. Охранять этих... чиновников, в общем. После революции сотня ушла, а прадедушка остался. Из-за прабабушки вот». — Алина кивнула на соседний памятник.

Екатерина Игнатьевна родилась в восемьсот девяносто восьмом и умерла в пятьдесят седьмом.

«Она жила во Владимировке... это тут недалеко село такое... и приехала в Кызыл на базар. В Белоцарск то есть. — Почему-то Алине важны были те, прежние, названия. — И они познакомились. Он к ней ездить стал. Оба были из староверов, но разных этих... ветвей... согласий. И родители были против, чтоб они общались, женились. После революции уже поженились. Прадедушка за красных стал, служил у Кочетова в отряде...»

Алина рассказывала так, будто сама, своими глазами наблюдала историю их жизни. Ясно, что много раз слышала ее в детстве, вспоминала сейчас как что-то близкое не только по крови, но и по времени.

«С братьями Катерины воевал, один раз его чуть в реке не утопили... Чудом сбежал — уздечка, которой руки связаны были, перетерлась. Родили семь детей, один маленьким умер. Он во Владимировке лежит. Еще один на войне погиб, в Белоруссии. А тут вот другие дети — Георгий, Анна Мартемьяновна... Остальные на новом. Моя бабушка, Валентина Мартемьяновна, младшая была, в позапрошлом году умерла. Жалко, что ты ее не знал. Она настоящая была».

Это «жалко» Алина произнесла так, что Андрей вздрогнул: словно они уже решили быть вместе, создать семью. А ведь еще и не целовались даже...

Да, его неприятно удивили ее слова, но потом, вечером, раздумывая о будущем, спросил себя: «А что, может, такая мне и нужна? Простая, без запросов, с полными розовыми икрами».

Привлекала и ее доверчивость. Даже на явные шутки и попытки розыгрыша реагировала серьезно, и Андрей тут же объяснял: «Я пошутил».

Обнимать ее, тащить к себе было стыдно, что ли. Как ребенка совращать.

У Алины была старшая сестра, Надежда, тоже работавшая продавщицей, но в хорошем месте — торговом центре «Агрокомплекс», и брат Михаил. Брат жил на улице Подгорной, в своем доме, как и родители; у него, по рассказам Алины, была целая свиноферма внутри ограды. Ну то есть несколько десятков свиней, которых он с женой откармливал, продавал мясо на рынке. Откормом свиней занимались и родители Алины, и она сама...

После месяца с лишним их свиданий-прогулок она пригласила в гости.

«У отца день рождения, и как раз познакомитесь, — добавила. — Они давно про тебя интересуются. Только оденься, пожалуйста, традиционно».

«Хм, "Маленькую Веру" напоминает...»

Алина настораживалась:

«А?»

«Нет-нет. Приду, конечно».

Тот день был будний, поэтому пришлось взять на работу брюки, белую рубашку, пиджак. В подарок купил Алининому отцу набор туалетной воды, крема для бритья, после бритья... Не хотел волноваться, но волновался и пару раз чуть не закосячил с крепежами стеклопакетов. После смены торопливо стал переодеваться: время поджимало.

«Ты чего, опять женихаешься?» — хмыкнул Паха.

«Кажется, да». — Андрей хотел ответить легко, но получилось почти строго.

А Паха, моментом тоже став строгим, кивнул: «Давай, давай. Надо».

С улицы дом Шаталовых, обитый зеленой вагонкой, казался обычным, не таким уж большим и капитальным. Но со стороны двора вагонки не было, и Андрея поразили нереально толстые бревна.

«Кедрач, — уловив взгляд гостя, еще не поздоровавшись, гордо сказал отец Алины. — Мой дед, когда сюда переселился, строил. Скоро восемьдесят лет избе. Нарочно здесь строились, у берега: бревна-то по воде сплавляли с верховья. Такие никакими упряжками не потаскаешь».

Андрей уважительно покивал и представился.

«Да наслышаны, наслышаны, — отмахнулся отец Алины, но не пренебрежительно, а как от чего-то излишнего. — Георгий Анатольич Шаталов, — и протянул руку. — Твои родители уехали, Алинка говорила».

«Давно. Они сами родом из Эстонии».

«Фамилия вроде русская — Топкины».

«Они русские, но родились там. Папа из старообрядцев...»

Отец Алины снова отмахнулся, но теперь-то уж с откровенным пренебрежением:

«А, теперь все из старообрядцев, староверов».

Андрей не стал доказывать, спорить... Георгий Анатольевич ему не то чтобы не понравился. Скорее, наоборот, вызывал симпатию своей кряжистостью, силой. Немного теперь таких. Но старость уже подступала к нему и вот-вот, через пять-семь лет, стиснет, выжмет и придавит к земле.

Потом было знакомство с матерью Алины, ее сестрой и сестриным мужем, тоже крепким, почти квадратным, кажется, из категории неудачливых, неразбогатевших новых русских; с братом Михаилом, его женой и двумя детьми в возрасте учеников начальных классов. Мальчиком и девочкой.

Всех по именам Андрей сразу не запомнил, но Михаила выделил. Сухощавый, с решительным, даже слегка безумным блеском в серых глазах. Первый его вопрос Андрею был таким:

«Местный рожак?»

«Что?»

«Здесь родился или из приехавших?»

«Строго говоря, из приехавших. Папа — офицер. С четырех лет здесь живу».

«М-м... — Михаил улыбнулся. — С четырех — это, считай, местный. Мы-то тут еще в дореволюцию корни пустили».

«Да, я знаю».

***

Лувр открылся неожиданно, когда Топкин решил, что снова заблудился, учесал не туда. Открылся сразу рядом, огромный, какой-то бездушный, мертвый... Серовато-желтые стены, свинцового цвета крыша. Ничего общего с Зимним дворцом, с которым Топкин по фотографиям привык его сравнивать.

Может, да наверняка летом он выглядел веселей, живым и теплым, а сейчас... Вспомнилось вычитанное в путеводителе, что Лувр изначально строили не как дворец, а как крепость. И хоть ту крепость давно снесли, что-то от нее осталось. Крепость власти, стены, за которыми укрываются короли и их тесное окружение.

Топкин мялся на тротуаре, почему-то боясь пересечь улицу, оказаться под этими стенами, разглядывал доступную глазу часть площади перед Лувром. Пусто. Лишь несколько фигурок. Но они не гуляют, а, скорчившись так же, как Топкин, стараясь уворачиваться от порывов ветра, куда-то семенят, трусят.

На этой стороне хоть какая-то защита — рядом теплые кафешки, магазины, — а на площади... Да, сначала надо согреться, а потом вступать туда, где странная и знаменитая стеклянная пирамидка, скульптуры, начало Елисейских Полей.

Заскочил в ближайшее кафе. С минуту стоял под горячими струями воздуха из кондиционера, крупно дрожа, сотрясаясь всем телом; только здесь, под этими струями, понял, как промерз. Зубы стучали, мышцы были стянуты, будто уменьшились в несколько раз, глаза слезились. В продутой голове постукивала одна короткая мысль: «На хрена такой отдых... На хрена...»

— Бонжу-ур, — произнес всю эту минуту наблюдавший за ним паренек в коричневом переднике.

Топкин пробормотал в ответ:

— Что, устал ждать, когда заказ сделаю? — а потом постарался улыбнуться. — Бонжур.

Прошагал к столику подальше от двери и окон. Снял влажноватую и все еще холодную куртку, уселся, пригладил волосы.

Официант положил перед ним меню. Толстенькую папку.

— Кофе. Американо, — не заглядывая в нее, сказал Топкин. И добавил, вспомнив: — Силь ву пле.

— Кафэ? — переспросил официант.

— Да. Американо.

Официант явно не понимал. Или не хотел понимать.

— Ну, тогда это... Капучино.

— О, капучино! Жё компран... Круассан?

— Круассан... Нет, не надо. Но!

Официант кивнул и как-то скользяще в своих тапочках-кедах ушел.

«А чего я отказался?» — И Топкин почувствовал не голод — в желудке тяжесть, будто там камень лежит, — а истощение. Такое до пота, до сосания в каждой жилке. Казалось, кровь теперь не несет в мясо силу и бодрость, а забирает ее, вымывает, чтобы самой не остановиться.

Схватил меню и стал искать знакомые названия блюд. Вот мясное — *"boef"*. Биф... Говядина. *"Mouton"* – это, кажется, баранина... Баранину... Французскую баранину. С каким-нибудь рисом...

В детстве Андрей не любил баранину. Ненавидел. Тошнило от ее запаха. Родители не настаивали, чтоб ел: всегда находилось что-нибудь взамен. Потом, лет с двенадцати, что ли, он начал привыкать, а скорее с заменой ее стало туго — пришлось есть. А лет в пятнадцать полюбил, и в последнее время предпочитал баранину и говядине, и курице, не говоря уж о свинине, ядовитость которой ощущал по одному виду. А может, и переел свинины благодаря Шаталовым.

«Самое русское мясо, — говорил Михаил тоном проповедника. — Что во всех летописях написано? Что ни пир княжеский — молочные поросята, окорока».

У них был какой-то блат на мелькомбинате, поэтому в кормах не возникало недостатка — мешки с комбикормом громоздились на стеллажах в стайках. А за перегородкой вечно хрюкало, возилось, толкалось...

Шаталовы трудились с утра до ночи. Этакие осколки настоящего крестьянства. Не крепостного, а свободного, того, что когда-то превращало дикую Сибирь в плодородный край.

И у старших Шаталовых, и у Михаила были просторные огороды, и каждый метр чем-нибудь засажен. Сестра Алины, хоть и жила в квартире, все свободное время проводила над грядками, парниками, в тепличках.

Поначалу Андрей смотрел на этот образ жизни с удивлением и брезгливостью, а потом обнаружил, что втягивается сам.

Как-то помог Георгию Анатольевичу перенести металлическую бадью с места на место, потом подтянул поливальный шланг, затем принял участие в загоне забежавшей в огород курицы обратно на птичий дворик...

Его умиляло, как Алина объясняет, какие растения сорные, а какие посажены специально; она становилась похожей на учительницу начальных классов, на которую, в общем-то, и училась, и, может, мечтала ею работать.

«Это морковка, а вот среди нее — купырь. Видишь, замаскировался как... Вообще-то он тоже полезный: его сушат, в мясо добавляют, но он тут морковку душит. Вырываем! А вот свекольник. Совсем как ботва у картошки. Да ведь? Он вообще никуда не годен, даже куры не едят. Весь огород заполонил, хотя и полем его всю жизнь. Он мне снится даже, гад такой».

«Всю жизнь», — мысленно повторял Андрей, готов был ужаснуться и в то же время чувствовал нечто вроде зависти: вот цель — избавиться от этого свекольника, о котором он еще неделю назад не имел никакого понятия, не ведал о его существовании. Смешная, конечно, цель, но она есть...

Алина уважала Михаила, как отца, хотя он был всего на два года старше, и, если ругал ее, отчитывал, воспринимала это без протеста: виновато опускала голову, кивала, соглашаясь. Мол, да, напортачила, извини.

Михаил служил в армии, говорил, что просился в Чечню, но не попал. Их полк стоял под Кизляром, и служба Михаила пришлась на относительно мирное время на Северном Кавказе: девяносто седьмой — девяносто восьмой.

«Хотел на контракте остаться, а родаки — приезжай, не можем без тебя, зашиваемся, дел невпроворот, — рассказывал он, часто и быстро затягиваясь сигаретой, подергиваясь от всегда переполнявшей его энергии. — Ну и боялись, понятное дело, за меня. Если б я знал, что эта швалина басаевская на Кизляр полезет через полгода, как дембельнулся, я б... Я бы им, сука!..»

Вместо войны Михаил занимался укреплением своего хозяйства — пятнадцати соток каменистой земли на южной окраине Кызыла. Вернее, каменистой земля была вокруг, а у Михаила и его семьи — чернозем и перегной на два штыка лопаты.

Их владения окружал глухой, внахлест, двухметровый забор с колючей проволокой поверху, ворота были железные, окна избы закрывались на ночь ставнями со стальными пластинами и штырями. Штыри просовывались в просверленные в стенах сруба отверстия и закручивались изнутри болтами.

«Крепость, — гордо говорил Михаил. — Я отсюда никуда не уйду. Моя земля».

Андрей кивал, давя кривящую губы ухмылку. Те же слова он слышал от Женечки. И где она теперь? Свалила при первом же удобном случае... А до нее слышал от первого тестя — отца Ольги. Родители Ольги тоже свалили из Кызыла — живут теперь по ту сторону Саян, в Шушенском.

Правда, и ухмылка лезла на лицо как-то робко — Михаилу верилось. Тем более что он был членом казачьего общества. Не войска, а именно общества. Что-то типа «Тувинские казаки».

«Нас больше ста человек уже, — рассказывал Михаил, — и записываются каждую неделю. И тувинцы есть. Православные. Наелись своей самобытности, суверенности. Куда они без России?»

У Михаила была форма с красными погонами.

«По уму-то мы должны не к Енисейскому войску приписаны быть, а к Забайкальскому. Тут забайкальцы стояли».

На погонах — по три лычки.

«Урядник. Из армии сержантом ушел, автоматом звание перешло... Некоторые звания тут получают чуть не каждые полгода. Сами себе вешают. Я против. Заслужить надо, важное что-то сделать».

Он показал шашку. Вроде как настоящую. Открыл узкий высокий сейф и вынул карабин, травматический пистолет с толстым коротким стволом.

«Если кто всерьез сунется — шмальну без разговоров. Пусть знают. Я себя и семью свою зачмырить не дам».

Познакомившись с семьей Алины ближе, Андрей заметил, что Михаил повторял слова отца. Но тот вел себя сдержанней, фразами не бросался. Георгий Анатольевич больше делал, чем разглагольствовал.

Шаталовы, Паха Бахарев, еще несколько парней из бригады укрепляли надежду Андрея, что Тува действительно останется частью России. Не формальной, не по документам и обозначению на политической карте, а... как там? — культурно, духовно. Не отвалится так же, как республики на севере Кавказа, где, говорят, люди со славянскими лицами воспринимаются уже как инородное что-то, чужое, а русский язык вызывает изумление и напряг.

Хотя в Дагестане многие общаются по-русски, но лишь потому, что аварцу, например, его выучить легче, чем десяток языков людей тех народностей, что живут рядом, — лакцев, кумыков, даргинцев, табасаранов...

Дагестан — исключение. В остальных республиках да местами и на Ставрополье, Кубани, в Ростовской области русский язык стал не нужен: в школах, а потом и вузах учили на своем, в магазинах, поликлиниках, учреждениях общались по-своему... Так, во всяком случае, рассказывали те, кто там побывал, и Андрей верил. Жизнь в Кызыле подтверждала это: русская речь звучала все реже, устроиться на работу нетувинцам становилось трудней и трудней. Выручали русские бизнесмены, которые старались брать своих, но и самих бизнесменов прижимали, зажимали, разоряли, выдавливали за пределы Тувы...

Летом две тысячи шестого на южной окраине города по дороге в аэропорт началось строительство грандиозного сооружения — многие сомневались, что не бросят, достроят, — спортивного комплекса с искусственным катком.

Строительство курировали, как это принято теперь называть, очень серьезные люди, бригады были из-за Саян, поэтому фирму, в которой работал Андрей, туда не подпускали. Но не в этом суть.

Когда зашла речь о том, как назвать комплекс, всплыло имя Субедея, военачальника из армии Чингисхана, потом Батыя. Местные историки откопали сведения, что Субедей был по происхождению тувинец. Ну, не тувинец, но из тех, кто жил на территории нынешней Тувы в тринадцатом веке.

Идея назвать спорткомплекс в честь этого персонажа возмутила крошечную — ту, что еще имела возможность и способность на что-то как-то реагировать, — часть русского населения:

«Он на Калке на русских князьях пировал! Он Рязань сжег, Коломну, Москву, Владимир, Киев! Вырезал десятки тысяч в Китае, Средней Азии, на Кавказе, в Восточной Европе! Он кровавый монстр просто-напросто».

Тувинские историки отвечали:

«Во-первых, Субедей-маадыр — великий полководец, не проигравший ни одной битвы. Им восхищался ваш русский историк Лев Гумилев, его талант признавал Карамзин. Во-вторых, в честь многих завоевателей по всему миру называют сооружения, парки, им ставят памятники. Субедей-маадыр участвовал в создании великой империи, самой большой по территории за всю историю человечества, и его имя должно быть увековечено на его родине!»

Открытый спор прекратило мнение из федерального центра: каждый национальный регион имеет право на своего героя. Пусть в Туве таковым будет полумифический, из далекого прошлого соратник Чингисхана.

Спорткомплекс называли «Субедей», а немного позже в его фойе поставили статую из желтого металла. Воин в монгольских доспехах.

На открытие приехали высокие московские люди — тогдашний министр МЧС и главный в партии «Единая Россия» Сергей Шойгу, министр спорта Вячеслав Фетисов, олимпийские чемпионы... Андрей смотрел репортаж по телевизору вместе с Алиной и со страхом ждал, что она предложит: «А давай как-нибудь сходим». Но она молчала. Может, знала от отца или брата, кто такой этот герой для русских, может, сама прочитала, а скорее всего, просто пока не осознала, что туда, где побывали такие известные господа, возможно попасть простому смертному.

Не бывали они там и позже, даже когда стал подрастать Данька. К моральным причинам добавились и вполне конкретные: оказалось, что спорткомплекс построен из вредных материалов, у искусственного льда повышенная токсичность... (В «Субедее» Топкин окажется через несколько лет после открытия, по работе — будут менять часть окон, которые, по определению бригадира, строители поставили «жопой».)

Но ладно с этим «Субедеем». Как он сходился с Алиной? Как она стала его женой? Хм, а ведь сложно вспомнить...

Однажды, уже поздней осенью две тысячи пятого, значит, почти через полгода после начала общения, провожая Алину на такси домой, он увидел в ее глазах не то чтобы страсть, призыв, а решимость, которая сразу возбудила, распалила, заставила спросить низким, мужским голосом:

«Может быть, ко мне?»

И Алина кивнула. Коротко, резко. И отвернулась.

«Меняем маршрут», — сказал Андрей водителю, назвал свой адрес.

Водитель бормотнул недовольно и неразборчиво, включил рацию, забубнил в ее трески и щелчки:

«Урана, эт Эдя, который от муздрама до Серебрянки везет... Клиенты передумали, блин. Теперь до Калинина, дом двадцать шесть. Посчитай меня».

«А ты где сейчас?» — спросил в ответ женский голос.

«К "Востоку" подгребаюсь».

Через полминуты из динамика прозвучала новая сумма проезда. Почти в два раза выше.

«Ничего», — мысленно успокоил себя Андрей и в то же время почувствовал подрагивание в ногах, пощипывание пальцев; только сейчас осознал, что вот-вот произойдет секс. Которого у него давным-давно не было. И не очень-то хотелось...

«А родители волноваться не будут?» — спросил Алину.

Не оборачиваясь к нему, она снова резко и коротко дернула головой, но теперь отрицательно, и сказала:

«Не будут. Я предупредила».

Вот так-так — предупредила. Значит, знала заранее... А еще говорят, что мужчины всё решают. Он стал по-другому глядеть на Алину, подозревая в ней опытность, расчет, представлял раскинутые сети...

Она оказалась девушкой в том смысле, какой это слово имело первоначально. До Андрея у нее не было мужчины. Он понял это еще до секса — по тому, как она боится, как неумело, некрасиво раздевается. И спросил напрямую, довольно грубо:

«Точно хочешь сделать это со мной? Чтоб я это сделал? Может, у нас ничего не получится дальше... в будущем».

Она каким-то и лепечущим, и уверенным голосом ответила:

«Я хочу, чтобы ты был первым. Единственным. Я не знаю, но я влюбилась... В тебя».

Его не тронули ее слова. Наоборот, появилось такое странное — а может, и не странное — желание: своими словами Андрей не мог его сформулировать, но вовремя вспомнилась строчка из Есенина — «изомну, как цвет». Правда, у Есенина там про хмель страсти, а он был спокоен и рассудителен.

Раздевшись, прошел к шкафу, достал старую простыню. Развернул на четверть, постелил на то место, где должен был оказаться зад Алины. Сказал:

«Ложись».

Она, подрагивая, потирая, будто замерзла, плечи, легла... А утром повела себя как хозяйка. Не нагло, а так — со скромностью, но все же по-хозяйски. Проверила его запасы в холодильнике, в тумбочке, где лежали крупы, макароны. Осмотрела посуду.

«Я приготовлю яичницу? — предложила. — Или могу оладьи сделать. У тебя вот сгущенка есть».

«Можно оладьи». — Андрей хотел казаться равнодушным и холодным, а на самом деле чувствовал умиротворение и тихую радость. Алина была какой-то уютной и на расстоянии теплой...

Стоял в дверном проеме между прихожей и кухней и наблюдал за новой девушкой в квартире. Казавшаяся полноватой в джинсах, кофтах, сейчас, в тонком халате, который Андрей специально держал для таких вот, оставшихся у него на утро, она выглядела стройной и фигуристой. Розоватые крепкие ноги, шары плеч прямо вопили о здоровье, женской силе.

Она энергично, умело взбивала вилкой тесто для оладий, лицо было сосредоточенно, серьезно. Вся погрузилась в этот процесс... Уловила взгляд Андрея, обернулась, в глазах появилась растерянность и испуг — «я не то делаю?» Но он улыбнулся, и ее лицо стало счастливым. А потом — озабоченным:

«Тебе ведь на работу сегодня?»

«Да... надо собираться... работать, — медленно сказал Андрей и добавил после еще одной паузы: — Оставайся».

И она осталась. И стала жить.

О загсе не поминала, не мечтала вслух о свадьбе, но с каждой неделей каким-то образом — не словами, не взглядом, не показной грустью, а иначе, неуловимо — все яснее давала понять ему, что нужно узаконить их отношения.

И он сделал ей предложение незадолго до Нового года.

* * *

Кофе, тарелка баранины с печеным картофелем согрели, прибавили сил. Еще бы покурить в тепле, и было бы совсем хорошо. Но курить в кафе нельзя. Ни в Париже, ни теперь у нас.

Топкин сидел за столом, катал меж пальцами сигарету, готовился к выходу на улицу. Настраивал себя.

Выходить не хотелось; он и не знал, что так боится холода — аж подташнивало от мысли о нем. Ждет, караулит за дверью и сразу накинется, полезет под куртку, сожмет ледяными пальцами голову...

— Сибиряк не тот, кто не боится холода, а тот, кто правильно одевается, — сказал себе и засмеялся. Довольно, кажется, громко, потому что люди за соседними столиками обернулись.

А с Алиной было ему тепло и уютно. Она не мучила суховатой красотой, как Ольга, не сжигала страстью, как Женечка. Никогда не лезла целоваться, не забиралась рукой под трусы, но и не бывала холодна и неприступна. Иногда смотрела с молчаливой и несмелой надеждой — «может, обнимешь?» — и он обнимал. Ему было удобно с ней все эти восемь лет и большего не хотелось.

Не предохранялись, но в первые два года Алина не могла забеременеть. Только стали всерьез беспокоиться, решили сдавать анализы, это случилось. Родился мальчик. Топкину не пришлось очень уж страдать от бессонных ночей, пеленок и прочего — мать Алины большую часть забот взяла на себя. Это его тоже устраивало.

Сын Данька рос, постепенно превращаясь из младенца в человека, а потом стал другом, маленьким мужичком, рассудительным и серьезным; жена заботилась о доме, муже и сыне. И когда Топкин уверился, что так оно и будет дальше долго-долго... Ну не совсем так, не статично, а как положено: они с Алиной матереют, потом медленно стареют, а Даня и, даст бог, еще ребенок — лучше дочка — взрослеют, расцветают, становятся им помощниками, защитниками... Да, когда он уверился: так оно и будет, как в правильных семьях, — их семья раскололась, а потом погибла.

Но сначала была свадьба.

Андрей к ней не готовился, не волновался, как в первый раз, во второй. Денег давал в меру, да Алина и не просила много. Сходил в универмаг «Саяны», выбрал хороший светло-серый костюм, туфли в тон, заодно отметил, что «Джент» исчез, вместо него появился салон стиральных машин. Подстригся в парикмахерской, купил два золотых кольца в ювелирке.

У Михаила был разработан целый сценарий свадебной церемонии по казачьему образцу, но из-за морозов пришлось от многого отказаться. Больше всего Михаила и его друзей-казаков расстроило, что не удалось уговорить молодых провезти их на дрожках от Каа-Хема до загса в центре Кызыла.

«Мы ведь замерзнем, Миш! — чуть не плакала Алина. — Не надо, пожалуйста».

И Андрей поддержал:

«Не стоит: минус тридцать пять обещают».

Вообще, ему в эти дни было не до веселья: родители и сестра отказались приехать. Татьяна недавно родила первого долгожданного ребенка — сына Юру, а родители...

Из староверов они за последние годы превратились в настоящих эстонцев. И это в без малого шестьдесят. Переоделись в европейское, выучили язык, перебрались в Тарту. Мама устроилась воспитательницей в частный детский сад, где были в основном дети этнических русских, а папа — инструктором в местную дружину «Кайтселийта» — Союза обороны.

Ссылались на рабочие дни — «а на двое суток что нам срываться?» — на самочувствие, но было видно, что им не хочется сюда, в Россию, в Сибирь, а может, не только не хочется, но и нежелательно... Андрей прямо так, со слезами, не настаивал, хотя стало обидно и неловко: каким-то сиротой жениться при живых родителях. Когда была свадьба с Женечкой, этой неловкости не чувствовал.

Договорились, что родители и Татьяна будут участвовать в свадьбе по скайпу. Андрей поначалу не мог понять, что это.

«Ты что, — как-то насмешливо ответил папа, — великая вещь. Недавно изобрели, и у нас тут все пользуются. Типа бесплатного видеотелефона. Сейчас пришлю ссылку, установи в компьютере».

Накануне свадьбы Михаил привез Андрею домой несколько сумок с вещами Алины. Это было частью обряда. На ночь невеста осталась у родителей, а Андрей почти не спал. Не то чтобы взвешивал свое решение, сомневался, перепроверял, мучился. Да нет, в общем был спокоен. Но не спалось.

Где-то за этим спокойствием билась, как пульсик, надежда, что уж эта попытка создать семью окажется последней. Последней, потому что удачной.

И несколько последующих лет можно считать счастливыми, но... но пустоватыми. А почему «но»? Когда ты счастлив, когда нет встрясок, ссор, выматывающих нервы выяснений отношений, не замечаешь, как щелкают дни, недели, месяцы. Тебе спокойно и хорошо.

Родители явно пожалели, что не приехали. Еще когда поздравляли молодых, на экране ноутбука с любопытством разглядывали Алину, улыбались ей, были, кажется, искренне рады за сына. А недели через две стали настойчиво приглашать провести в Эстонии медовый месяц.

«У нас с середины марта весна совсем. Отдохнёте, полюбуетесь Старым городом, морем подышите, узнаете наш милый Тарту».

Андрей не брал на работе полноценный отпуск уже года два — так всё, по три дня, по неделе, Алина, переехав к нему, собиралась уйти из того магазина в Каа-Хеме и сейчас искала место поближе к их дому, пока безуспешно. Деньги, подкопленные, подаренные на свадьбу, имелись, и решили поехать. Андрей нашёл дополнительную причину:

«Хоть на племяша гляну».

Получение приглашения, подготовка и отсылка документов на визы, ожидание виз... Яростным противником поездки стал Михаил:

«На хрена вам сдалась эта Эстония? Она вон под америкосов ложится, ноги раздвигает шире некуда, русских гнобит, а вы...»

Андрей вяло оправдывался:

«У меня там родители, сестра».

«Они русские у тебя?»

Андрей кивал.

«Ну так пусть сюда и едут. Вам-то на хрена?! Бабло ещё в их кормушку сыпать. Сколько они за визу дерут?»

«Да ладно, мелочь. Красиво там, Алина посмотрит».

«Лучше б в Томск съездили, в Иркутск. Во, на Байкал!»

Сам Михаил, кроме Северного Кавказа, где служил, и Красноярска с Абаканом, нигде не бывал.

О той России, что за Уралом, чаще всего говорил, как о чем-то почти чужом, считая Сибирь отдельной страной. То ли сам наткнулся, то ли друзья-казаки подсказали почитать Потанина — «не олигарха этого, а правильного, в начале прошлого века жил», — и теперь часто о нем вспоминал, цитировал наверняка очень вольно, приписывая ему свои мысли:

«Сибирь сама себя всем обеспечивать может. Здесь все есть, чтоб рай земной устроить, а не быть придатком. Сперва каторжан спихивали, ворьем всяким, душегубами набивали, теперь нефть выкачивают, газ, тайгу рубят, реки вон все в гнилые водохранилища превратили. И всё, сука, на экспорт, в Китай. Создать Сибирскую республику от Байкала до Тюмени и жить королями. Без Москвы и китайцев».

Андрей эти разговоры не поддерживал. Не то чтобы был абсолютно против, но понимал — такого никогда не случится. А Михаил, словно угадывая это чувство, убеждал:

«Вот смотри. Где логика в делении России и вообще Советского Союза? Союзные республики, автономные... автономные области еще, округа национальные, края, области просто. Помнишь, наверно, из истории, что была Карело-Финская Республика. Шестнадцатая. И ведь останься она в этом, как его, статусе, и она бы в девяносто первом сбежала. А? А на всю Сибирюшку, на весь Дальний Восток — ни одной союзной республики не было. Хотя столько народов живет. Чем хакасы или буряты хуже эстонцев ваших? У хакасов когда-то государство было — мама не горюй! От Амура до Иртыша и на юг до Индии! Или чукчи. С ними даже Сталин не смог справиться — как жили своим миром, так и живут».

Михаил останавливался, понимая, видимо, что зашел в своих рассуждениях не совсем туда, и объяснял:

«Я это к тому, что надо было Сибирскую Союзную Республику делать, Дальневосточную. И пусть бы они, когда пошла такая замута в девяносто первом, сами решали... И Ельцин бы, слушай, Беловежье так легко бы не подписал. Подумал бы, гад, с чем останется. С Москвой и Рязанью ему бы долго не протянуть было... Согласен?»

«Ну, наверно», — пожимал плечами Андрей.

«Да не наверно, а точно! А теперь их всех кормим... И всем — враги! Прибалтам, грузинам, Средней Азии, Молдавии, Украине даже! Не знаю, как в Москве, а у нас тут каждый второй — украинец или полуукраинец по крови, фамилий каких только нет, со всей бывшей империи... Мы б с ними со всеми нормально договорились. Они ж не от нас прочь лезут, а от Москвы».

Тогда, в две тысячи шестом, слушая Михаила, Андрей мысленно улыбался его наивности и простоте, а теперь, в две тысячи четырнадцатом, удивлялся прозорливости. Но и тогда, и теперь он повторял про себя: «Всё сложнее, всё куда сложнее». И знал лишь одно: сам он, Андрей Топкин, должен жить здесь, должен держаться за эту землю.

Он постоянно встречал считавших так же и неизбежно терял их...

В конце марта отправились с Алиной в свадебное путешествие. Ее родители волновались, словно провожали дочь в опасный путь и не надеялись увидеть снова. Михаил был мрачен, его жена Ира завистливо поглядывала на золовку, сестра Алины напоминала, что там купить, какие сувенирчики — было очевидно: за последние недели она изучила Эстонию при помощи интернета до последней мелочи.

Известным Андрею, но уже подзабытым путем — из Кызыла на автобусе в Абакан, из Абакана самолетом в Москву, а из Москвы самолетом в Таллин — прибыли на родину его родителей. Малую историческую, а теперь и настоящую, по гражданству...

В аэропорту их встречал высокий красивый мужчина лет сорока. В костюме и галстуке. Типичный киношный клерк из офиса. В руках держал бумажку с надписью: *"Mr. Topkin"*.

Оказалось, что это Вольмер, муж сестры Татьяны. Вернее, гражданский муж. Сожитель. «Ребенка заделали, а отношения не оформили, — подумал Андрей с каким-то стариковским осуждением. — Ну а что, — тут же возник внутри новый, издевательский голос, — я вот третий раз оформляю, а толку...»

На парковке стоял кроссовер «фольксваген» Вольмера. Загрузились, поехали. На восток, в Тарту.

«Как Татьяна, — больше из вежливости, чем из любопытства интересовался Андрей, — Юрик?»

«Юри, — поправил Вольмер. — Всё хорошо. У Танья были проблемы с молоком, но теперь хорошо».

Вольмер говорил не то чтобы с акцентом, но необычно для уха. Слишком старательно выговаривал слова. По сути, Андрей с эстонцами толком еще не общался: в прошлые приезды его окружали русские.

«А вы, извините, — спросил осторожно, — эстонец?»

Вольмер ответил сразу и резко, рубанул коротким «нет!» И после паузы заговорил мягче, но с какой-то нервной убежденностью:

«Просто я здесь родился и хочу здесь нормально жить. Вообще меня Владимиром зовут, но лучше — Вольмер. Так уже привычней да и удобней, честно говоря. Все-таки к эстонцам лучше относятся. В плане работы, остального. Здесь многие меняют имена, фамилии... Изменяют, вернее. — Теперь в его голосе слышалась чуть ли не досада, и Андрей пожалел, что спросил про эстонца. — А куда мне уезжать? Родителей сюда прислали по распределению. Из Иванова. Рады были до седьмого неба — Эстония, цивилизейшен, архитектура, отдельная квартира. А потом — такое... И возвращаться некуда. Пришлось становиться эстонцами».

«А мои вот всю жизнь в России, — вздохнул Андрей, — а потом решили вернуться. Теперь тоже эстонцы».

«И правильно. Смешно это — в двадцать первом веке в армяках ходить, с бородами. Староверов здесь и держат, как индейцев в Америке, — для экзотики. Такая толерантность с гримасой... Да и все равно — еще поколение, другое, и не будет никаких староверов».

«А тут лес настоящий, — удивилась Алина. — Я думала, сплошные парки».

Дорога, довольно убитая, действительно шла через еловые дебри.

«Эстония, конечно, маленькая страна, — к Владимиру-Вольмеру вернулась прежняя интонация, — но в ней всё есть. В этом вы убедитесь сами».

Родители заметно постарели, но выглядели бодро. Жили в той квартире в центре Тарту, где провела детство и юность мама. Родовая квартира Луниных. С ними была и старшая мамина сестра Эльвира, тетя Эля, несколько лет назад похоронившая мужа, бездетная, теперь совсем немощная. По сути, из-за нее родители и переехали сюда — присматривать, помогать. Скорее, это стало поводом. Переехали и стали обычными горожанами, а не староверами-отшельниками.

Глядя сейчас на папу, Андрей понял, что староверство было необходимо ему тогда, в начале девяностых, чтоб найти новый смысл в жизни после увольнения из армии.

Десять с лишним лет оно оставалось смыслом. Деревня, почти вся состоящая из родственников, вроде и русская, но не совсем, хозяйство, дом, где вырос... Этакий психологический карантин... Постепенно они с мамой обвыклись не в России, но и не в настоящей Эстонии, а потом, когда боль и страх от переезда, почти эмиграции, пусть и на родину, прошли, двинулись дальше, вглубь Эстонии. Устроились; были бы моложе, вполне вероятно, стали бы строить карьеру.

Пробыв четыре дня в Тарту, Андрей заикнулся, что интересно показать Алине Муствеэ, деревни вокруг, этот своеобразный, отдельный кусочек страны. Избы, поленницы, церкви, музей старообрядчества, Чудское озеро, которое при желании можно представить Байкалом или тувинским Чагытаем... Мама поморщилась:

«Да что там... Езжайте лучше в Таллин».

Андрей не стал спорить. Уже заметил: вспоминать о прошлых годах родителям не хочется. Может, разругались с папиной родней, которая так душевно приняла их в девяносто третьем, помогла, а они сбежали...

«Ладно, — согласился, — в крайнем случае сами потом можем сгонять. Тут час езды».

Стали собираться в столицу.

Вольмер куда-то позвонил, нашел им квартиру на неделю. Заплатить вызвался сам:

«Это будет мой скромный подарок на вашу свадьбу. Квартира в центре, почти в Старом городе».

На следующий день поехали на автобусе, удобном, междугороднем, в Таллин.

Андрей там еще по-настоящему и не бывал. Так, гулял по паре-тройке часов до самолета. В конце концов появилась возможность изучить главный город страны, в которой живут мама, папа, сестра, племянник.

Нужный дом нашли без труда. Действительно, буквально в ста метрах от старинной крепостной стены и башенок с рыжими крышами-пирамидками. Дальше — купола готических соборов, замки...

«Бли-ин, как в мультфильме», — завороженно глядя в окно, сказала Алина.

Андрей приобнял ее:

«Неделю мы будем персонажами этого мультика, — и хлопнул по карману, где лежала толстая пачечка крон. — Идем туда?»

* * *

А сейчас, сгибаясь под ветром, дрожа, стуча зубами, он рывками двигался один по центру города Парижа и пытался что-нибудь запомнить.

Бегло оглядел Лувр — снаружи — и потрусил в сторону Елисейских Полей. Они были дальше, за парком.

— Или как его... — пытался вспомнить; окоченевший мозг работал плохо. — Сад Тюильри. Да, видимо, он... Не поскупились на землю, просторно... Ветру есть где разгуляться...

Было бы лето, жара, он бы насладился тенью деревьев, наверняка посидел бы на укромной скамейке с бутылкой красного сухого. А сейчас холод заставлял бежать. Тормознул лишь возле одной скульптуры.

Металлическая — бронзовая? медная? — женщина лежала на постаменте, приподняв руки, словно защищаясь... Нет, не лежала, а зависала над постаментом, с которым соприкасалась несколькими сантиметрами бедра.

Андрей много раз натыкался на эту скульптуру в интернете, когда изучал Париж, помнил даже фамилии автора — Майоль и модели — Дина Верни. Девушка, почти подросток, позировавшая престарелому мастеру. Хотя по этой женщине не скажешь, что скопирована с юной модели.

Так или иначе, Дина Верни, пусть и в таком облике, лежит возле самого Лувра. И еще несколько ее воплощений неподалеку. Одного этого достаточно, чтоб быть счастливой на том свете, говорить: «Я жила не зря». Но для Андрея да и, наверное, десятков тысяч говорящих по-русски эта Дина известна в первую очередь песнями. Долго оставалась безымянной теткой из магнитофона со странным, царапающим слух голосом, а потом обрела имя, посмертно дождалась статей, воспоминаний, исследований.

И сейчас, вспомнив, как драл нутро этот голос из магнитофона, Андрей передернулся. А он зазвучал в голове, заскреб наждачкой слов:

> И вот опять сижу в тюрьме,
> Не светит больше солнце мне
> На нарах...

Вслед за этой песней — другая, и голос слегка другой — мягче, но эта мягкость еще страшнее наждачки:

> Эх, налейте за долю российскую,
> Девки заново выпить не прочь.
> Да, за горькую, да, за лесбийскую,
> Да, за первую брачную ночь.

Когда он впервые услышал эти песни? Тогда точно еще не знал, что есть довольно игривый вариант первой песни — «Десятый раз попал в тюрьму я под Ростовом-на-Дону», не понимал толком, что такое «лесбийская»... Лет в двенадцать, наверно, а может, и раньше. Значит, году в восемьдесят четвертом-пятом. Короче, в довольно нежном возрасте. Потому и песни эти стали страшным открытием какой-то другой стороны жизни. Про ту сторону он, конечно, уже знал, но не предполагал, что там тоже есть песни, состоящие из человеческих слов, а не звериного рычания.

Потом навалились другие подобные записи; Андрей обнаружил, что про «лесбийскую брачную ночь» сочинил детский писатель Юз Алешковский, он же — и еще одну песню с той бобины — «Товарищ Сталин, вы большой ученый», что про Бодайбо —

это Владимир Высоцкий, знаменитый Глеб Жеглов, в которого играли все пацаны во дворе.

А где услышал? У кого-то из пацанов-одноклассников. Тогда во многих квартирах держали бобины со странными записями.

А имя Дины Верди он узнал недавно — прочитал про нее статью, потом накопал разные истории и фотки в интернете. Оказывается, из русского мира. Хоть с самого края его, но все же: родилась в Кишиневе, который был тогда под Румынией, но знала русский язык, некоторое время ребенком провела в Одессе, а потом родители вывезли ее в Париж.

Огонь была и в юности, и в старости. Из той же породы, что Лиля Брик, Фрида Кало, Наталья Медведева... Женечка наверняка такая же. Правда, о ее достижениях что-то не слышно.

А Алина была другой. До поры до времени она казалась ему слишком тихой и мягкой, чересчур идеальной, что ли. К Ольге он испытывал благоговение все годы их сначала детского общения, подросткового, а потом и семейной жизни; рядом с Женечкой чувствовал постоянное напряжение, такое непрекращающееся возбуждение, не только половое, а всего организма. А с Алиной...

Неделю в Таллине можно бы назвать отлично проведенным временем. Вдвоем в просторной квартире — планировка необычная, и сауна даже, — полная свобода, красивый вид из окна. Но очень быстро Андрею стало скучно. Хотя вроде с чего?

Алина просыпалась раньше. Тихонько поднималась, шла мыться, потом готовила завтрак. Андрей мог спать или просто лежать до десяти, двенадцати, она его не беспокоила — не звала поесть, не предлагала план похода по городу, не прыгала к нему, чтоб пообниматься, расторможить на секс. Ждала. Может, с детства была приучена, что, когда у мужчины — отца, а теперь вот мужа — выходной или отпуск, его тревожить нельзя.

Завтракали за большим длинным столом. Работал телевизор. Там что-то говорили на непонятном, будто спотыкающемся языке. Но переключать на русский канал не хотелось, может, чтобы не разрушать ощущение, что ты за границей.

После завтрака Алина убирала со стола, мыла посуду, а Андрей сидел тут же, на диване, и смотрел в экран.

Закончив дела, она опускалась рядом и тоже покорно смотрела, слушала тарабарщину. К Андрею не приставала, самое большее — приникала головой к его плечу.

Когда ему надоедало испытывать ее терпение, спрашивал:

«Что, пойдем гулять?»

Алина вскакивала:

«Пойдем!» — и улыбалась радостно и благодарно: ты вспомнил обо мне.

В первые дни изучали Старый город. Каждый раз оказывались словно в другом месте, хотя были здесь накануне. Удивлялись плотности и экономности застройки.

«Буквально каждый метр в деле, а не скажешь, что тесно, — говорила Алина, — и для садиков место есть, для дворов, площадей. По уму всё».

«Да, ты права, моя хозяюшка, — соглашался Андрей. — Но ведь это веками достигалось — строили, ломали, уплотняли».

Туристическую карту решили не покупать: не хотелось задаваться целью посетить конкретное место. На музеи, церкви натыкались случайно: шли-шли и обнаруживали то башню Толстая Марта, то дом зажиточного эстонца, у которого гостил Петр Первый, то храм Александра Невского, то родовой дворец баронов Унгернов...

Среди довольно пестрых, веселеньких домов Старого города дворец Унгернов из серовато-коричневого камня выделялся как насупленный дядька в толпе улыбающихся юношей. Казалось, дворец тяжело дремлет, ожидая возвращения кого-то. Этот кто-то вернется, и дворец озарится огнями жизни, и стены посветлеют.

«Ты знаешь, кто в нем жил? — спросил Андрей жену. — Тот Унгерн, который во время Гражданской войны возле Тувы куролесил... Монголы называли его богом войны. Он их, кстати, от китайцев освободил. Хотел империю Чингисхана восстановить».

«Да, я знаю про Унгерна, — сказала Алина. — И занесло же из такого тихого гнездышка...»

Позже, вернувшись в Кызыл, Андрей прочитал, что именно в этом дворце Роман Унгерн не жил и не бывал, скорее всего, никогда. В нем жила другая ветвь баронского рода, с которой у его матери были плохие отношения. Но, встречая упоминания об Унгерне, Андрей с тех пор сразу представлял мрачный дремлющий дом в Таллине, а потом промерзшую степь, по которой ветер метет редкий сухой снег, и горстку мужчин в оборванной форме Русской императорской армии...

Когда Старый город надоел, стали обследовать его окрестности.

Оказалось, Таллин состоит в основном из двух-этажных деревянных домиков, очень похожих на те, что еще уцелели в центральной части Кызыла. Но если кызылские выглядели скучно — или побел-ка, или вагонка с облупившейся краской, — то эти радовали глаз разноцветьем, декоративными на-шлепками, детальками.

«И ведь не сносят, — завистливо усмехался Андрей. — А столица государства. Будь в Москве такая застройка — бульдозерами за одну ночь — и под не-боскребы».

Небоскребы, вернее небоскребики, в Таллине имелись, но смотрелись как нечто инородное, были поставлены, кажется, лишь для того, чтобы продемонстрировать: у нас тоже есть современ-ность, можем превратить город в сити, если захо-тим, но мы не хотим.

Набрели на Музей оккупаций. Несколько за-лов, набитых вещами сороковых — девяностых го-дов двадцатого века. Было впечатление, что жите-ли снесли сюда все, что у них осталось от недавнего прошлого. Фанерные чемоданы, ламповые радио-приемники, бюсты советских и нацистских во-ждей, граненые стаканы, красные флаги, счеты, дембельские парадки, рваный ватник, ложку со сва-стикой, пустую бутылку «Пшеничной», немецкие канистры, машину-«инвалидку»...

«Скажите, — обратился Андрей к одной из смо-трительниц, пожилой, явно знавшей русский язык, — а почему нет вещей времен оккупаций кре-стоносцами, шведами?»

Смотрительница бетонно-безучастно устави-лась Андрею куда-то между глаз, никак не реагиро-вала. Как восковая кукла...

В тот же день — или на следующий — оказались на рынке. Маленьком, неприметном, возле железнодорожных путей. Зашли за решетчатые ворота — и попали словно на родину. Но не сегодняшнюю, а десятилетней давности — середины девяностых.

Лук-батун на газетках, сморщенная свекла, рядом — мутный хрусталь, серебряные, в пятнах, столовые приборы, клубки шерстяных ниток, длинные ряды потрепанных советских книг; в окнах магазинчиков, похожих на сараи, — старые телевизоры, проигрыватели, торшеры... Но не в товарах было дело, а в продавцах. Унылые люди в старомодной одежде, печальные разговоры, отчаянные, но негромкие, без азарта уговоры купить...

«Берите, берите, пожалуйста. Домашняя морковь, без химии. В песке храним».

«Да вот опять не шлют перевода. Задерживают там, говорят. А тут хоть вешайся».

«Да, в России тоже не сахар».

«Хоть бы чего продать. Дома шаром покати...»

«Книги вот посмотрите. Вот очень хорошая — Олег Куваев. Переизданий давно не было. Посмотрите, молодые люди...»

Стало тоскливо, Андрей приобнял Алину:

«Что, домой?»

«Да...»

Неделя, такая поначалу в каждом дне длинная, пролетела. Последний день.

Автобус в Тарту отходил в пять вечера, а собрали вещи с утра. Сидели за длинным столом, ждали, убивали часы. Гулять больше не хотелось: Старый город теперь вызывал подташнивание, как красивый, но слишком сильно залитый кремом торт. Хотелось простора, широты, дали.

Алина была грустной. А может, уставшей. Может, переполненной впечатлениями. Андрей не расспрашивал, наоборот, всячески демонстрировал невнимание и равнодушие. Ждал, что Алина не выдержит, начнет предъявлять претензии, высказывать обиды, и они повыясняют отношения. Он с недоумением и какой-то брезгливостью к себе сознавал, что без небольших ссор, споров ему скучно. И что странно — с другими женщинами такого не было, а Алина своей тихостью будто провоцировала на то, чтоб с ней поругаться, сказать обидное.

Скучно ему было тогда, дураку. Страстей хотелось. Потом-то Алина наверстает, отобьется с лихвой. И убежит, как предыдущие.

«Что, пойдем куда-нибудь пообедаем?» — первым не выдержал молчания Андрей.

«Давай... Только у нас тут еще осталось. Мясо в сковородке, спагетти. Помидор вот, паштет».

Андрей подумал и согласился:

«Хорошо, можно это доесть. Не тащить же с собой».

В четыре пришла хозяйка. Молодая эстонка. С хорошей фигурой, но глуповатым лицом. Молча осмотрела комнаты, заглянула в сауну, в тумбочки на кухне и вежливо улыбнулась съезжающим квартирантам. Дескать, все в порядке, прощайте...

Показать Алине родину отца сил не нашлось. Три последних дня провели в Тарту, почти не выходя на улицу, и Андрей просил время бежать скорее.

В новом родительском доме, который он смутно помнил еще по детству — застал бабушку с дедушкой ребенком, — было не скучно, а тяжко. Темная мебель, будто из железа выкованные шторы, высоченные потолки, которые, кажется, не белили сто лет, множество мелких вещичек, покрытых, как смолой, какой-то липучей пылью... Мама — раньше такая чистюля, что даже папа, которого малейший беспорядок выводил из себя, часто просил: «Перестань, пожалуйста. Все блестит. Тебя бы к нам дежурным — дневальных гонять», — здесь явно боялась хозяйничать, ограничиваясь кухней и их с папой спальней. Казалось, за каждым ее движением ревниво следила и готова была отчитать за самоуправство старшая сестра Эльвира. Старая, уменьшившаяся до размеров десятилетней девочки, превратившаяся в странный предмет мебели, но с глазами и противным, повизгивающим голосом.

Она передвигалась по квартире редко и мало. Но если вдруг возникало оживление, бралась за ходунки и довольно энергично двигалась из своей комнаты туда. И сверлила, сверлила взглядом производящих оживление...

Папа и в первые дни, и теперь откровенно избегал разговоров с Андреем. Ссылался на дела, почти все время где-то пропадал. Во время общего ужина был приветлив, шутил, рассказывал забавные случаи на службе, но после ужина сразу уходил в спальню:

«Устал, пойду полежу».

Лишь в последний день, за несколько часов до отъезда в аэропорт, предложил Андрею прогуляться.

«Вдвоем?» — Еще вчера Андрей обижался, что папа не хочет оставаться с ним, а теперь встревожился.

«А что? Пройдемся».

«Ну конечно... Пойдем».

Медленно шли по бульвару. Папа, до сих пор сохраняющий офицерскую выправку, все же заметно одряхлел. Особенно это бросалось в глаза сейчас, когда он пытался быть бравым и крепким. Готовился поговорить с сыном о важном.

«А ведь они с мамой когда-нибудь превратятся в стариков вроде тети Эльвиры. Беспомощных и наверняка недобрых. Обозленных. Поймут, что жизнь кончилась, а прожить ее по-настоящему не получилось, — подумалось Андрею; он не хотел об этом думать, но вот пришло само, против воли. — И как тогда? Что Татьяне делать? Ходить за ними, слушать ворчание, эти вскрики визгливые, как вот маме сейчас от тетки?..»

«Как у тебя, — заговорил папа, — по любви и в этот раз?»

«А?.. Женился?»

Папа не уточнял, только досадливо покривился: за время службы ему наверняка тысячи раз приходилось иметь дело со срочниками, косящими под дураков. Но тогда было легче — «два наряда вне очереди», а тут... Тридцатислишнимлетний сын в третий раз женился, работает хрен знает где, живет в квартире, которую уже десять лет выкупает у первой жены. А квартира эта в городе, из которого уезжают и уезжают русские. А сын не уезжает.

Отсюда-то происходящее в Туве да и вообще в России видится как через увеличительное стекло, причем со смещенной оптикой.

«О любви сложно говорить, — ответил Андрей. — Два раза по любви женился, и что толку... Алина — хорошая девушка. Спокойная, серьезная. Может, мне теперь такую и надо».

Папа медленно покивал, словно по слову усваивая это признание.

«А родители у нее, мы слышали, простые совсем. Крестьяне».

«Ну, так... Коренные... Предки еще до революции переехали».

«И ты с ними нормально? Уживаетесь?»

Андрей чувствовал себя маленьким, что-то натворившим и теперь пытающимся оправдаться.

«Да нормально, — выдавливал ответы, — уживаемся... Обычные люди... Работящие».

«Работящие... Это хорошо».

Шли по улице Ванемуйсе.

«Бывшая Садовая, — сказал папа. — А сейчас называется в честь театра. Ванемуйне — бог музыки... Выйдем на Кююни. — Папа произносил эстонские слова все-таки с некоторым усилием. — Покажу тебе кое-что».

«А Кююни эта как называлась?»

«Александровская, кажется».

Андрей хотел спросить, как переводится «Кююни», но не стал. Чувствовал: особое любопытство проявлять не стоит.

Свернули налево, пересекли эту самую Кююни и пошли вдоль парка.

«Назван в честь Барклая-де-Толли, — как бы по обязанности сообщил папа. — Талантливый был военачальник, но на него свалили неудачи двенадцатого года. И никакие контрдоводы не помогают: ни доказательства историков, ни звание фельдмаршала, ни памятник в Петербурге...»

«Да, да», — отозвался Андрей, все ожидая, когда папа перейдет к главному.

«А вот, видишь, какое современное искусство недавно у нас появилось».

Андрей первым делом отметил — «у нас», а потом уж увидел двоих стоящих и взявшихся за руки бронзовых мужчин. Голых, с висящими и слегка поблескивающими от частых прикосновений к ним членами. Один мужчина нормального сложения, другой — какой-то одутловатый. Присмотревшись, Андрей понял, что одутловатый — ребенок лет двух, но ростом почему-то со взрослого.

«Называется "Отец и сын", — сказал папа. — Поначалу возмущались, письма писали, а теперь привыкли. Даже символом стали».

«Каким?.. Чего символом?»

«Что эстонский народ не кончится. Отец и сын рука об руку крепко идут по земле».

Оглядывая скульптуру, Андрей внутренне заспорил: «Скорее символизируют обнищавших до голости, бредущих в поисках жратвы и тряпок... Или, точнее, отец отправляет сына в люди...»

Конечно, вслух говорить такого не стал: папе было не до шуток, смотрел на скульптуру с какой-то хмурой грустью.

«Слушай, — произнес таким тоном, что Андрей сразу догадался: вот оно, сейчас прозвучит главное. — Слушай, может быть, подумаете о переезде? Это пока довольно легко. Во-первых, мы с мамой, скажем так, дееспособны, поможем, поддержим. С жильем тоже... Сам видел, какая квартира. Места хватит. На Эльвиру не надо внимания обращать — больной человек. Во всех смыслах... У Татьяны с Володей к свадьбе идет. Все вроде почти правильно, почти все вместе... — Папа пожевал губами: уговаривать ему было сложно, неловко, вообще не в его характере, тем более уговаривать сделать, как он считал, очевидное, необходимое. — Что тебе там? Ведь если подумать, взвесить, то ты просто двенадцать лет потерял».

«Ну почему потерял...»

«Не так? А чего добился? Тебе уже за тридцать...»

Андрей чуть не усмехнулся: «Ты прям мои мысли читаешь».

«Четвертый десяток, — продолжал папа через силу, но жестко, по-офицерски, — и с чем ты в него вошел? Еще лет пятнадцать — начнешь старость чувствовать. Да, да, это быстро... Я теперь очень жалею, что году в восемьдесят шестом не уволился, не вернулся сюда. И что, когда сюда переехали, столько лет в деревне прятался. Но все-таки нашел силы... Не скажу, что мне легко сейчас. Наоборот, я для них белая ворона, совок. От моего русского они морщатся, как будто я матерюсь. Но я не их, а себя виню: сам виноват, что затянул... Понимаешь, ты все равно оттуда уедешь. Из Тувы этой. И из России. Все, у кого зацепки есть, едут в Европу. У большинства нет, и они там... А у тебя пока есть. Мы. Лучше, чтобы это скорее случилось. Для тебя лучше, Андрей, для твоей жены, для детей будущих».

Папа пристально смотрел на него. И почти зло, и в то же время просяще. Андрей отвел взгляд, попал на скульптуру. Там тоже двое, отец и сын... Сказал, в общем-то, искренне:

«Даже если я захочу переехать — Алина откажется. У нее вся родня там... несколько поколений уже. Брат вообще очень такой... боевой... казак».

«При чем здесь родня? Пускай они живут как хотят. И... сейчас ведь переезд — не эмиграция, какая тридцать лет назад была, когда с концами... Захотели — съездили погостили, они могут сюда... Что вам в этой Туве? Ты вообще там случайно оказался. Перевели бы меня через два-три года тогда на новое место, и не помнил бы ее. А нас, Эстонию, в Шенген берут, о переходе на евро говорят... Эстония — часть Европы. Понимаешь? А у меня чувство, что скоро между Европой и Россией такая пропасть возникнет... Всё к тому идет. Или Россия в новый Ирак превратится, Афганистан. Как хлынут оттуда беженцы, вам поздно из своей Тувы будет... Так что, — с каким-то кряхтением закончил папа, — подумай и решай».

Андрей помялся, потомился поиском ответа и пробормотал:

«Я подумаю».

И вот думает до сих пор.

***

— Да и не думает он ни фига, — сказал о себе Топкин в третьем лице.

Не обсуждал предложение папы тогда с Алиной, не сомневался по-настоящему. Знал, что не переедет. Не умом, а иначе... Даже теперь, когда жена с сыном вслед за своей родней свалила из Кызыла.

Тем более не сомневался, что через год примерно после поездки произошла та история с Бронзовым солдатом: из-за переноса памятника и могил погибших при освобождении Таллина советских солдат из центра на кладбище начались протесты, а потом беспорядки. Они всколыхнули Россию, точнее, Россия как-то с готовностью всколыхнулась, будто давно ждала повода, — в Москве блокировали эстонское посольство, молодняк гонялся по улицам за послом, люди ругали эстонцев: «Сволочи, ублюдки фашистские!» Самые активные рванули в Таллин защищать памятник.

Эта волна коснулась и живущего в пяти тысячах километров от Эстонии Андрея. Однажды шурин приехал к нему домой. Разбираться.

Сел на кухне, широко расставив ноги и навалившись на стол, как какой-нибудь Григорий Мелехов — только шинели не хватало, — и попросил ровно, но с плохо сдерживаемым бешенством:

«Объясни мне, Андрюха, что там такое творится?»

На самом деле Андрей не видел ничего ужасного в переносе памятника, но чувствовал, что лучше поддерживать общее негодование или хотя бы не сопротивляться ему. К тому же та жесткость, с какой разгоняли и задерживали протестующих в Таллине, его удивляла, а убийство русского парня — возмутило. Но недоумение было сильнее возмущения.

«Чего они все как с цепи сорвались?»

«А почему ты решил, что я могу объяснить?» — ответил Михаилу вполне миролюбиво.

«Ну как... Ты ж, считай, тоже оттуда».

«В каком смысле?»

«Родители там, корни... Ездил вот и Алинку нашу возил».

«И что? У нас чисто турпоездка была... Родители мои — нормальные русские люди».

Михаил побарабанил пальцами по столешнице. Казалось, сейчас взревет: «Русские?!» — и бросится на Андрея. Убивать.

«А... а чего они там, — спросил, заикаясь, — если русские? В логове этом... у врагов... Они вон что творят... Скоро Гитлеру памятник сделают».

Андрей промолчал. Обвинения, конечно, несправедливые, мысли о памятнике Гитлеру бредовые, но крыть было нечем.

«Так, в общем, — Михаил собрал пальцы в кулак, — больше Алина туда не поедет. Ясно? Нечего...»

«Позволь нам самим решать, ездить или не ездить. Мы сами взрослые, между прочим. Да и забудется эта история через месяц».

«Нет! Не забудется! Отныне — всё, точка невозврата. Враги они нам. И родители твои, получается, тоже».

Андрея затрясло. Теперь он готов был кинуться на шурина. Но прилив злобы принес и разумный довод:

«Да? А те, кто за памятник бился? Это ведь жители Эстонии, в курсе? И парень, которого зарезали».

«Он — гражданин России!»

«А жил с матерью в Муствеэ, откуда мой папа как раз. Они тоже враги, эти люди?»

«Нет, конечно».

«Ну и что тогда?.. Может, и мои родители среди них. Просто они старые уже под дубинки лезть... Поэтому не надо всех под одно».

На Михаила эти слова произвели впечатление. Он как-то обмяк, гримаса ярости сменилась замешательством.

«Надо выяснить тогда, кто на чьей стороне», — сказал не слишком уверенно и ушел.

Несмотря на этот и подобные разговоры, отношения Андрея с Михаилом были в общем нормальные. Брат Алины нравился ему трудолюбием, искренней эмоциональностью, а главное — желанием быть крепким мужиком. Не пацаном, не парнем, а именно мужиком. С недавних пор крепких мужиков стало очень мало вокруг — или такие, косящие под блатарей, или додики...

С середины июля у Шаталовых начинался сезон сбора и заготовки даров дикой природы. Ягод, грибов, орехов. Выезжали на два-три дня, забирались далеко в тайгу. Брали с собой и Андрея, когда у него были выходные или случался перерыв в заказах на установку окон.

Поначалу он отправлялся без особой охоты. Понимал, конечно, что нужно изучать малую родину, радовался, что такая возможность появилась, а душа да и тело сопротивлялись. Мошкара, слепни, липкие паутины, лезущие в глаза сучки, какой-то особенно едкий пот, взопревшие в резиновых сапогах ноги, однообразное занятие. Стоишь по часу, другому, обираешь куст жимолости или ползаешь на четвереньках по широкому увалу, рвешь, рвешь шарики клубники. На природу уже и внимания не обращаешь, забываешь о ней. Видишь только ягоды. И ночью, во сне, продолжаешь собирать их, бесконечные, нескончаемые, и просыпаешься со стоном, как от кошмара.

Грибы Андрей долго не умел находить. Вот идут вместе с Алиной, и она то и дело бросается то в одну сторону, то в другую, быстро присаживается, срезает. «Волнушка!.. Груздь!.. Обабок какой чистенький!.. Масленок! Белянка! Ух ты, рыжик!..» Андрей же растерянно хлопает глазами: ведь он же смотрел туда, где Алина заметила гриб, но ничего, кроме палой хвои, листочков, хилой лесной травы не видел.

«Ты старайся его представить, — учила жена. — Идешь и представляешь. И тогда увидишь».

Но если и удавалось увидеть, то это оказывались то поганки, то какие-то свинухи, навозники, зеленушки, ложные лисички, моховики, сыроежки, которые Шаталовы не брали, брезгливо выкидывали из Андреевой корзины. Летели прочь и редкие благородные: они были или червивые, или изросшие, старые до трухлявости.

«Ничё-о, — ободряюще улыбался Михаил. — Москва не сразу строилась. Прозреешь».

Прозрение случилось на опушке уцелевшего от пожаров куска Балгазынского бора. Андрей шел меж невысокими — чуть выше его роста — сосенками, мало на что надеясь. Просто гулял, убивал время до того момента, когда посигналят: дескать, поехали.

Смотрел не под ноги, а на деревья, на широкое небо с редкими и бледными лохмотьями облаков, синеющий у горизонта хребет Танну-Ола. Там, в ущельях, наверно, свежо, приятно, а здесь пе́кло и духота. Спина под рубахой и ветровкой чешется, пальцы ног словно в какой-то вязкой слизи. Дня два назад прошел сильный дождь, и сейчас от земли, с травы поднимался горячий парной дымок.

И тут пресловутым боковым зрением Андрей отметил что-то не тех цветов, какие главенствовали в бору, — не зеленое, как трава, хвоя, не серое, как стволы молодых сосенок... Опустил глаза и увидел рыжеватые шляпки маслят. Десятки шляпок.

Они росли дугами, полукружьями. Словно здесь прошел сеятель и разбросал семена.

Андрей заволновался так, что ноги ослабли. Зачем-то оглянулся, осторожно раскрыл складешок и, встав на колени, стал срезать маслята.

Роман Сенчин

Прохладные, влажноватые, молодые. На крепких плотных ножках. Не стоило и рассматривать каждый, на ощупь было ясно — нечервивые.

Полз вдоль грибных дорожек, резал, опускал в ведро... Очень быстро рука с очередным масленком ткнулась в лежащие там пласты. Андрей посмотрел и с удивлением обнаружил, что ведро почти полное. А грибов еще торчало полным-полно. На три таких ведра.

До машины было пять минут, но Андрей побоялся идти к ней. Не потому, что потом не найдет это место. Нет. Возник глупый, его самого изумивший страх: Алина, Михаил, его жена Ирина, увидев, как много он набрал, побегут сюда и станут собирать найденные им сокровища. Его добычу.

Он снял довольно еще хорошую, недешевую ветровку, застегнул молнию, связал рукава с воротом и принялся складывать маслята туда. Ругал себя за глупую жадность и продолжал срезать и складывать.

Пальцы стянул засохший грибной сок, лезвие складешка покрылось коркой и больше ломало, чем резало. Но даже взять и очистить его, вытереть о траву негнущиеся пальцы Андрей не решался. Вдруг за это время оставшиеся маслята исчезнут...

Когда и ветровка наполнилась, превратилась в пузатый мешок, все-таки заставил себя пойти к машине. И почти одновременно с ним с разных сторон появились Алина, Михаил, Ирина. И каждый кроме ведра или корзины с горкой нес еще что-нибудь набитое грибами. Платок, куртку, шапку. Счастливо, но и хищновато улыбались. Наверное, так же улыбался им и Андрей.

А потом, вернувшись в город, долго сдирали с маслят пленку. Мать Алины кромсала крупноватые и бросала в огромную кастрюлю. Запахло уксусом и чесноком. Георгий Анатольевич сладко выдохнул:

«Ну, за маринованные грибочки на зиму теперь можно спокойными быть».

Но через месяц маслята вместе с домом и всем хозяйством чуть не погибли: в конце августа загорелась степь.

В первый вечер далеко на юго-востоке появилось красноватое зарево. Оно было неверным, то вспыхивало, то исчезало, и многим казалось, что это зарницы. Через сутки стало ясно — идет пожар. Запахло гарью.

«Надо ехать к родителям, — стоя на балконе, решила Алина, — это в их стороне».

Собрались, поехали.

Вроде бы ничего страшного не происходило. Горел вызревший, сухой ковыль. Горел медленно, как-то без спешки.

Но так казалось лишь поначалу. Доходя до куста караганника или акации, огонь на минуту замирал, сникал, словно присаживался, а затем прыгал на куст, как зверь на добычу. И куст мгновенно превращался в факел, а огонь двигался дальше.

Ветра не было, и пожар вряд ли смог бы преодолеть широкую Шахтерскую улицу — одновременно и трассу в восточные районы Тувы, — за которой начинались старые каа-хемские избы, а вот лачугам Дикого поселка по ту сторону трассы опасность угрожала реальная. Метров триста оставалось огню то ползти, то прыгать...

Боролись с ним несколько пожарных машин и поливалок. Вроде бы гасили участок, но через некоторое время будто из глубины земли возникали оранжевые язычки. Один, потом другой, третий, четвертый. Они объединялись, крепли, высушивали политую водой траву и становились стенкой, двигались дальше. А у пожарок и поливалок кончалась вода.

«И где наше хваленое эмчеэс? — ворчал Михаил, с которым Андрей и Алина объезжали пожар. — Где Шойгу, отец родной?»

«Шойгу в Москве, — с серьезным видом напоминала Алина. — Не везде же ему лично быть...»

«Мог бы поднять вертолеты. Тут с вертолетов надо. И еще вчера, когда слабый был, далеко».

Полыхнут лачуги, начнет стрелять шифер, полетят головешки, и пожар перекинется через трассу, загорится коренной Каа-Хем.

Обитатели Дикого поселка помогали пожарным. Пытались забивать пламя какими-то тряпками, лопатами. Но были они то пьяные, то немощные, и огонь легко, вспыхнув очередным кустом или кочкой ковыля, отгонял их.

Со стороны выглядело так: люди делают вид, что тушат, а при первой возможности отлынивают, бросают. И Андрей решил подойти ближе к оранжево-красной стенке. Пошел уверенно и шагов за пять до нее почувствовал невыносимый жар. И та размеренность, с какой двигался пожар, стала понятней и страшней — сначала он накалял воздух, высасывал из травы влагу, напитывал собой почву впереди, а потом приходил уже зримо, стенкой. Сбить эту стенку мало, нужно остудить сам воздух, пропитать землю водой на метры, пролить траву, а лучше — срыть ее вместе с корнями.

Нужен дождь. Или естественный, или, действительно, с вертолетов. Чтоб миллиарды капель падали-падали-падали.

«За Шахтеров горит!» — раздался крик.

Михаил, Алина, Андрей бросились в машину. Нужно было отстаивать дом Шаталовых. Избу из кедрача, свиней, баню, маринованные маслята.

* * *

Сейчас бы минуту постоять у того жара. Минуты хватило бы, чтоб прогреться надолго...

Возвращаясь к отелю, Топкин заворачивал в каждый магазинчик по пути, кафешку, даже открытый подъезд.

Продолжало дуть, воздух заворачивался в спирали, проблески солнца прекратились, небо сделалось бледно-серым, потом сочно-серым. И полило.

— А в Париже — дождь. В Париже — дождь, — бубнил Топкин, стараясь хотя бы в воображении оказаться в том августе, когда наблюдал близкий пожар и просил, чтобы вода обрушилась на горящую степь. — А в Париже дождь, сука... Дождь.

Все снова стало мокрым. Волосы, куртка, джинсы на ляжках, руки, сигаретная пачка, ветки деревьев, провода, торчащие из стен вывески, с которых на макушку плюхались обжигающе-ледяные капитошки.

Редкие прохожие двигались быстро, ссутулившись. Ясно было, что из теплых жилищ их выгнали неотложные дела. Гулять по такой погоде решаются только кретины.

— Угу, угу, — соглашался с собой Топкин. — Одного я очень хорошо знаю.

Снова хотелось есть. Да и выпить. Утреннее отвращение к алкоголю сменилось уверенностью: необходимо проглотить сто граммов крепкого, и ты преобразишься, наполнишься теплом, сделаешься легким и быстрым. И останешься таким навсегда.

Узнал ту улицу, на которой находился погребок, где так хорошо посидел то ли вчера, то ли позавчера. Прошел уже или нет? Остановился, огляделся, задумался... Порыв дождевого ветра заставил очнуться. И Топкин разозлился на себя: мало ли по дороге ресторанчиков, зачем стоять здесь истуканом и еще больше мокнуть?

Погребок обнаружил, как и в прошлый раз, по вкусному запаху жареного мяса.

— Спецом, что ли, вытяжку сюда вывели, чтоб заманивать... Ловко...

И с этим бормотанием спустился внутрь, трясясь уже не столько от холода, сколько от нетерпения съесть горячего и жирного, влить в себя жгучего.

— Бонжу-ур! — встретило из-за стойки протяжно-сладенькое, противное — и следом то, от чего стало хорошо до слез: — Привет! Милости прошу!

Это дядька-хозяин узнал его, и Топкин заулыбался в ответ, принялся кивать, как старому приятелю, с удовольствием отвечая:

— Привет, привет!

— Промок? — спросил дядька.

— Да вообще... Дождь вообще...

— Пого-ода... М-м... Непогода!

Дядька вышел из-за стойки, провел Топкина к туалету, показал на аппарат с бумажными полотенцами.

— Спасибо, — говорил Топкин, ощущая себя слабаком, обретшим защитника, — большое спасибо.

Приведя себя в относительный порядок, уселся за тем же столом, где сидел в прошлый раз. Заказал две порции кальвадоса, которые оказались примерно ста граммами, томатный суп, «буф бургиньон» (какая-то говядина) и картофельное пюре.

Хозяин погребка выслушал выбор с вежливой, но не очень довольной улыбкой. Потом сказал осторожно:

— Кальвадос надо камамбер, ливаро. Сыр... Вкус! — и сочно причмокнул.

— В смысле лучше закусывать камамбером?

— Да, да!

— Давайте камамбер. Доверяю вам. Я-то так, турист.

— Турист? Хорошо!

Не то чтобы Топкину хотелось сыра — от воспоминаний о том вонючем, в номере, мутило, — но приятно было участие, совет, хотелось поговорить с живым человеком, тем более на каком-никаком, но русском языке.

— Турист, из Сибири, — горделиво уточнил.

— О, хорошо-о...

Тянуло еще пожаловаться на дождь, из-за которого он до сих пор не ощутил, что Париж — лучший город на свете, а Елисейские Поля, на которых он побывал сегодня, — лучшая улица этого города.

Для жалоб понадобятся довольно сложные словесные конструкции, дядька вряд ли их поймет. И Топкин стал молча ждать, когда ему принесут выпить и поесть.

Зал был пуст. Создавалось впечатление, что посетители вообще здесь редкость. Может, по вечерам или летом... Но улица узкая, неприметная, а всяких других кабачков вокруг немало. Народ сюда вряд ли когда ломится.

А ведь вполне приличное место, и еда свежая — своя кухня. Не микроволновка, чтоб разогревать привезенное с какой-нибудь кулинарной фабрики... Дядька не унылый, не похож на банкрота.

У нас бы он наверняка давно разорился с такой выручкой: по одной коммуналке задолжал столько, что хоть в тюрьму садись.

В Кызыле чехардища с точками общепита — дай боже. Только привыкнешь — бац! — и нету. И такое было практически со всем — с магазинами, пекарнями, молокозаводами, птицефабрикой... Исчезало в основном процветавшее.

Вот, например, собранная Топкиным по статьям в газетах, постам в интернете, рассказам знакомых история с лучшим, кажется, в советское время совхозом «Пламя революции» в селе Балгазын, рядом с тем бором, где он набрал гору маслят.

Руководил совхозом Иван Буев, Герой Соцтруда. В девяностые сохранил хозяйство, не подчинялся требованиям раздать технику, порезать землю. А в начале нулевых совхоз стал подниматься. Для надежности его переоформили в государственное унитарное предприятие и назвали очень солидно — ГУП «Балгазын» имени Сергея Кужугетовича Шойгу. «На Шойгу-то бандюганы не замахнутся», — успокаивали себя работники.

Трудились на совесть. Стадо коров росло; пашни, покосы расширялись. А потом, после очередной проверки, странной, напоминавшей тюремный шмон, оказалось, что «Балгазын» должен пятнадцать миллионов рублей. И что теперь он не ГУП, а СПК — сельскохозяйственный производственный кооператив. А какие права у кооператива — отстегивать и отстегивать направо и налево.

Буев исчез из села. Местные думали, что сбежал за Саяны, поговаривали, что его даже убили; мол, есть на самом верху республиканской власти те, кто его ненавидит еще с лихих девяностых. И это было вроде бы правдой: Буев ссорился с правительством, критиковал указы и постановления, не выполнял абсурдные приказы.

Но через некоторое время бывший директор «Балгазына» объявился в Кызыле — стал депутатом Хурала от «Партии жизни», нещадно ругал «Единую Россию», а спустя несколько месяцев, после смены главы республики, став членом этой самой «Единой России», был назначен заместителем председателя правительства Тувы. Отвечал за агропромышленный комплекс.

И тут накинулся на свой бывший совхоз, а точнее, на своего преемника Деценко. Приезжал в Балгазын, призывал раздать все по паям или продать «опытным хозяевам». «В таком виде, — басил со сцены Дома культуры, — кооператив обречен на гибель».

Из отца родного Буев сделался для местных врагом. Вспомнили, что оп сын раскулаченных и сосланных, а «кулачество — это в крови, это неистребимо, рано или поздно вылазит»; пошли слухи, что и Герой Соцтруда-то липовый: его награда из запасов Сажи Умалатовой, которая раздавала их всем подряд после распада СССР. И дочь Буева Олесю обсудили: несколько лет назад по состоянию здоровья она была уволена из Управления исполнения наказаний, а потом, когда ее отец стал депутатом, вдруг «выздоровела» и, перешагнув несколько ступенек служебной лестницы, заняла полковничью должность начальника медико-санитарной части МВД.

Больше года балгазынцы сопротивлялись наездам Буева, отстаивали Деценко, работали почти бесплатно, чтоб вытащить хозяйство из долгов, но в конце концов сдались. Не сдались даже, а... В общем, открылось: Деценко продал двести телок-нетелей. Людей возмутила эта новость: кооператив лишился не только значительной части поголовья, но и будущего приплода, и признание Деценко — «меня заставил Минсельхоз» — его не оправдало. Он стал врагом тоже.

В «Балгазын» имени Шойгу прибыл новый директор. По фамилии Кузнецов. Прибыл не из республики, а из далекой Тульской области, чтобы, как объяснил представлявший его министр сельского хозяйства, тоже новый — не тот, что велел Деценко продать нетелей, — «ни у кого подозрений не возникало, что он нечестный человек». Люди поусмехались этим словам и продолжили работать.

Кузнецов вроде старался, руководство республики вроде помогало. Гасились кредиты, сокращались долги по зарплате, за электричество, солярку, уголь...

«Поднимемся, — зазвучали облегченные выдохи, — станем, как раньше, как при "Пламени революции", богатыми и знатными».

Но тут нагрянула очередная проверка, и выяснилось, что хозяйство не перешло на единый сельхозналог. Налоговая инспекция насчитала штраф —

три миллиона семьсот тысяч рублей, а затем «Балгазыну» рекомендовали начать процедуру банкротства.

Министерство обещало помочь, но помощи не дождались. Явилось решение арбитражного суда ввести внешнее управление «Балгазыном».

Кузнецов удивил местных своим упрямством. Боролся за хозяйство, будто здесь вырос, все это сам создавал... Ему поугрожали, с ним попытались договориться, а потом распоряжением администрации Балгазынского сумона — сельского поселения по-русски — уволили. Хотя никакого отношения сумон к кооперативу не имел.

Кузнецов не признал увольнения, и тогда было объявлено через СМИ об утере печати и уставных документов. Демонстрация печати и документов Кузнецовым и его соратниками не произвела на начальство никакого впечатления. СПК «Балгазын» был ликвидирован, а на его месте после молниеносного разворовывания большей части добра появилось ООО «Тувахолдинг». А Кузнецов основал МУУП (муниципальное унитарное предприятие) «Балгазын» и стал выращивать зерновые и бобовые. Но оба эти хозяйства ни в какое сравнение с «Пламенем революции» и «Балгазыном» имени Шойгу не шли. Огарки на пепелище...

А в две тысячи десятом начались неприятности у семьи Шаталовых, которые в итоге разрушили семью Топкина. Лишили его сына.

* * *

Томатный суп оказался холодным и пресным, без мяса, говядина — какой-то сладковатой. А вот сыр с кальвадосом порадовали организм. Топкин взбодрился, в голове согрелось, прояснилось. И в то же время навалилась приятная истома, какая бывает во время застолий.

Хотелось поговорить с хозяином — пусть о какой-нибудь ерунде — или рассказать, что жена с сыном уехали в другой конец страны, а он не может к ним: не может бросить город, в котором вырос. А почему не может — сам не знает... Дядька наверняка ничего не поймет, но какая, в сущности, разница. Будет отзываться известными ему русскими словами, сочувствующе мычать, угадывая по интонации настроение клиента.

Может, они вместе выпьют по маленькой стопочке кальвадоса или этого беспонтового кира. Главное даже не выпить, а чокнуться, услышать звяк стекла и выдохнуть — «за все хорошее».

Уже приподнялся, чтоб подойти к стойке и предложить, и тут дверь с легким звоном колокольчика открылась, кто-то затопал, зашуршал одеждой.

— Бонжу-ур! — встретил их голос дядьки. — О, салют, синьоре!

— Салют, салют! — запищали тонкие, но немолодые женские голоса.

Топкин оглянулся. Хозяин уже помогал посетительницам снимать их плащи и приговаривал:

— Бонжорно... бонжорно, синьоре...

Топкин почувствовал какую-то женскую ревность, удивился этому своему чувству, испугался и грубо выкрикнул:

— Кальвадос! Две порции! Дабле кальвадос!

— Уи-уи, минуту, — обернулся к нему дядька и снова стал что-то объяснять женщинам. Кажется, на итальянском.

«Полиглот», — усмехнулся Топкин; подумалось, что в этом есть что-то от проституции — подстраиваться под каждого, знать несколько фраз из десятка языков, чтобы показаться своим. Проститутки, по сути, делают то же.

Но и он подстраивался под первых двух жен, а в конце концов получалось, что живет, ведет себя не так, как бы хотелось им, как они считают правильным... У них же копилось недовольство, и, когда достигало какой-то критической массы, они уходили.

С Алиной он чувствовал себя свободно, вроде бы полностью ею управлял, а оказалось, что управляет она. Образ жизни ее и ее семьи здорово его засосал. Из городского комнатного мальчика он превратился в почти животновода, огородника, собирателя даров дикой природы.

Научился правильно, чтоб не болела спина, копать землю, аккуратно, чтоб не помять, не попортить недозревшее, рвать викторию, малину, смородину, грести гребком бруснику и клюкву, соскабливать петлей из проволоки мерзлую облепиху с веток, колотить деревянным молотом стволы кедра, чтоб от сотрясения оборвались и упали в мох шишки... Научился замешивать свиньям, кормить их и без отвращения выгребать их навоз; вытирать родившихся поросят, тыкать их рыльцами в соски, следить, чтоб свинья их не сожрала, не подавила...

Даже стал подумывать, а не уволиться ли из стекольщиков и не влиться ли в дело Шаталовых по полной программе. Еще хлопнешься с энного этажа, а тут — земля, животина, растения, вкусные обеды у тещи.

После появления сына тянуло быть дома, с семьей, на смену уходил как на каторгу. Даню он как-то сразу не просто полюбил, а принял сердцем: мой, мой маленький человек, мне нужно быть с ним. Может, и подсознательно старался сократить участие в воспитании Дани Алининых родителей, ее сестры: по многим вопросам Андрей был другого мнения и сам себе изумлялся — вот какой я настоящий родитель! На работе беспокоился за сына: все время казалось, что с ним делают что-то не то.

И когда уже готов был уволиться, у Шаталовых начались проблемы.

Сначала — легкие, такие почти случайные: то к матери Алины, то к женщине, которую они наняли для продажи мяса, стали подходить и интересоваться, откуда свининка, что за хозяйство, почему они так часто стоят за прилавком — дескать, свое ли, не перекупщики ли. Мать Алины и женщина-торговка гордо отвечали: нет, не перекупщики, называли, где выращивают свиней, чем кормят. «Все свое, натуральное, без этих антибиотиков».

И однажды к старшим Шаталовым пожаловали интеллигентные тонкие юноши на белой приземистой «японке».

«Мы за вами не первый год наблюдаем. Дело мощно поставлено, признаём. Целый свинокомплекс неучтенный. Корма ворованные покупаете, налоги не платите. Так что давайте решать: или отчисляете нам проценты — мы согласны на двадцать, — или будете иметь дело с государством. А теперь ведь не девяностые — государство научилось деньги считать и за соблюдением законов следит».

Георгий Анатольевич, не задумываясь, послал их на три буквы, ребята сочувствующе пожали плечами и уехали. А дня через два загорелся забор уже у Михаила. Пожар был несильный и неопасный — постройки находились в стороне, но это был явно поджог: рядом валялась пластиковая бутылка, воняющая бензином. Видимо, таким способом юноши дали понять, что знают не только про свинарники в Каа-Хеме, но и здесь, у сына.

Обращаться в милицию не стали — «что толку?» — и, видимо, зря.

Еще дня через три-четыре Георгия Анатольевича подкараулили на рынке, когда он привез мясо и ждал возле лаборатории разрешение на торговлю.

«Ну как, не передумали?»

Тот снова послал и пригрозил поднять казаков, чтоб разобрались. Ребята спокойно ушли, а Георгий Анатольевич стал звонить Андрею:

«Слушай, ты говорил, у тебя приятель есть — в ФСБ пост занимает, — и рассказал о наездах. — Пусть припугнет шелупонь».

Андрей помучился — обращаться к Игорю Валееву с таким, как он считал тогда, пустяком было неловко — и позвонил. Договорились встретиться: по телефону даже заикаться о подобных вещах Игорь давным-давно запретил.

Встретились на центральной площади, поговорили под шум фонтана, будто штирлицы.

«А какие парни — русские или тувинцы?»

«Тесть говорит, и те и те».

«Хреновато».

«Почему?»

«С этническими легче. А эти... Ладно, посмотрим. Как только еще раз наедут — звони мне, а тестю скажи, чтоб постарался их подержать. Ну не силой, понятно. Условия обсуждать начните, то-сё. Мы подъедем, потолкуем. Давай фразу выберем, какую ты мне скажешь...»

«Пароль типа?» — усмехнулся Андрей.

«Ну да... Это не шутки. Нас пасут дай боже... Короче... — Игорь подумал. — Фраза такая: "Одноклассники собрались". Запомнишь?»

Но ребята больше не наезжали. Вместо них примерно через месяц к Михаилу постучалась милиция и какой-то человек в темно-красной форме. Михаил поступил, наверное, неправильно — не пустил за калитку.

«Частная собственность. Не имеете права».

Человек в темно-красной форме вздохнул утомленно:

«У нас сведения, что вы занимаетесь незаконной предпринимательской деятельностью, которая может повлиять на санитарное благополучие ваших соседей».

«Это каким же образом?»

«В плане ветеринарной опасности, допустим... Позволите пройти?»

«Не позволю. Есть ордер на обыск?»

Милиционеры стояли истуканами, а человек в темно-красной форме снова вздохнул, но теперь не утомленно, а с угрозой:

«Будет, все будет».

Может, тогда еще было не поздно договориться, обсудить, упросить снизить проценты... А Михаил, получилось, спустил с лестницы представителей власти. Обидел.

С тех пор за Шаталовых взялись всерьез. И не только за них. Быстро вышли на работника мелькомбината, который продавал комбикорм налево, выяснили, кому продавал, сколько. Завели против него уголовное дело. Шаталовых донимал санэпидем, или, как его теперь называли, Роспотребнадзор, чей представитель приходил тогда с милиционерами.

Игорь Валеев осторожно, чтобы к нему не возникало подозрений, прощупал ситуацию и сказал Андрею у того же фонтана:

«В общем-то, все по закону. Жалко, что твоя родня попала, но замять не получится. Надо было тогда с теми чуваками договариваться. Или мне сразу сообщить. А теперь они государство натравили, — и посоветовал порезать свиней, продать мясо, лучше за пределами республики. — Не будет предмета для наезда — наверняка отстанут. Хотя могут и добить, если сильно разозлились».

Георгий Анатольевич вскинулся, когда Андрей передал ему эти слова.

«Это подсобное хозяйство! Большое, да, но внутри наших оград. Кого касается? — Тесть бешеными глазами уставился на Андрея. — А?»

«Ну вот, коснулось. — Андрей заразился бешенством. — Надо было раньше все законно делать. Такое количество держать — рано или поздно должны были наехать».

«Если законно — нас бы сразу задавили».

Георгий Анатольевич постепенно успокоился, созвал семейный совет.

Осень только начиналась, колоть такое количество свиней за раз было нереально. Где хранить? Как переправить такую гору за Саяны?

Договорились с частником, у которого был рефрижератор, вывезти мясо; нашли другого частника, согласившегося сдать в аренду на неделю две большие морозильные камеры.

Михаил смотался в Абакан и уговорил знакомого торговца мясом приютить временно их туши. Переговорил с тамошней мясной мафией, чтобы пустили их на рынок, — «безвыходное положение, мужики, надо срочно свернуться».

Да, вроде бы нашли пути более или менее приемлемого выхода из ситуации. Стали готовиться к забою. Без малого сотня свиней — не шутка... Андрей ломал голову, как бы отвертеться от участия: боялся, что крезанётся от ручьев крови, гор внутренностей, от запаха паленой шерсти.

И тут к Михаилу прибыла ветеринарная служба с известием, что в городе обнаружены очаги свиной чумы и все свиньи, оказавшиеся в зоне риска, подлежат уничтожению.

«У нас не зона риска — все живы-здоровы. До свидания», — по своему обыкновению жестко отрезал Михаил.

«Нет, не до свидания».

Михаил рявкнул и стал закрывать калитку.

Но документы, милиция и даже два омоновца с автоматами оказались сильнее Михаиловой глотки. Визжащих свиней выволакивали из стаек и бросали в кузов грузовика с высокими бортами.

«Стреляйте здесь! — орал Михаил. — Здесь, чтоб я видел!»

Ему без всяких эмоций, делово отвечали:

«Уничтожение производится бескровным способом на полигоне, возле рва. Затем предусмотрено сожжение и закапывание».

Михаил хотел было поехать за грузовиком, чтоб убедиться, что свиней действительно убьют. Его задержали:

«Необходимо оформить бумаги. Ознакомьтесь с постановлением. Потом ведь сами будете говорить, что незаконно... Подпишите вот здесь, здесь, здесь...»

Пока Михаил отказывался подписывать, пока доказывал, что постановление — филькина грамота, грузовик уехал. А тут как раз позвонила мать и, рыдая, сообщила, что свиней забирают и у них. Михаил осел на землю...

Как потом выяснилось, то же самое произошло и с несколькими соседями Шаталовых. Но у тех было по одной-две. Скорее всего, соседи пострадали для создания видимости хоть какого-то правдоподобия угрозы этой самой чумы. В местном интернете появились короткие сообщения о ликвидации ее очагов.

Кое-как оправившись от потрясения, очнувшись от шока, Шаталовы стали требовать компенсации.

На первых порах в разнообразных кабинетах их требования поддержали:

«Конечно, конечно! Компенсация предусмотрена... Так, сколько голов?»

«Вот, тут написано — девяносто шесть».

«Ой-ё-ёй, жалко-то как!.. А общий вес?»

«Да кто их взвешивал... Все в такой спешке произошло. С автоматами...»

«Так, так... Но нужен общий вес. Исходя из него, и начисляется сумма компенсации».

Шаталовы начинали кипятиться:

«Мы же говорим — не давали нам ни взвешивать, ничего. Просто вытаскивали свиней и кидали в машину... Было четыре племенных хряка, одиннадцать маток и остальные февральские, мартовские — на убой. Каждая уж не меньше ста килограммов».

«Ну как теперь наверняка скажешь, — вздыхали кабинетные. — Это, конечно, нарушение. Будем разбираться».

Разбирались медленно. Так медленно, что постепенно желание бороться за справедливость и деньги у Шаталовых стало слабеть. Тем более что у разбиравшихся появлялось все больше вопросов к ним. И постепенно из пострадавших Шаталовы превращались в виновников: отсутствие ветеринарных документов, антисанитария, сомнительный корм...

Андрей в те месяцы редко бывал в Каа-Хеме и у Михаила. Атмосфера в их домах царила очень тяжелая, а распахнутые, обрызганные какой-то вонючей жидкостью темные и пустые стайки наводили такую тоску, что хотелось скулить.

Зато с работой у него становилось лучше и лучше. Валом шли заказы, подрастала зарплата. Хотелось спокойного отдыха после смены, веселья в выходные, а тут грустная Алина, одного взгляда на которую хватало, чтоб вспомнить о беде, постигшей ее семью.

Сначала он надеялся, что Шаталовы возобновят разведение свиней. Конечно, не в тех масштабах, что прежде, но все же. Вернутся к делу, которым занимались многие годы, и боль постепенно пройдет. Но вместо этого они стали планировать переезд.

Еще в советское время, до начала напряженности в Туве, семья двоюродного брата Алининой матери уехала в Воронежскую область, создала мощное фермерское хозяйство и вот уже больше двадцати лет считалась довольно состоятельной. Наверное, эта стабильность и подкупила Шаталовых: если родственники не разорились в девяностые, ведя легальное дело, то уж наверняка закрепились в тех краях прочно.

Начались долгие переговоры с воронежскими, неспешная, зато основательная подготовка к оставлению родины. Малой, исторической... Да нет, «родина» на самом деле не нуждается в прилагательном. Родина — пятачок земли, где обрел сознание, стал понимать, что ты есть и что ты живешь вот здесь, на этом пятачке. Если потом не меняешь пятачок, то все сильнее врастаешь в этот. Бывает, врастаешь так, что не можешь себя выдернуть, хотя понимаешь, что выдернуть необходимо — необходимо переместиться.

Был момент, когда Андрей изо всех сил убеждал себя, что нужно уехать. Или вместе с Шаталовыми в неведомый городок Бобров, или к своим родителям в Тарту, или предложить Алине еще что-нибудь. Говорил себе: «Это не твоя родина, ты родился не здесь, ничего дорогого у тебя здесь нет. Что было — давно потеряно. Продавай квартирёшку, дели с Ольгой деньги, бери сына, жену, пару чемоданов и сваливай».

Убеждал, убеждал и не мог убедить. И не смог.

* * *

Добрался до отеля буквально по стенке. У дверей собрался и вошел твердо, прошагал до лифта, демонстративно не отреагировав на непременный и бесящий «бонжу-ур», и в лифте снова ослаб, раскис. Кое-как, подтягиваясь руками по перилам, затащил себя на мансарду, вынул ключ с гирькой-брелоком, открыл дверь и рухнул на кровать.

Лежал, удивляясь, что мозг-то работает нормально, а тело пьяное и немощное. Так бывало в ранней юности во время первых выпивок. Нет, по-другому: тело все-таки оставалось довольно крепким, но не слушалось мозга, совершало не те движения, а тут оно просто обмякло, будто его выдавили.

«Сколько дней я бухаю? — попытался определить. — Четыре, пять?.. Сколько осталось еще быть здесь?»

Продолжая лежать ничком, с великим усилием заставил правую руку шевелиться. Согнал в нее все оставшиеся крупицы энергии.

Рука поползла по карманам, отыскивая телефон. Попадались бумажки, монетки, какие-то измятые салфетки... Во внутреннем кармане куртки нашла телефон, потащила наружу.

Топкин порадовался, что не потерял его, и тут же испугался, что рука нигде не обнаружила паспорта. Испуг мгновенно перерос в ужас, а спустя еще мгновение ужас сменился великим облегчением, почти физической невесомостью: вспомнил, что спрятал загран на дно сумки.

Приоткрыл глаза и сразу увидел сумку, стоящую под столом.

— Слава богу...

Приказывал себе спать и одновременно усмехался: то же самое ты делал и вчера, позавчера. И толку?..

Несколько минут в горизонтальном положении вернули частичку сил, и Топкин сумел стянуть ботинки, куртку, лег удобнее. Нажал кнопку на телефоне; экранчик осветился.

Проверил, были ли звонки, эсэмэс... Нет, ничего. Никому он не нужен... Никому больше не нужен.

В горле забулькали вполне искренние слезы, захотелось жалеть себя, брошенного, но тут появилась надпись: «Батарея разряжена на 95%. Срочно подключитесь к внешнему источнику питания».

Топкин погасил экранчик, положил телефон на тумбочку, пообещал:

— Подключусь. Посплю и подключусь.

Зажмурился крепко-крепко, потом расслабил веки и медленно, трудно, цепляясь, как машина поддоном за кочки, выпирающие корни на таежном проселке, за ломоту, сушняк, колотье в висках, пополз на воспоминаниях в сон.

Поначалу вспоминалось, как часто бывало, хорошее, рождавшее сладковатую, нераздражающую грусть. Топкин видел себя играющим с маленьким сыном, учащим его ходить, читающим на ночь сказки и стишки. А потом появилось обозленно-сухое лицо жены. Таким оно сделалось, когда Андрей стал сопротивляться переезду.

На дома Шаталовых в Каа-Хеме и Кызыле нашлись покупатели; цены, пусть и не слишком большие, но и не те гроши, за которые сбрасывали недвижимость перепуганные некоренные в начале девяностых, их устроили. Контейнер с вещами и самой ценной мебелью ушел в Бобров, кое-что было распродано, кое-что роздано соседям и старшей дочери Надежде. Алине и Андрею ничего не предлагали, уверенные, что они вот-вот тоже покинут Туву.

Наступил последний день Шаталовых здесь. Ехать решили на своих машинах: «Дней за пять-шесть доберемся. Теперь многие рассекают из края в край. Вот заодно и страну увидим».

Собрались в пустой каа-хемской избе посидеть на дорогу.

Это было похоже на похороны. Вернее, на то, когда живые вернулись с кладбища в дом похороненного. Важного, главного, который управлял, советовал, опекал. И вот они, живые и осиротевшие, сидят в тишине. Гнетущей и вязкой...

Когда молчание стало совсем невыносимым и Андрею показалось, что сейчас кто-нибудь грянется на пол без сознания, Георгий Анатольевич заговорил. Что новые хозяева, хоть и тувинцы, но в огородничестве понимают, бережливые, такие дом блюсти будут, беречь... За словами слышалось оправдание — мол, продали избу не абы кому. Словно просил ее не сердиться.

Жена кивала на каждую фразу как-то украдкой, хотя все видели, вытирала платком текущие по морщинам слезы. Они текли как бы сами собой, без всхлипов и рыданий.

«Ну что ж... — Георгий Анатольевич медленно и осторожно, будто у него на плечах лежал мешок с цементом, поднялся с деревянного ящика из-под бутылок, который служил в последние дни табуреткой. — Пора-а».

Протянул связку ключей Надежде — она должна была передать их новым хозяевам.

«Может, и ты своего уговоришь, — добавил, глядя на старшую дочь почти с мольбой. — Вместе надо держаться, одной семьей. Вместе не пропадем».

Она странно пошевелила головой — то ли покивала утвердительно, то ли покачала с сомнением. Ее муж пока не хотел переезжать. У него был крошечный бизнес, приносивший почти не ощутимый доход. Что-то со шкурами связано. Но куда больше денег он ценил уважение окружающих, сеть знакомств, связей. Его любимыми словами были: «Да меня тут все знают!» Правда, когда возникала нужда воспользоваться связями для серьезных дел, оказывалось, что они не такие уж мощные. Просто наверняка очень боялся в свой почти полтинник оказаться в новом, незнакомом мире.

«Ну а вас ждем как можно скорее, — приобняв Алину, Георгий Анатольевич посмотрел на Андрея все с той же мольбой. — Давайте решайте с квартирой — и к нам».

«Посмотрим, — сказал Андрей, — как сложится».

«Что значит "сложится"?»

До истории со свиньями он побаивался перечить тестю. Георгий Анатольевич казался ему каменным, несокрушимым. Но оказалось, что и такого человека можно сломать, а его каменность непрочна — этакий песчаник, а не гранит.

И сейчас Андрей не смолчал, ответил довольно уверенно:

«С деньгами стало лучше — зарплата растет. К столетию заказы пошли. Да и квартиру жалко».

«Сегодня есть заказы, — перебил тесть, — а завтра кончатся. И на мели опять. А там ферму свою сколотим. Землю нам дали, условия все... И главное — земля русская, наша, исконная. Мы думали, она здесь наша, а вот как... Ткнули, поставили на место».

«Ну вас же не тувинцы разорили».

«Не тувинцы... Не только тувинцы... Но тут — тут! — ничего не добьешься. Тут свое все, другое. Не наше! Понятно? И все сильней не нашим становится. Азия тут, азиатчина! И ничего мы за сто лет изменить не смогли».

Андрей поймал на себе один, другой, третий враждебные взгляды. Тещи, Михаила, его жены, их детей, Алины, даже четырехлетнего Даньки.

«Мы приедем, папа, не волнуйся, — залепетала Алина. — Обязательно приедем. Разгребемся и сразу приедем».

С того дня и началась для Андрея не жизнь, а тихая, изводящая мука.

Жена не устраивала ему сцен, не пускалась в монологи о переезде, но постоянно, упорно сверлила мозг: нужно уезжать, пора уезжать. Не в лоб, а косвенно.

Она часто меняла места работы, жалуясь, что даже русские хозяева магазинов предпочитают тувинок, которым можно меньше платить; забрала сына из садика, когда услышала — или ей показалось, что услышала, — в его речи тувинский акцент. «А что удивительного, — говорила с нервной веселостью, — у них там всего трое русских детей из тридцати». Раздражалась на звучащую повсюду тувинскую попсу и тувинский рэп; то и дело сообщала, что чаще слышит «эки», чем «здравствуйте»; после телефонных разговоров с родителями передавала, как они там хорошо устроились и проблема у них лишь в одном — не хватает рук, чтоб наладить действительно прекрасную жизнь...

Особенно сильно жена стала наседать после поездки туда. Не особенно живописно — говорить она по-прежнему не была мастерица — рассказывала, какой Бобров старинный, уютный да красивый, какая богатая рыбой река Битюг, что течет буквально в сотне метров от домов родителей и Михаила, какой хороший Воронеж, сколько там молодежи, уличных кафе, а главная улица — «совсем как в Париже».

«А ты в Париже была? — не выдержал Андрей. — Я и не знал».

«В фильмах видела и картины этого... Клода Моне. И не надо ёрничать. Не надо! — В голосе Алины послышались нотки классической недовольной супруги, этакий командирский тон. — Решать надо, а не ёрничать. У нас сын растет. Кем он здесь вырастет?»

Андрей вгляделся в нее и увидел, что это уже не та послушная, простоватая до глуповатости девушка-телочка, какой была лет шесть назад, представлялась ему по инерции еще вчера. Через год-другой она наверняка превратится в тетку, держащую мужа мертвой хваткой. Не пикнуть. «Да на фига мне это надо!» — не мозгом, а как-то нутром, что ли, подумал Андрей. И, может, из-за страха такого будущего отпустил ее с сыном без большого сопротивления.

Но, в общем, отпустил-то не насовсем: и он, и жена считали, а вернее, убеждали себя, что Алина и Даня отправляются устраиваться, а Андрей приедет немного позже.

Заказали контейнер. Алина настаивала, что увезти нужно все, в том числе и то, что было в квартире до нее. Не из жадности, а чтобы Андрею потом было легче. Пришлось отдать стенку, которую они покупали с Ольгой на новоселье, кресло, часть кухонной обстановки... Алина забрала книжки и игрушки Дани, оставив несколько сломанных, всю свою одежду. Было ясно — сюда она возвращаться больше не намерена.

* * *

То гадостное состояние, когда организм требует сна, а спать не получается... Нет, ты засыпаешь, но как-то мелко, постоянно возвращаясь, выныривая, но одновременно оставаясь опутанным дремотной одурью. В таком состоянии теряешь ход времени — может, оно продолжается час, а может, пять часов. Свежести эти ныряния и выныривания не приносили, наоборот...

Топкин поворачивался на кровати то так, то так, то сбрасывал одеяло, то кутался в него.

— День сурка какой-то...

Наконец поднялся, постоял, глядя в огнистые сумерки за окном. Не шатало, не было того истощения, в каком почти приполз в номер, но и бодрости тоже.

Включил свет, телевизор. Выкурил полсигареты в туалете. Почистил зубы, умылся.

Вот бы хлопнуть чашку крепкого чая и... И что? И погулять. Хоть где.

Куртка, туфли были сухими и теплыми.

— Хорошо. Хорошо-о, — старался расшевелить себя Топкин. — Все хорошо.

Вернулся в туалет, сунул руку в тут же засифонившую щель окна в потолке. Воздух ломился сырой, но вроде не капало.

— Хорошо, хорошо...

Нашептывая одно это слово, собрался, вышел. Замкнул дверь, ключ положил в карман джинсов. Каждое движение и действие отмечал и старался запомнить... Гирька-брелок тянула вниз, но сдавать ключ не хотелось. От общения с портье, или как их там, заранее мутило.

— Бонжу-ур, — конечно, прозвучало, и Топкин мыкнул в ответ нечто похожее.

Совсем уж бирюком выглядеть не стоит: еще подумают, что террорист, полиция примчится.

Да, дождя не было. Не ринулись на него обжигающие дробинки, и ветер не налетел. Но влажность осела на всем, пропитала воздух до состояния почти воды. Асфальт блестел как лед.

Топкин закурил, пошагал в том направлении, где находился Сакре-Кёр. Нужно было в конце концов дойти до него.

— Лувр худо-бедно увидел, Елисейские Поля — тоже. Завтра надо до Сены дойти. Орсе... Тулуз-Лотрека увидеть, «Происхождение мира». А сейчас — Сакре-Кёр...

Судя по всему, был вечер, хотя при той путанице, в которой жил здесь Топкин, он не был в этом уверен. Может, и раннее утро. Хотел уточнить, но быстро обнаружил, что забыл телефон в отеле. Потом вспомнил, что телефон разряжен.

Без телефона и паспорта в кармане стало жутковато — будто оказался в другом измерении.

Торопливо вышел на довольно широкую улицу. Здесь встречались прохожие, проезжали машины. Горели, грели своим светом витрины магазинов. Сделалось поспокойнее.

Огляделся и обнаружил купола Сакре-Кёр далеко слева. Удивился: ему представлялось, что они будут прямо перед ним.

— На парижских изогнутых у-улицах, — пропел Топкин на мотив песни «Монгол Шуудан».

В ту осень прошлого, две тысячи тринадцатого, после отъезда Алины и сына он слушал много музыки. Когда был дома, она звучала постоянно. Просто не мог переносить тишину, да и — только тогда обнаружил — не слушал ничего толком все эти годы жизни с Алиной. Такого у них не бывало, чтобы сидеть, обнявшись, на диване и плыть, плыть под «Депеш Мод» или бесконечно падать под «Нирвану».

Часто стал заходить Пашка Бобровский. Худющий, без переднего зуба в нижней челюсти, щуплый и жалкий. От него жена Вероника — Ничка — уехала еще года два назад. Конечно, с детьми. Отправилась так же — обустраиваться на новом месте и ждать мужа. А муж продолжал торчать здесь.

Приходил всегда неожиданно, не позвонив, и изумленно радовался открывшему дверь Андрею:

«О, привет! Ты здесь?»

Раздевшись, доставал кропалик гаша, мельчил его твердыми, напоминающими щипцы ногтями, забивал папиросу.

Курили на балконе, опустившись на корточки. Молча.

Потом сидели в большой комнате, полупустой, неуютной, слушали что-нибудь из своей юности и вспоминали школу, девчонок, как брейковали, героическую поездку в ДК «Колос», поход на единственный сеанс фильма «Волшебство. "Куин" в Будапеште» в «Найырале».

«Людей-то в зале было — ты, я, Игорек, Белый и еще человек пять. Придурки, не сходить на такое...»

«Зато как мы оттянулись перед экраном. Как на настоящем концерте!»

Подробно и как-то смакуя грусть, перебирали, кто здесь, а кто нет, про кого что-то слышно, а кто исчез совершенно.

«Тут в выходные в Абакан надо было мотнуться, — томно от гашишного выхлопа растягивая слова, говорил Боб, — и знаешь, кого встретил?.. А?..»

Андрей морщился:

«Я откуда знаю... Кого?»

«Ленку Старостину. Такой тетей стала! Тумба конкретная. Даже испугался, что она могла быть сейчас женой моей... Скорей-скорей попрощался. На фиг, думаю... А на обратном пути в Шушенское завернул, к родителям Ольки твоей...»

«Моей?.. Не смеши... — Андрей потер лицо — дурь накрывала. — И как они?»

«Дядь Лёня болеет сильно. Хм, ты в курсе, он по интернету узнал, что его предки Ковецкие когда-то в девятнадцатом веке были в Минусинск из Польши высланы? И теперь хочет в Польшу уехать, переписывается там с кем-то... Себя теперь Леонардом называет, польский язык учит. Мне тоже говорил, чтоб покопал свои корни. Бобровские, говорит, древний дворянский род... Шляхтичи там... герб... Интернет всем мозги сплавил».

«Нет, — вяло не соглашался Андрей. — "Одноклассники" — классная вещь, да и другие соцсети... Скайп — вообще чудо, считаю... Хотя по нему человека доставать проще всего. Алинка звонит и начинает... Даню в экран тычет. По телефону легче все это выдержать».

«Моя тоже... Но уже плюнула, почти не общаемся. — Боб смотрел перед собой пристально, сосредоточенно — наверняка пробегал в памяти то ли всю свою жизнь, то ли ее кусок, тот, в котором была

Вероника, дети. — Ну и ладно, — отмахивался наконец, будто с кем-то спорил, — что ж... Я считаю, — находил глазами Андрея, — мы здесь с ней познакомились, здесь родились Жэка и Зойка, и значит, я прав, что остался. Слушай, что мне этот Ачинск? Был я в этом Ачинске... — Боб замолкал, и взгляд его в пространство снова становился пристальным, — теперь он, скорее всего, в воображении ходил по Ачинску. — Ну город. Обычный город. И что?.. Работу там предлагали — тоже кинологом в тюряге... Квартира там Ничкина, бабка ей завещала, потому и переехали... Но! — снова находил тяжелыми медными глазами Андрея. — Но мы с тобой толобайцы. Да! Мы можем их ненавидеть, бояться, считать за дикарей диких, но мы сами такие. Толобы! Понимаешь, сами! Мы нигде, кроме как тут, не сможем нормально жить, нам везде будет хреново. Не так... Чесаться будем... внутри у нас будет чесаться... И наши вернутся. Ничка, Алинка твоя. Вернутся, поверь. Поторчат там — и вернутся. Не выдержат чесанья этого... души... Прибегут».

«Прикинь, — отзывался Андрей невпопад, осененный открытием, — ты — Бобровский, а они уехали в Бобров. Офигеть, да?»

Пашка безысходно вздыхал:

«Очень глупый каламбур. Выпей чаю — гашик отпустит».

* * *

Вышел к какой-то станции метро и оказался в толчее. Вернее, затормозил на ее краю.

Парни арабской наружности перекрикивались, цепляли прохожих вопросами, что-то предлагали. Одни шарахались от них, другие вступали в разговор.

Это бурное оживление было так неожиданно после пустых, тихих улиц, что Топкин стал недоуменно наблюдать.

— Нравы и обычаи столицы мира, — пробормотал вполне серьезно.

Парни, как оказалось, пытались продать разные мелкие вещи: сигареты, что-то в пакетах, коробках. Предлагали товар страстно, исступленно. Создавалось ощущение, что, если сейчас у них не купят пачку «Кента», они расплачутся или вовсе упадут в приступе страшной боли.

Но при этом действовали некие правила: парни не хватали прохожих за рукава, не преграждали дорогу. Они стояли в основном за решеткой, отделяющей улицу от лестницы в метро, и тянули к спускающимся и поднимающимся свой товарец. Те же, кто был на тротуаре, семенили рядом с прохожим несколько метров, расхваливая пачки, коробочки и пакетики, и, если потенциальный покупатель не реагировал, отставали.

Увлеченный зрелищем, Топкин пропустил важную и мгновенную перемену. Парни вдруг стали исчезать, а на их месте возникли солдаты с автоматами. Они цапали всех подряд и одних по известным им приметам отпускали, а других уводили.

Один солдат, невысокий, но плотный, тоже напоминающий араба, схватил Топкина за плечо. Так крепко и надежно, что сразу, не дергаясь, стало ясно: вырваться не получится. И еще длинноствольный автомат перед глазами.

— Я русский, — пролепетал Топкин. — Турист... Руссо туристо!

Солдат вгляделся в него и разжал пальцы. Топкин пошел прочь, повторяя дрожащим голосом, предупреждая новое хватание:

— Я турист! Русский турист!

Через минуту ему уже было смешно и стыдно за это «руссо туристо», но в тот момент французские и английские слова забылись и пришла вот эта идиотская фраза из старой советской комедии, которую видел раз сто. Идиотская, но искренняя, и вот, получается, выручившая...

В последние месяцы он редко смотрел фильмы, слушал музыку. Все свободное время ловил новости по телику, радио, в интернете. Да и какие фильмы, музыка, когда тут такое — события, меняющие историю. Не у нас, но рядом, по соседству, на Украине... Хотя почему не у нас? И у нас!

Поначалу казалось, что ничего серьезного: несколько тысяч человек на одной из площадей Киева собрались и против чего-то протестуют. Андрей не особо и вникал в суть. Была уверенность: все закончится мелкими стычками с ментами, как в Москве в две тысячи одиннадцатом-двенадцатом. Может, кого-нибудь посадят. Сажают за слишком активный протест и у нас, и в Белоруссии, и в США с Европой.

И стычки с милицией в Киеве были, хлопали по спинам дубинки. Но вместо того чтобы испугаться, попрятаться по домам, люди превратили площадь в крепость. Ее штурмовали. Появились избитые, окровавленные, полетели в милицию бутылки с зажигательной смесью. Цепи, баррикады, черный дым от горящих покрышек, БТРы, первые трупы... Десятки убитых и раненых, пылающие здания в центре Киева.

И вот президент Украины, его министры бегут из страны. Новая власть. Один из первых законов, фактически запрещающий русский язык, принятый и тут же замороженный. Но уже поздно — Крым решает отделиться, о чем по радио «Эхо Москвы» захлебывающимся от восторга и тревоги голосом объявляет находящийся там писатель Сергей Шаргунов; по всему юго-востоку Украины митинги, захват или попытки захвата правительственных зданий. Российские флаги вместо украинских...

В маленький, мало кому известный Краматорск на Донбассе прибывают несколько десятков человек в камуфляже и масках. С оружием. Штурмуют городскую администрацию, отдел милиции. Слышна стрельба. «Это холостые, да?» — спрашивают из толпы.

Через сутки десятки вооруженных превращаются в сотни. Под контроль Донецкой, Луганской народных республик, которые провозглашены вместо областей, переходят город за городом, село за селом.

Киев посылает на них танки, но танки или гибнут, или переходят на сторону республик. Сначала крики «пидарасы!», а потом бои, кровь, горы трупов — да, горы в тесных моргах райцентров — с обеих сторон, реки беженцев. Одни реки — на восток, в Россию, другие — на запад, вглубь Украины...

Все это нереальное, будто снятое на американских киностудиях, но не в Голливуде, а на бедных, с плохим оборудованием и бесталанными актерами, происходило далеко от Андрея, но касалось его напрямую. Его не очень волновали споры о том, правильно ли мы забрали Крым, стоит или не стоит помогать Донбассу, нужно ли было бросать наш десант на Одессу, когда там сожгли людей, фашисты-бандеровцы ли пришли к власти в Киеве, или это наша пропаганда. Андрей боялся за сына, находящегося недалеко от войны, в граничащей с Украиной Воронежской области.

То, что Бобров — богом и чертом забытый городишко, ничего не значило. Славянск, Краматорск, Дебальцево тоже были такими городишками, а оказались линией фронта. Руины, убитые женщины в халатиках, дети с оторванными руками, трупы мужчин на огородах, сжимающие в руках поливальные шланги... Где гарантия, что завтра какой-нибудь Дмитрий Ярош не появится в Боброве и не перестреляет всех подряд?

Только удавалось себя успокоить, раздавался звонок жены: привезли людей из-под Луганска — смотреть больно... Михаил записался в ополчение, мама плачет... летают истребители, гул непереносимый... Михаил уехал в ЛНР... лето в разгаре, дел полно, рук не хватает... очень тревожно, у мамы сердечные приступы... Михаил звонит редко...

«Приезжай, — отвечал на это Андрей. — Возвращайтесь с Данькой».

«Нет! — Алина вскрикивала так, словно ее били. — Никогда! Только здесь я поняла, что такое родина, наш, русский, мир. Я не хочу быть дезертиром!»

«Каким, блин, дезертиром? Ты едешь туда, где родилась».

«Я не еду, — отрезала она и однажды заявила: — А если мой муж бросает меня и нашего сына в опасности, то зачем мне вообще такой муж?!»

Андрея оскорбили и удивили ее слова. Удивили, но не испугали:

«Значит, вы уехали, а я остался, и я вас бросил? Где логика хоть самая примитивная?»

«Логика такая: ты должен быть с нами. Иначе... — Алина осеклась, чтоб не произнести то, что убьет их семью. — Да, здесь опасность, а там — еще большая... Здесь мы можем погибнуть физически, а там... Там мы из русских превратимся в неизвестно кого... В этих самых...»

Андрей вспомнил слова Пашки Бобровского о толобайцах и не стал уточнять.

«В общем, так, — заканчивала Алина очередной разговор, — мы тебя очень ждем. И еще надеемся на тебя. Пока еще надеемся. Учти это, пожалуйста».

Андрей не учитывал. Вместо того чтобы ехать в Бобров, он стал оформлять пятидневный тур в Париж. И теперь боялся больше всего, что санкции и контрсанкции перекроют путь из России в Европу полностью и увидеть Париж не удастся. Но это была странная боязнь — боязнь, смешанная с желанием, чтоб это произошло.

А в самом конце лета, два месяца назад, Алина объявила, что подает на развод.

«Как знаешь», — просто сказал Андрей.

«Да? И... и это все? — Наверняка она надеялась, что муж начнет умолять не делать этого, поклянется в самое ближайшее время все здесь продать и примчаться к ним, а он... И, заикаясь, стала почти оправдываться: — Я никого... я никого здесь не встретила... не изменила... Но мне надоело тебя уговаривать... ждать... Я... я непонятно кто... уже год почти непонятно кто...»

Андрей встрял в ее рваный лепет спокойным сухим голосом:

«Да, я виноват. Разводись. Я все подпишу, со всем согласен».

Они разговаривали по телефону: Андрей врал, что скайп у него не работает.

«Не ожидала, — после паузы, придя в себя, глухо ответила жена. — И тебе не жалко Даню?»

«Жалко. Очень жалко... Возвращайтесь, будем жить как раньше. У меня работы завались, деньги приличные получаю. Ну сама можешь судить по переводам... А туда я не перееду. Я буду жить здесь».

«А мы — не будем! Понятно?» — И, не дав Андрею ответить, отключила телефон. Мертвая тишина в трубке...

С работой действительно было нормально. В бригаде прекратилась текучка. Действовали слаженно, быстро, без косяков и брака.

Андрей совсем перестал обращать внимание на высоту и сам понимал, что это опасно — потерять здоровый страх. Вернуло его чепэ, чуть не ставшее настоящей бедой.

Меняли на втором этаже старые деревянные рамы на стеклопакеты, и молодой парень Ромка Прилукин сорвался с подоконника, плюхнулся животом на газон. Весело заматерился, демонстрируя, что с ним все в порядке. Мужики успели хохотнуть в ответ. И тут на Ромку полетел стеклопакет.

Андрей видел, как летит, казалось, медленно, плавно, словно лист картона. Но на самом деле падение заняло несколько мгновений — поднимавшегося Ромку никто не успел предупредить. Лишь бессвязные междометия: «О-о!.. Э!.. Ё-о-о!..»

Угол стеклопакета вошел ему в бедро, а потом завалился на спину, страшно выворачивая пробитую ногу.

Мужики попрыгали вниз, перетянули ногу ремнем, выдернули стеклопакет.

От бедра, казалось, ничего не осталось. Месиво. Но кровь не хлестала фонтаном, и Андрей увидел артерию — ярко-красную трубку, совсем какую-то отдельную от мяса.

Ромку погрузили на заднее сиденье машины бригадира, увезли в больницу. А спустя две недели он приковылял к ним на объект с палочкой.

Да, ему повезло — ни кость не была раздроблена, ни артерия перерублена. Врачи зашили порванные волокна, кожу.

А попади стеклопакет сантиметров на десять выше, вонзился бы в таз, еще на пять-семь — в позвоночник. И всё. Стал бы двадцатитрехлетний Ромка Прилукин инвалидом или вовсе лег бы в яму на тоскливом, в каменистой степи, кызылском кладбище.

После этого случая стали осторожней, но усталость притупляла реакцию, мешала сосредоточиться. А под конец лета и в сентябре работали часов по двенадцать-четырнадцать: город судорожно приводился в порядок к столетию присоединения Тувы к России. (Правда, в официальных речах вместо «присоединения» говорили «единение».)

Больше всего волнений доставил «Центр Азии». Еще в позапрошлом веке ученые вычислили, что географический центр этой части света находится в Урянхае. Не там, где сейчас стоит обелиск, а километрах в двадцати от него — обелиск поставили в Кызыле, на берегу Енисея для удобства. Сначала — крошечную каменную тумбочку, потом, в начале шестидесятых, — бетонный памятник с шаром, символизирующим планету, и высоким шпилем. К сорокалетию Советской Тувы бетон облицевали гранитными плитами, а весной две тысячи четырнадцатого обелиск снесли.

На словах сносить не хотели. Было обсуждение, целая дискуссия, что с ним — памятником работы известного в республике художника Василия Дёмина — делать. Решили перенести на другое место. Но демонтировать стали так, что он развалился — рухнул трехгранный шпиль, из-под гранита полезли штыри арматуры. Обелиск свалили, и несколько недель он лежал в траве. Потом куда-то вывезли, а на вопросы неравнодушных отвечали, что хранится, где надо, и, когда надо, будет отремонтирован и установлен или в парке Гастелло, или еще где-нибудь...

Новый памятник, огромный, дорогой, появился за считанные дни до празднования. Может, специально на последний момент оттянули, чтоб у людей не осталось времени возмущаться.

Впрочем, теперь возмущаться стало опасно. Слов о том, что сто лет назад о протекторате попросили лишь несколько сумонов, а значит, не вся будущая Тува, не весь народ, что условия протектората не соблюдались — край сразу стали превращать в часть Российской империи, что вообще стоило бы пересмотреть прошлое да и настоящее, — в этот раз, в отличие от прошлых юбилеев, не слышалось. За призывы отделить Туву могли и срок впаять — не девяностые годы, когда можно было говорить все что хочешь.

Наоборот, теперь тувинцы стали активнейшими патриотами России. Вроде чеченцев. По крайней мере внешне, в речах. Одним из самых громких — Бичелдей. Тот самый, что двадцать лет назад громче всех кричал о независимости Тувы, о русских оккупантах. Но поздно вечером ходить по Кызылу было все так же опасно, устроиться на работу нетувинцам — по-прежнему сложно.

Правда, имелись гастарбайтеры. В основном киргизы, очень на тувинцев похожие. Вот идет строительство, и рабочие вроде свои, но если копнуть...

Копать особого желания ни у кого не возникало, о национальности рабочих становилось известно благодаря случайностям, порой трагическим. Например, рухнула часть спешно возводящегося здания кадетского училища. Двое погибших. Сначала решили, что это тувинцы, а потом выяснилось — киргизы. Стали проверять другие стройки, и почти везде рабочими оказались граждане соседнего государства.

«Обалдеть, — негодовали люди, — у нас тут чуть ли не самый высокий уровень безработицы, а мы зарубежной силой пользуемся».

Фирме, в которой работал Андрей, приходилось биться за каждый республиканский заказ, отвоевывать у каких-то непонятных контор, о которых еще вчера в Туве никто ничего не слышал.

* * *

Длиннющая лестница. Топкин поднимался на несколько ступенек и передыхал. Воздух входил в легкие с усилием, крошечными хапками, сердце стучало с каким-то скрипом, ноги дрожали... То ли несколько дней одинокого пьянства, то ли месяцы двенадцатичасовых смен здорово шибанули по здоровью. А вероятней, и то и другое. И третье с четвертым. Нервов-то потратил в последнее время немерено. Может, и все выжглись, и теперь просто уже нечем нервничать, и он просто вспоминает. Вернее, перебирает свою жизнь, как не совсем свою. Какого-то очень близкого человека, которого наблюдает с рождения, каждый день видит, знает о нем все. Если всерьез поверить, что это его собственная, единственная жизнь, которая не повторится ни в каком виде, что все, что было, неисправимо, что большая часть этой жизни уже прошла, то можно вполне загреметь в дурку или повеситься от ужаса. Ведь лучше не будет, а по-настоящему хорошего, настоящего, важного случилось так мало. И вообще, вспомнить-то особенно нечего... Топкин где-то когда-то вычитал или услышал афоризм какого-то известного, долго и с приключениями прожившего человека: «В памяти остаются фрагменты жизни, а вокруг них — необоримый мрак».

— Эт точно, — вздохнул и продолжил медленно, по-стариковски, может, слегка играя в немощного, преодолевать ступени.

Наконец широкая площадка. Но это не вершина. Сакре-Кёр нависает прямо над головой, хотя до его основания еще метров тридцать.

Топкин отвернулся от собора и увидел город. Неожиданно плоский, словно придавленный к земле гигантской ладонью. Возвышались лишь Эйфелева башня и одинокий небоскреб. Самих зданий в темноте почти не было видно, но огни обозначали их высоту.

Ничего вроде бы интересного, такого, чего нет в других городах, кроме башни. Но сознание, что ты смотришь сверху не на что-нибудь, а на Париж, окрыляло, что ли. Возносило над теми миллиардами жителей планеты Земля, которые сейчас не здесь, не на этой площадке, не на этом холме под названием Монмартр.

И вместе с окрылением, почти со счастьем, когда хочется вскинуть руки и закричать что-нибудь нечленораздельное, но восторженное, победное, накатило другое чувство. Две волны столкнулись. И вторая оказалась сильнее, теплее... Вместо этого пейзажа перед глазами появился другой — в голове — и заслонил этот.

Представилось, как он, Андрей Топкин, въезжает в Туву по Усинскому тракту... Он въезжал так десятки раз зимой, летом, осенью, весной, но сейчас все эти разы слились в один.

Автобус или легковушка — разницы особой нет — поднимается на очередной перевал. Петли по крутому склону, внизу море лиственниц, сверху — тоже. Впереди извивается серая полоска дороги.

Вот вершина перевала. И здесь — граница Красноярского края и Тувы. Памятник, деревья в разноцветных ленточках... Но по природе еще незаметно, что начинается Тува. Всё те же лиственницы, ущелья, спуски, подъемы несколько километров. А потом — сначала на мгновение сквозь деревья и кусты — слева от дороги распахивается даль.

«Даль», говорят, исконно русское слово, но к пейзажу открывающейся Тувы оно подходит лучше всего. Это действительно даль... До самого горизонта — почти ровная степь, лишь кое-где поднимаются невысокие, похожие на пирамиды холмы. Это природные курганы. Дальше в степи есть и созданные людьми много тысяч лет назад. Лиственницы исчезают, вместо них — ковыль, перекати-поле, полынь, караганник. Деревья — тополя — иногда появляются в редких колках, но они такие хилые, что только усиливают впечатление безжизненности этих мест.

Две речки, узенькие, как ручьи, пересекают степь, и на обеих стоят села. На речке Туран — Туран, которое в советское время повысили до звания города, но лишь потому, что республике необходимо определенное количество городов, а на самом же деле это обычное одноэтажное деревянное село. На речке Уюк находится село Уюк. В нем в начале двадцатых жил, а скорее прятался Василий Янчевецкий, будущий писатель Василий Ян. Был писарем, учителем, собирался добраться через Туву и Монголию в Китай. Потом местные узнали, что он бывший колчаковский полковник, и решили его расстрелять. Чудом не расстреляли: спас уважаемый в Туве человек — Иннокентий Сафьянов. Ян уехал в Минусинск, а потом в Москву. Но несколько месяцев жизни в этом степном селе стали фундаментом его трилогии «Нашествие монголов».

Туран и Уюк — первые русские поселения в Урянхайском крае. Отсюда крестьяне-хлебопашцы шли дальше на юг, восток, запад. Одни гибли во время набегов урянхов, монголов, другие укреплялись, рубили избы, резали плугами, сохами целину... Теперь на карте Тувы почти нет русских — изначальных — названий сел и деревень: Знаменка, Огнёвка, Верхне-Никольское, Нижне-Никольское, Березовка, Бояровка, Алексеевка, Атамановка... Почти все переименованы, а некоторые исчезли...

Белоцарск тоже переименован — в Кызыл, с тюркского — Красный.

Он появляется неожиданно, когда уже не ожидаешь никакой жизни. Степь становится совершенно скудной, превращается почти в каменистую пустыню с горстками песчаной почвы, на которой кое-как держатся пучки ковыля. И вот — огни впереди и немного внизу.

Почему-то появление Кызыла вспоминается в сумерках, хотя давно уже дорога от Абакана и Минусинска до Кызыла занимает не целый день, а часов пять-шесть. А раньше выезжали рано утром, подъезжали уже почти ночью.

Полоса огней. Не такая, не бескрайняя, как здесь, в Париже, а узенькая, блеклая... За полосой снова холмы-курганы, гряды увалов почти на сотню километров. Дальше — почти сгоревший Балгазынский бор, рукав забравшейся так глубоко на юг тайги, а после — степь, степь и степь и на южной оконечности Тувы, и в Монголии, по которой в конце Гражданской войны бродили тысячи, как говорил красный партизан Сергей Кочетов, «наших противников, усталых русских людей», которым просто некуда было деться...

Енисей, вдоль которого и налепились огоньки, видишь не сразу. Крошечная ленточка воды. Но благодаря ей, этой живительной ленточке, и возник здесь город. Вернее, сначала поселок для российских чиновников, а уж затем — город. Пятьсот жителей, две тысячи жителей, десять, семьдесят, сто тысяч.

Один из них он — Андрей Топкин.

Те, кто появляются здесь впервые, говорят, что это какая-то провинция Китая, а никакая не Россия. Да, на улицах почти не услышишь русскую речь, не увидишь славянские лица. И природа вокруг нерусская — кольцо голых гор, слишком высокое небо, жалобные крики коршунов; летом — нерусская жарень, зимой — нерусский мороз. И Енисей не похож на русскую реку: он не задумчивый и широкий, а бурный, стиснутый скалами, сердитый, оскаленный.

Но что-то держит здесь русских. Немногих, остатки, но все же. Одних — денежная должность и грядущая солидная пенсия, других — тиски бедности, не дающие сдвинуться с места, а третьих — странная, необъяснимая сила. Может, любовь, неосознанная, противоестественная для европеоида...

И когда Топкин подъезжает к Кызылу, с вершины последнего перевала видит в сумерках полоску огней, в горле начинает кипеть. Не горьким, как бывает, когда обидят, а сладковатым, словно в предвкушении счастья.

Сейчас, глядя на лежащий под ним Париж, он наблюдал это сладковатое кипение. Но что вызвало его — панорама столицы мира или воспоминание об огоньках Кызыла, мечта о той минуте, когда снова увидит их, возвращаясь отсюда, — не мог понять.

* * *

В Сакре-Кёр безлюдно и тихо. Эта гулкая тишина... Смотреть, как и во всех протестантских и католических соборах, особо не на что.

Застыли статуи каких-то святых, горели плоские свечи, на скамьях порознь — две старухи. Кажется, дремлют.

Слегка согревшись, Топкин решил уходить, но не уходил. Мялся возле стендика с прикрепленными листами — объявления, расписания... Что там на улице, куда там? Спускаться обратно, плестись в отель...

Вбежал огромного роста, широченный, с бритой головой негр. В ручищах — букет роз. Протопал к статуе, видимо, Богоматери и рухнул на колени, от чего по собору прокатилось долгое эхо. Разбросал розы веером у ее ног, зарыдал, басом выхаркивая французские слова, сложил ладони-лопаты перед грудью...

Это было неожиданно, но так ненатурально, что Топкин стал искать камеру. Наверняка снимают любительский фильм про раскаявшегося этнического головореза. Не нашел. Сделалось неловко, и он вышел.

— Как знак какой-то, — бормотал, чтоб хоть как-нибудь объяснить себе увиденное. — Как знак... Да какой знак, кому? Я-то при чем?.. Действительно, завалил человека, а теперь прощения просит, боится, что поймают и посадят. Специально и время выбрал — почти ночь.

Прямо за Сакре-Кёр, он знал, начинаются неблагополучные кварталы эмигрантов, и потому пошел направо, отыскивая знаменитые кабачки Монмартра. Где-то они должны быть здесь, где-то здесь...

Поддувал ветер, и каждый порыв становился все более пронизывающим и сырым. Ветер нес новый заряд дождя. Вот-вот хлынет.

Захотелось теплого, горьковатого от старости вина. Топкин редко пил вино, но иногда возникала потребность, кровь просила себя зарядить. Крепкий алкоголь будоражил или усыплял мозг, а вино разгоняло кровь. Недаром вино ассоциируется с кровью, какие-то об этом даже пословицы есть.

Топкин попытался вспомнить, чтоб убедить себя, что вино действительно необходимо.

— Да необходимо, необходимо, — остановил смешную внутреннюю игру в убеждение. — Необходимо пропустить бокал сухого французского вина.

Темный переулочек вывел на ярко освещенную, словно обогретую этими огнями площадь. Первые этажи домов вокруг были заняты магазинами, забитыми магнитиками, кружками, майками с Эйфелевой башней, Моной Лизой... В центре площади росло несколько деревьев, под ними — скамейки, на которых сидели выпивающие и влюбленные. В одном из домов играл аккордеон.

Раньше ресторанчика Топкин нашел винный магазин и без долгого блуждания вдоль стеллажей выбрал бутылку мерло за шесть евро. Парень на кассе быстро понял его жест, вытянул штопором пробку. Понял и следующий жест — снял пробку со штопора и воткнул в горло бутылки.

— Мерси, — сказал Топкин с удовольствием.

Сел на край скамейки — рядом целовалась парочка, — сделал глоток. Вино было таким, какое хотелось, — комнатной температуры, слегка горьковатое, мягкое.

Он чуть не сказал «кайф», но в последний момент заменил его на «хорошо».

— Хорошо-о-о...

«Кайф» говорить было как-то неловко самому себе. Не подросток. Да и возможен ли настоящий кайф в сорок лет? Любое, даже самое приятное ощущение сразу отравляется гноем прошлых проблем, гадостей, обломов.

Вспомнилось, как он пил вино в прошлый раз. Это как раз совпало с последним общением с девушкой. Не с сексом, а именно общением.

Все шло к сексу. Девушка молодая, но явно опытная, смелая, боевая. Этакая усовершенствованная модель Женечки.

Женечка была создана в конце девяностых, а эта — в начале десятых, на пятнадцать лет позже. И в ней было меньше романтики, тяги куда-то мчаться, общаться круглые сутки, бесконечно впитывать окружающее. Но она, эта усовершенствованная по имени Тая, тоже много читала, училась хорошо и легко, была бодра и наверняка горяча во время совокуплений.

Топкин познакомился с ней в клубе «Горыныч», где отметил свое сорокалетие, а потом частенько бывал после отъезда жены и сына.

В «Горыныче» можно было отвязно, на всю катушку поплясать и не услышать неодобрительно-угрожающее «бухой орус бешаный» от трезвого пока что тувинца, пообщаться с незнакомыми, откровенно без кавалеров русскими девчонками, посмотреть легкий стриптиз... В «Горыныче» Топкин сбрасывал хоть часть того шлака, что нагорал на душе.

И вот появилась Тая — Таисья — двадцатилетняя третьекурсница кызылского госа.

«Юрфак, будущий прокурор», — представилась она, улыбаясь, как шоугерл.

«А не страшно это здесь афишировать? — спросил Андрей. — Может, я срочару получил по милости прокурора и вот откинулся наконец».

«Ты? — Она пригляделась и опять улыбнулась. — Не-ет, ты и в армии не был, и вообще — слегка, правда, побитый жизнью, но абсолютный кидалт».

«Кто?»

«Кидалт. Человек, который не хочет взрослеть».

Помнится, Андрей тогда очень возмутился, стал доказывать Тае и ее подруге, что он взрослый, абсолютно самостоятельный мужчина, работает монтажником конструкций ПВХ, ветеран в их бригаде... Хорошо, что вовремя остановился, завершил свое возмущение на шутливой ноте:

«Но если и кидалт, то очень латентный. Сам я своего кидалтства не ощущаю».

«Каждый мужчина латентный кидалт, — сказала Тая. — Знаешь афоризм?»

«Смотря какой». — Андрею нравилось, что она сразу перешла на «ты», без церемоний.

«В каждом мужчине скрывается маленький мальчик, а в каждой девочке — взрослая стерва», — и взглянула на него так, что он сразу понял: она не против общаться дальше. Такие взгляды ему посылали часто, но давно, лет в двадцать-тридцать, а теперь он их почти на себе не ловил.

Через два дня они сидели у него дома и пили вино.

Звучали песни из подборки в Таином «ВКонтакте» — большинство их Андрей никогда не слышал, но они ему нравились. Тая была одета в легкую, сползающую с плеч кофточку и тонкую юбку выше колен. Колготок на гладких розоватых ногах не было.

Зашла речь о свадьбах, и Тая рассказала, как ее подруга, странная и забавная своими странностями, познакомилась с парнем, через две недели они подали заявление, через месяц женились, а еще через две недели она снова побежала в загс требовать, чтобы ее развели.

«И представляешь, Игорь, ее муж, вообще не мог понять, что с ней, из-за чего. И она сама не могла объяснить...»

«Да, девушки любят разводиться», — вздохнул Андрей.

Тая взглянула на него с каким-то подозрением, что ли:

«Именно девушки?»

«По-моему, да».

И Андрей рассказал про своих трех жен, что они бросили его сами и по каким причинам.

«От второй бы я сбежал, если бы не изменилась, но все же терпел. А она не вытерпела меня таким, терпеливым, и ушла... Понимаешь, — стал рассуждать, — женщинам в конце концов становится скучно в нормальной семейной жизни. Им нужно страстей, а мужчинам — уже нет. Мужчинам нужен покой, размеренность. — Топкин отпил вина. — Ну вот что заставило Алинку, третью, взять и сорваться? И до такой степени, чтоб подать на развод... Не верю, что здесь стало невозможно из-за обстановки. Просто решила изменить жизнь, скучно стало».

Понимая, что девушке в тонкой юбке и с голыми коленями, сидящей в нескольких сантиметрах от него, на фиг не нужна сейчас никакая Алина, никакие его переживания, а нужно другое, Топкин все равно продолжал говорить: об истории Алининой семьи, с позапрошлого века жившей в Туве, о наезде на них и разорении, об их отъезде в Воронежскую область...

«И меня тянули. А я — не хочу. Я хочу здесь. Мне здесь нравится... А тебе нравится, Тай?»

Тая, видимо, забыв за время его длиннющего монолога, что может говорить сама, что этот стареющий юноша может ее о чем-нибудь спросить, вздрогнула:

«Мне?.. Да не особенно. Я ведь не местная».

«Я тоже не местный. Но живу».

«А я учусь. Сюда и поступить легче, и учиться, чем у нас в Новосибе. Снимаю однушку, до универа пять минут. Получу диплом — и прощай, Тувиндия».

Андрея защипала обида. Столько рассказывал, надеясь на сочувствие, а оказалось... Тувиндия...

«Ясно. Что ж, — еще глотнул вина, не предложив чокнуться, — будет, значит, у тебя такой штришок в биографии — Тува. А может, приедешь сюда в синей форме порядок наводить».

«Не дай бог! Здесь порядок уже наведен и чужие не нужны».

«Да ладно, посадишь одного-другого, а остальные зассут беспредельничать».

«Откровенного беспредела я не наблюдаю. Все более-менее... — Она раздумчиво покривила губы. — Я же говорю: здесь порядок, но свой. Наверное, и на Кавказе свой, на Дальнем Востоке свой».

«И с этим ничего не сделать, что ли?»

«Пока не знаю. Я пока учусь», — не сразу ответила Тая, и по этой паузе Топкин понял, что она не пустышка, еще покажет себя.

И в нем забурлило желание обнять ее, прижать к себя, а потом повести в соседнюю комнату, где стояла кровать. Нет, желание было и раньше, за этим и пригласил в гости, но после ее слов, совсем вроде бы не провоцирующих на секс, оно усилилось.

«Тая», — сказал он тихим голосом, положил руку ей на плечо.

Она чуть шевельнула им. Не сбрасывая, но и не поощряя на дальнейшее.

«Слушай, расскажи еще что-нибудь. Про себя, про Туву... Родители у тебя здесь?»

«Хм, вот дожился — девушке интересней меня послушать, чем... другое».

«Наверное, и другое будет. Но мне действительно интересно. Эти три жены, что ты здесь хочешь жить... Родители держат?»

«Родители давно в Эстонии. В девяносто третьем свалили. Теперь — полноправные жители Шенгена. Зовут к себе. Звали, вернее. Теперь уже бросили... А я, да — хочу здесь... Не могу объяснить... Вот я когда-то "Чевенгур" читал... он был модный очень в моей юности. Тогда вообще мода была на запрещенное раньше...»

«Это роман Платонова, если не ошибаюсь», — уточнила девушка.

«Угу. Читала?»

«Честно?.. Краткое содержание. Некогда все читать».

«Ну да, ну да... Но когда-то было время. Особенно если все вокруг читают, обсуждают, а ты молчишь. На тебя смотрят как на дебила...»

Тая покивала с улыбкой:

«У нас так на не читавших "Поттера" смотрели, потом — "Сумерек"».

«Ясно... А к чему я про "Чевенгур"?.. А, и там такое... такой кусочек про маленького зрителя, который живет в каждом человеке. Он типа наблюдает его жизнь, все видит, но не участвует. Его служба — быть свидетелем. Почти так именно, дословно... И я долго думал, что так и есть, что этот свидетель не участвует. А недавно понял: он-то и управляет человеком. Без слов, а так... По крайней мере мной. Я могу сколько угодно с собой спорить, убеждать себя, планировать то-сё, а он берет — и делает. Раньше, чем я сознаю, что это сделано... поступок совершен... А он — совершен. Этот маленький свидетель его совершил. Понимаешь? Извини, что я так коряво, но... А, Таисья?»

«Лучше все-таки Тая, — глядя на него пристально и как-то печально, отозвалась она. — Не вполне понимаю... Есть там внутри что-то, но оно мной не управляет. Иногда начинает пытаться, я его быстро к ногтю. Оно может всю жизнь в дерьмо-дерьмище во превратить, если волю дать».

Топкин повторил это глупое, бессильное «ну да, ну да». Подумал и сказал:

«Я не считаю, что моя жизнь дерьмо, но я не могу... Ты вот можешь управлять, а я, получается, нет».

«У каждого человека по-разному... Так, что ж... — Тая допила вино и взяла со стола сотовый. — Надо такси заказать. У тебя какой адрес?»

Топкин ее не удерживал. Уже садясь в машину, она сказала:

«Ты интересный. Необычный. Позвони мне, когда захочешь. Но, пожалуйста, не завтра».

Он кивнул.

Послезавтра не позвонил. Потом на работе началась очередная запарка. Потом забывал. Потом стал собираться в эту поездку. А сейчас жалел, что не закрепил эту девушку в своей жизни сексом.

Хотя бы единичным. Сейчас мог бы представлять ее грудь, ее бедра, промежность, какую-нибудь родинку, которая обычно спрятана под одеждой. И надеялся бы отпробовать снова. Жалел до ломоты в скулах, до скуления...

* * *

Брел вниз по склону с полупустой второй бутылкой. Пьяным не был, но и бодрости никакой. Хотя желание женщины росло, становилось непереносимым. Внутри дрожало и подпрыгивало, и за каждую проходящую мимо, даже за пожилую, взгляд цеплялся крюком. Приходилось отдирать с болью.

Вышел на бульвар, пересек его и повернул налево. В той стороне находилась его «Альтона».

Начались витрины каких-то секс-шопов. Топкин не заходил в них, удерживал себя, понимая, что живых там не найти, но секс-шопы дразнили кожаными купальниками, чулками, плетками, наручниками с перышками, туфлями на высоченных каблуках, розовыми, голубыми, фиолетовыми коробками.

На глаза попалась огромная красная надпись *"Sexodrome"*, и Топкин перешел почти на бег. С проституткой, убеждал себя, все равно сейчас не получится, только деньги на ветер.

Стойки строительных лесов прямо на тротуаре, оранжевые трубы для ссыпки мусора с верхних этажей, которые надо было обходить, лавировать, слегка отвлекли. Мысли снова потянулись из настоящего в прошлое. И на сей раз он с радостью туда окунулся. Этот кусочек прошлого был почти анекдотичным. Хоть улыбнуться, вспоминая...

С проституткой он был один раз. Ему везло на женщин, поэтому платить за секс считал уделом калек, дебилов, закомплексованных мальчиков. Но крутило любопытство — как это, взять незнакомую девушку и без всяких даже малейших подкатываний, даже не интересуясь ее именем, заняться с ней сексом.

Особенно тянуло попробовать во время поездок. В Таллине, Красноярске, Абакане. Но в Таллине и Красноярске Андрей бывал без ночевок, а в Абакане не задерживался.

Это случилось между двумя браками — с Ольгой развелся, а Женечку еще не встретил и считал себя свободным.

Гулял вечером по бульвару на проспекте Ленина, в самом центре города, увидел сидящую девушку. Как раз напротив гостиницы с логичным названием «Абакан», в которой он снял одноместный номер.

Девушка симпатичная и неплохо, хотя и без вызова, одетая поймала его взгляд, легко поднялась.

«Молодой человек, у вас есть свободное время?»

«Смотря в каком смысле», — наполняясь волнением и тревогой, ответил он.

«Могу помочь провести приятно ближайший час». — И она назвала сумму, вполне приемлемую, даже невысокую.

В гостиницах тогда еще по советским традициям бдительно следили, чтоб посторонних в номерах после одиннадцати вечера не оставалось. Но до одиннадцати времени было много, и Андрей без проблем провел ее мимо стойки администратора. Хотя и услышал, принимая ключ:

«Гости — до двадцати трех ноль-ноль».

«Я в курсе, — и Андрей добавил из-за какой-то потребности оправдаться: — Это моя одноклассница. Встретились... Поговорим».

Довольно еще молодая администраторша усмехнулась, давая понять, что не верит:

«Понятно-понятно».

Вошли в номер. Узкая кровать, маленький стол, один стул, тумбочка с телевизором... Девушка глянула на обстановку вскользь; Андрей догадался, что она ей отлично знакома.

«Я в душ не пойду, можно? Только что... Сколько будем? Час? Два?»

«Час...»

«Тогда деньги, пожалуйста».

Андрей дал ей деньги, девушка положила их в нагрудный карман куртки из искусственной кожи, застегнула карман «молнией» и стала раздеваться.

Все происходило так, как хотелось Андрею — ни завлекающей болтовни, ни как бы случайных прикосновений, ни уламываний, ни «как тебя зовут? а тебя?». Трахались молча. Правда, девушка сразу стала слишком громко стонать.

«Я, что ли, такой жеребец, — вбиваясь в нее, думал Андрей, — или она так от каждого возбуждается?»

Где-то он читал, что проститутки стараются сильно не распалять себя, часто имитируя страсть, оргазм: искренность, мол, быстро изнашивает, иссушает. И стонут, содрогаются специально, чтобы мужчина скорее кончил, отвалился, потерял к ним интерес. И тогда можно возвращать на себя одежду, идти дальше зарабатывать деньги.

И действительно, семя выплеснулось быстро. Андрей лег рядом с девушкой.

Когда она стягивала с его обмякающего члена презерватив, спросил:

«Почему стонала так? В натуре до того хорошо было?»

«Да вчера весь день с родаками на огороде впахивала. Пять грядок прополола, картошку тяпала... Все болит».

От такого признания Андрей захохотал. Проститутка испугалась, а потом, поджарая, голая, бесстыдная и одновременно какая-то чистая в этом бесстыдстве, захохотала тоже.

***

Последний перекресток перед отелем. Сложный, пересечение или начало нескольких улиц — вполне можно запутаться. Но Топкин знал, куда повернуть: вот за этот стоящий острым углом дом, и там, через десяток шагов, по левой стороне, синий козырек со словом *Hotel "Altona"*.

Поворачивать не хотелось. Повернешь в узкую темную расселину меж домами, и Париж пропадет. Провалится за спиной. А пока стоишь, он есть. Вокруг какая-никакая, но жизнь. Белые, красные, желтые, зеленые огни, шипение проезжающих по мокрому асфальту машин, редко, но все же появляющиеся люди... И Топкин стоял, посыпаемый мелкими каплями, время от времени вытирал лицо и глотал остатки вина из бутылки. Боялся уйти и словно ждал здесь чего-то.

И дождался — вместо очередной скособоченной, ссутулившейся от холода и сырости фигуры появилась высокая, прямая, сразу обращающая на себя внимание... Приблизилась, и Топкин увидел, что это молодая девушка. В том возрасте, когда дождь еще кажется романтичным, а холода не чувствуешь.

Она была в светлой расстегнутой ветровке, узкой черной мини-юбке, красных резиновых сапогах. Над головой — пестрый зонтик.

Шла странно, как бы пританцовывая, красиво помахивая свободной рукой. От ушей под ветровку тянулись проводки.

«А, под музыку», — понял Топкин причину ее странной походки.

Лицо интересное, но какое-то неправильное. Слишком узкий и длинный нос, слабые скулы, загнутые книзу углы глаз... Вообще, лица большинства французов казались ему странными, будто взятыми из сборников шаржей. Но в то же время привлекательными.

Проходя мимо, девушка с любопытством взглянула на Топкина. И Топкин сказал:

— Бонжур, мадмуазель!

Она остановилась, с готовностью выдернула наушники из ушей:

— Уи?

— Бонжур, мадмуазель! — повторил Топкин.

Девушка улыбнулась и ответила какими-то хорошими словами. Сделала шаг дальше...

— Подождите. Может быть, проведем время вместе?

Топкин был уверен: русская речь завлечет ее, а о смысле она догадается.

— У меня есть комната, в ней выпивка и еда. Пойдем?

— Куа? Жё нё компран па...

Выражение ее лица изменилось из-за желания понять, чего хочет этот человек, — стало еще привлекательней.

— Пойдем, пойдем ко мне, — говорил Топкин, уже физически ощущая гладкое теплое тело под ветровкой, юбкой, колготками. — Выпьем, полежим. Кровать широкая... Нам классно будет... чудесно, — и добавил вспомнившееся французское слово: — Лямур.

— Лямур? — девушка, соображая, нахмурилась. — Эскюзэ... Нё компран...

— Да ты понимаешь. Компран... Мы с тобой вдвоем... Помнишь, как у Миллера? Париж, секс... любовь.

Он схватил — легко, негрубо — ее предплечье. Не схватил, а обнял ладонью.

— А-ай! Кёс кё ву фэт?! — Девушка вскрикнула так громко, что ему померещилось — сюда уже бегут те солдаты с автоматами.

Топкин отпустил ее, и она, высокая, крупная, тугая, побежала по улице, что-то лепеча и, видимо, начиная плакать.

— Во, щас расскажет предкам или бойфренду, что ее чуть не изнасиловал какой-то пьяный мигрант. Психотравма у нее типа... К психологу станет ходить... Дурочка.

Пошел к «Альтоне». Заметил у одного фонаря несколько пустых бутылок. Допил вино и поставил свою бутылку рядом с ними.

— Спать, — сказал себе. — Завтра разберемся.

Еще на улице достал из кармана ключ. Сжал его как самое ценное. Гирька казалась слитком золота. Да, спать, задавить сном это возбуждение, эту звериную тягу быть рядом с другим существом...

По временам, и все реже и реже, к своему удивлению и иногда ужасу, Андрей осознавал, что почти не обращает внимания на мелочи и детали жизни. Она, жизнь, возвращается к нему по утрам вроде бы совершено такой же, как накануне. Андрей и не замечал ее, вставал, шел в туалет, чистил зубы, делал кофе или чай и продолжал двигаться по тому желобку, в какой его когда-то занесли обстоятельства.

Вот появилась Женечка, сильно стукнула о его желобок, и он стал ее мужем; стенки желобка слегка изменились — то ли расширились, то ли сузились. Вот Паха предложил стать установщиком окон, и он, комнатный мальчик, сделался установщиком окон, а когда ему скажут, что в нем больше нет нужды, станет кем-то другим. Может, кем-нибудь хорошо зарабатывающим, а может, бичарой. Обстоятельства определят ширину желобка, его направление.

Если в момент безысходности приедут родители и увезут его в Эстонию, он не пикнет: что ж, будущего здесь действительно нет, теперь он убедился. Так он скажет, наблюдая, как мама собирает его вещи, а папа ищет покупателей на квартиру. Но пока это самое будущее есть, он, Андрей Топкин, держится. Катится по привычному желобку, мало что замечая и на что обращая внимание.

Наверное, это самозащита, самосбережение — не обращать внимания на все подряд, не отмечать, не реагировать, не обдумывать. Это занятие детей, пока они вживаются в этот мир и свою собственную жизнь; может, еще стариков, которым вот-вот уходить из мира, заканчивать жизнь. Еще, наверно, смертельно больных, старающихся успеть увидеть, для чего-то запомнить как можно больше; скорее всего, смертельно больные — недавно молодые и крепкие люди, ставшие вдруг почти трупами, — и придумали тот свет, загробную жизнь, разные реинкарнации... Еще те, кого называют юродивыми, кажется, на все обращают внимание, реагируют, отмечают детали, крошечные изменения вокруг, вопят об этом и рвут на себе волосы. А нормальным, здоровым не стоит слишком пялиться по сторонам, созерцать и задумываться. Свихнешься.

И, понимая это не умом, а, видимо, душой, катясь равномерно по желобку год за годом, Андрей все же, случалось, вспоминал о разнообразии мира вокруг, мелочах, детальках, драгоценных песчинках, которые он не замечает, и ужасался. И, ужаснувшись, начинал присматриваться, нагибаться к земле, разглядывая цивилизацию муравьев в щелях асфальта или жучка, тянуться к какой-нибудь странной мошке, сидящей на листе...

Забываясь, он откровенно, прямо, затяжно смотрел на людей. В такие моменты он не делил их на симпотных крошек, с которыми можно неплохо покувыркаться, на красавиц, которых хорошо бы уложить в постель, на опасных чуваков, на парней, которые могли бы, наверное, стать ему приятелями, на калек, инвалидов, алкашей, измотанных теток, стариков, тувинцев и русских, на детишек, подростков и тех, кто переживает половое созревание, мучительное и сладостное... В моменты интереса к миру Андрей смотрел на людей, на каждого из них, как на чудо.

Впрочем, тогда он все воспринимал как чудо и часами просиживал в интернете, читая статьи о растениях, животных, о кораблях и произведениях искусства, памятниках, созданных природой, человеком, путешествовал по чуднейшим и загадочным местам планеты.

Египетские пирамиды, остров Пасхи, Исландия, пирамиды майя, Лхаса, Пальмира, Петра, пещера в Найке, Тадж-Махал, Стоунхендж...

Особенно впечатляли селения, монастыри на вершинах отвесных гор, на выступах скал. Фотографии с их изображениями Андрей разглядывал подолгу, подробно, представляя себя там, в этих селениях, монастырях. Как выходишь утром на порог домика, а перед тобой — пропасть. И дальше горы, горы, не похожие на их, тувинские — мощные, но посильные для восходителя, — а неприступные. И на их вершинах — тоже домики, церковь, даже крошечные огородики, яблоньки. Непонятно, каким образом первые жители затаскивали сюда строительный материал, вещи, еду, ягнят. Как возводили на этих кручах жилища, церкви, ограды...

И когда задумаешься, понимаешь: ведь не из-за тяги к экзотике, не из-за красот вокруг селились здесь люди. Их загнала на эти вершины и уступы угроза быть убитыми, истребленными.

Об этом как-то не особенно охотно говорят, видимо, чтобы не принижать человеческую природу, но одна из главных, а может, и главная, потребность людей — уничтожать друг друга. Скорее всего, первые люди были одиночками. Подобно орангутангам, только агрессивней. Бродили по своей территории и схватывались в смертельной драке с себе подобными. Самки колошматили самок, самцы — самцов и подрастающих детёнышей.

Чтобы не остаться в одиночестве и не погибнуть от хищников и голода, люди когда-то придумали племена, общины, потом народы и нации. А остальные по-прежнему — враги, когда откровенные, когда скрытые или ставшие на время по необходимости друзьями, чтобы воевать с более сильным врагом. Но ссоры между народами, в том числе и близкими, «братскими», происходят то и дело. Как и внутри самого народа. Ссорятся семьи, ссорятся особи внутри семей: отцы с детьми, братья с братьями, сёстры с сёстрами, мужья с жёнами. Мордобой, хватание за стулья, ножи, монтировки, уход членов семьи из дома...

Народы обычно ссорятся войнами.

Когда-то, в древности, войны были хоть и затяжными, но не очень кровопролитными и лютыми, женщин и детей нередко щадили, принимали в своё племя. Воевали из-за кусочков земли, из-за речки, удобного ущелья; убитых часто съедали. У многих племён и войны случались ради человечины.

А потом группы народов стала объединять религия. Или разделять. Религиозные войны оказались самыми безжалостными, на полное уничтожение. Одна из таких войн происходит сейчас в Ираке, в Сирии, где возникло это ИГИЛ* и захватывает город за городом, вырезая и расстреливая всех иноверцев. Поголовно. Кроме суннитов не уцелеть никому.

_____

* Запрещённая в России террористическая организация.

Есть еще гражданские войны. Самые, наверно, понятные, оправданные. Когда большинство людей осознает, что в их стране властвует несправедливость, что они работают лишь для того, чтоб верхушке жилось как можно слаще и жирнее, это большинство начинает роптать, а самые смелые берут в руки топоры, вилы, ружья, пулеметы...

По общему мнению, война — горе, трагедия, противоестественное явление. Но на самом-то деле люди заряжены на войну, убийство, уничтожение. Не только мужчины заряжены, но и женщины: с давних времен женщины определяют доблесть мужчины по количеству убитых им врагов ну или по победам в рыцарских турнирах, кулачных боях, разнообразных спортивных соревнованиях, которые придуманы, чтоб заменить войны.

Но заменить получается далеко не всегда. Воевали повсюду и во все времена. И в дебрях Древней Руси, когда поляне рубились с древлянами, и на тесном острове Пасхи, где длинноухие месились с короткоухими. Один край деревни десятилетиями дрался с другим, одна семья из поколения в поколение враждовала с соседней. Так было и есть в Европе, Азии, обеих Америках, Африке... И далеко не всегда из-за земли, еды, веры. То есть это поводы, а причины — в инстинкте убивать.

И, глядя с последнего перевала на полоску домов вдоль ленточки Енисея, Андрей недоумевал и поражался, где же происходили и происходят все те убийства, ранения, драки, о которых он знал. Ведь население Кызыла до недавних пор можно было легко рассадить на трибунах стадиона «Лужники».

Рассадить, пригласить какого-нибудь суперпроповедника и объяснить, загипнотизировать, дать установку на то, чтобы жены не сверлили мозг мужьям, мужья любили и берегли жен, свекры не гнобили снох, тести не презирали зятьев, парни не били рожи друг другу, школьники не чмырили слабых, девушки не плескали кислоту на соперниц. И так далее, так далее, так далее.

Внушить, что каждый человек — действительно чудо. Каждый способен на огромные достижения, каждый — источник счастья. Каждого надо беречь и давать ему возможность это счастье дарить окружающим.

Но понятно, что любая проповедь, самый крепкий гипноз — бессильны. Природу человека не изменить.

* * *

Долго и бестолково искал зарядку для телефона. Она была где-то здесь, в номере, но сейчас, в таком состоянии, он не мог найти. Паспорт — тоже.

«В сумке, — чувствуя, что мозг вот-вот окончательно заклинит, остановил себя Топкин. — Надо поспать... Проспаться».

Лег на кровать, привалил себя одеялом — и сразу стало тепло и сухо, и он увидел свою квартиру в то время, когда там еще были Даня, жена, были вещи, которые потом исчезли. Был запах семьи.

«Давай на Сватиково съездим, — предложил он недели через две после своего дня рождения, того, что отмечали в "Горыныче". — Погода само то — не жарит».

Алинка поморщилась. С тех пор как переезд стал делом решенным, она морщилась почти на каждое его предложение. Ей все не нравилось здесь, все стало противно, казалось опасным.

Без родителей, брата, которые находились уже в Боброве, она, как сама говорила, чувствовала себя заложницей. Единственное, что связывало ее с Кызылом, — сестра. С ней Алинка встречалась или созванивалась каждый день.

«Не хочешь, — Андрей сделал голос жестким, — вдвоем с Даней поеду. Пацан, может, никогда больше сюда не вернется и ничего о Туве помнить не будет, не увидит».

«Нет уж, его одного я не отпущу».

«Не одного, а со мной».

Алинка посмотрела на него так, как смотрела Ольга после их расставания. Как на что-то ничтожное, достойное лишь сожаления. Андрей отвернулся, чтоб не видеть этот взгляд.

«Слушай, палку не перегибай. Может сломаться, и такой треск пойдет. Я ведь не полностью плюшевый. В курсе?»

«В курсе, в курсе. — Она усмехнулась, но интонация стала добрее. — Поехали вместе. На день».

«Нет, с ночевкой».

«Блин, ты представляешь, как это — ночевать там? И где? У нас ни палатки, ничего... И... — Ее словно осенило новой преградой. — Как мы дотуда вообще доедем?»

«Я решу эти проблемы».

Андрей услышал, что говорит, как крепкий мужик, глава семейства, но для такого тона ему нужно было прикладывать усилия, а настоящие крепкие говорят так естественно, не замечая этого.

Набрал Игоря Валеева и попросил в ближайшую субботу утром забросить их на Сватиково, а в воскресенье вечером забрать. Тот согласился.

«Слушай, а палатка у тебя есть? Котелок там, мангал...»

«Да все есть, — вроде с обидой, что Андрей мог усомниться в их наличии, ответил Игорь и тут же, другим голосом, добавил: — Не знаю, правда, в каком состоянии. Лет пять... да больше... никуда не выезжали. Приходи вечером, покопаемся в гараже, поглядим».

Мангал оказался заржавевшим, и его удалось собрать кое-как, котелок в какой-то патине, палатка подгнила, сыпалась — «сырую, что ли, свернули тогда».

«А на фига вам палатка на Сватикове? — спросил Игорь. — Там сейчас в пансионатах номера сдают. Найди в инете телефоны, забронируй. Рублей по триста место. Кровати, свет, газ!»

«Нет, я хочу в палатке. Данька чтоб запомнил. Да и сам ни разу...»

«Да ладно! Ни разу?»

«Ну, родителям как-то не до этого было, не до походов... После выпускного собирались в Верховьё забраться всем классом, но отменили: как раз эти напряги национальные начались... Палатку надо».

Договорились, что Игорь положит в багажник котелок, железный чайник, мангал, возьмет дров на даче.

«А с палаткой я решу что-нибудь, — пообещал Андрей вслух, но себе самому. — Найду».

Обзванивать остальных приятелей не хотелось: казалось, что после парочки неудач желание поехать исчезнет и он скажет жене — ладно, не поедем, хрен с ним...

Пошел в магазин.

Палаток была уйма. Консультант — молодой тувинец, прекрасно говорящий по-русски, даже с неким американским акцентиком, — подробно и вкусно рассказал о достоинствах каждой.

Андрея поразили такие — раскрываются, как только вынимаешь их из круглого плоского чехла. На каком-то гибком каркасе.

«Трехместные есть?»

«Вот, пожалуйста». — Парень провел рукой по висящим чехлам-дискам.

«А они как-то закрепляются? Вдруг ветер...»

«Конечно! Внизу есть ячейки, в которые вставляются колышки алюминия. Вот здесь... Этот тип палаток разработан специально для альпинистов. Они берут две-три палатки и перед ночевкой открывают одну. Устанавливают, а утром идут дальше, оставляя эту, не тратя времени на укладывание. На обратном пути...»

«Понятно-понятно, — слишком подробное объяснение стало Андрею надоедать, — беру трехместную. И три коврика. Они, кажется, пенки называются».

Консультант снисходительно улыбнулся:

«Можно и так... Рекомендую еще туалет. — Он указал на синий брезентовый чумчик. — Выкапываете углубление и устанавливаете сверху. Быстро, удобно и цивилизованно».

Андрей подумал и кивнул:

«Давайте».

Игорь заехал в восемь утра, и они, суетясь, путаясь с непривычки в вещах, нервничая, загрузились. Алинка заняла переднее сиденье, а Андрей с Даней — заднее.

Сын был невыспавшийся и капризный, но в машине быстро оживился, с интересом смотрел в окна на начавшуюся сразу за Кызылом увалистую степь. За городом он бывал совсем маленьким — пока Шаталовых еще не обварила та история со свиньями, они выезжали по грибы и ягоды, — и помнить эти поездки не мог. Для него дикой природой служили лишь короткий пустырь между Кызылом и Каа-Хемом и окружающие город, но недоступные, почти нереальные, словно фотообои, горы.

«А это кто там стоит?» — спросил Даня, тыча пальцем влево.

На вершине одного из увалов была скульптура арата с раскинутыми в стороны руками.

«Это памятник чабану, — ответил Андрей, — пастуху овец».

«А-а. А зачем?»

«Ну так... Он ведь трудится. За его труд и поставили».

Алина отреагировала на это объяснение саркастическим вздохом.

Игорь был молчалив, хмур, гнал довольно быстро. Андрей догадывался, что причиной хмурости была не его просьба отвезти на озеро, но расспрашивать не стал. «Семейное что-нибудь... Жена тоже... не сахар».

«На источник-то заскочим? — неожиданно вклинился в эти мысли вопрос Игоря. — Железной воды глотнем».

«Давай-давай».

Свернули, мощная «тойота» закачалась на кочковатом проселке.

«Какой железной воды?» — Сын стал дергать Андрея за рукав.

«Такой... целебной. От нее животик не болит».

«Если немного выпить, — уточнила Алинка. — А если много — какать будешь этой водичкой».

Андрей пытался найти в голосе жены издевку, но она говорила, кажется, доброжелательно. Просто предупреждала сына, чтоб не надулся этой водой. Но Андрей уже привык к ее раздражению, оно мерещилось в каждой ее фразе.

«Когда-то геологи скважину пробурили, чтоб сделать колодец, — рассказывал Игорь Дане, — а оттуда ка-ак брызнет! Метров на десять вверх столб воды. Скважину забили, но не до конца — все равно плещется. Так вот целебный источник появился — аржаан — и новая речка».

Даня слушал внимательно, расширившимися глазами смотрел на трубу со стекающей по краям стальной пробки водой, на ручей с рыжим дном, петляющий меж песчаными, с редкими пучками ковыля и кустиками караганника бугорками и холмишками. А Андрей смотрел на сына и жалел, как мало они с Алиной давали ему нового, важного в последние три года, занятые своими проблемами.

Вода Дане не понравилась — «тухлая!» — а взрослые с удовольствием выпили по кружке.

«Ну, теперь на Сватиково!» — бодро, словно сам ехал отдыхать, объявил Игорь.

Дорога была прямая и гладкая — федеральная трасса «Красноярск — Госграница», — но однообразная. Пологие подъемы и спуски, подъемы и спуски, а по сторонам — степь, степь. Зеленовато-желтая, с редкими темными пятнами от облаков.

«Раньше, помню, здесь поля были пшеничные, — сказала задумчиво Алинка. — Ездили мимо них во Владимировку. Не знаю, какой урожай был, но уже в июне колосья серые стояли».

«Да никакого не было, — сказал Игорь. — Скоту на подстилку шло».

«А теперь вон деревья. Что это за деревья, интересно...»

Действительно, кое-где росли небольшие деревья с прямыми короткими стволами и овальными, слегка приплюснутыми сверху кронами. И степь с ними стала напоминать саванну из учебника географии.

«Это ильм, — ответил Игорь, — вяз по-другому... Он и в Кызыле повсюду».

Андрей не поверил:

«Да ладно, вяз! Он разве может в таких условиях?»

«Ну видишь — может. Вяз, вяз, я сам проверял как-то... Ходил специально».

«М-да. — Андрей вздохнул. — Может, и леса дождемся».

И получил от жены жесткое:

«Мы — не дождемся».

Сделал вид, что не услышал, сказал Дане:

«Если по этой дороге дальше ехать, на юг, будет большой сосновый лес, где много-много грибов. Ты там тоже был, но маленьким... А еще дальше будет тайга, горы высокие, а потом степь, и в ней — верблюды. Я один раз дотуда доезжал. С твоим дедушкой, маминым папой... А еще дальше — другая страна, Монголия».

«Хочу верблюдов, — сказал Даня. — Посмотреть хочу».

«Эт далеко, брат. Мы лучше сейчас на озере поживем. Там вода тё-оплая, можно купаться сколько хочешь».

Алинка дернулась на переднем сиденье, и Андрей поправился:

«Ну не совсем, ясно, сколько захочешь. Если сильно много — сердечко начнет сильно стучать... Нормально, в общем, в меру. Вот, — увидел своро-ток, — уже скоро».

Съехали на проселок. Местами плотный, укатанный, но чаще песчаный, и тогда «тойота» шла с натугой.

«Слыхали, собираются до самого Сватикова асфальт протянуть? — сказал Игорь. — Южнее уже щебень завозят».

Испуганный голос Алинки:

«Да ты что?! Это ж все туда ломанутся — на спинах озеро вынесут».

«Ну зато лет пятнадцать бизнец попроцвета-ет». — Игорь то ли оговорился, то ли специально произнес «ц»; Алинка с готовностью подхватила:

«Вот именно — бизне-ц. Не будет тут ничего процветать. Пустая земля. Урянхай, одним словом».

«Для одних — пустая земля, а для других — кормушка бездонная... Кстати! — вспомнив что-то, Игорь хохотнул. — Наши ученые, знаете, что объявили?»

«Какие — наши?»

«Ну местные... Что "Урянхай" — это не "земля оборванцев", а "светоносный". М-м?.. Вот так-то! И корень типа один с египетским "Ра", славянским "Ярило"».

«О господи! Все ничтожества пытаются сделать именно себя центром вселенной. Чем мельче народец, тем больше замашки. Может, вообще египтяне отсюда на Нил пришли? Про это ученые не додумались?..»

«Почти. Говорят еще, что тувинцы — это старшие братья монголов. "Уран ахе" — это типа "старший брат" по-монгольски».

Андрей не встревал: у него было хорошее, легкое состояние, а предстоящие два дня и ночь на берегу с палаткой, костром только добавляли чего-то не просто радостного, а возвышающего, и не хотелось участием в таком разговоре это состояние портить. Ждал, когда слева появится озеро и Даня обязательно крикнет: «Вот! Приехали!» А он ответит: «Не совсем. Это Хадын. А мы едем на другое — на Сватиково. По-тувински — Дус-Холь. Сейчас оно за горкой появится».

Так и получилось. И вскрик сына, и ответ Андрея.

«А что такое Дус-Хой?»

«Дус-Холь — соленое озеро в переводе. "Холь" — это "озеро". Есть Тере-Холь, например. На нем остров, а на острове — крепость древняя. Туда президент приезжал, Путин».

Андрей снова ждал, что Алинка начнет вздыхать, требовать, чтоб не морочил сыну голову. Или вспомнит про Сут-Холь, где в девяностом году убили русских рыбаков, и с этого начался открытый межнациональный конфликт, потек за Саяны поток переселенцев.

Но Алинка молчала. И он замолчал.

«Тойота» преодолела последний подъем, и открылось Сватиково — маленький овалец воды в чаше посреди голой, особенно безжизненной здесь степи. Песок скован солью, растеньица вокруг в основном не зеленые и не желтые, а красноватые. Лишь на противоположном от дороги берегу возвышаются две-три ивы да заросли акации, а слева, но метрах в ста от озера, растет несколько тополей. И то ли уродуют, то ли оживляют — решить для себя сложно — часть побережья вытянутые одноэтажки пансионатов, цистерны-душевые на столбах, разноцветные палатки и ряды машин.

«Где якорь бросите?» — спросил Игорь.

«Возле пальм, естественно».

Пальмами называли те самые ивы.

Выбрали ровный пятачок в стороне от палаточного городка, и Андрей распустил молнию на чехле. Движением фокусника выдернул диск из ткани и гибких пластинок и отпустил, слегка подбросив. Диск в воздухе превратился в палатку — Алинка восторженно взвизгнула, — и жилище плавно опустилось на склеенный солью песок.

«Вау! — произнес Игорь. — Где нарыл?»

Говорить, что купил, было опасно: жена начнет расспрашивать о цене, качать головой, мол, и так с деньгами не очень.

«Одолжили добрые люди, — сказал Андрей. — Потом могу дать координаты».

Игорь покряхтел в ответ. А Андрей, втыкая в хрусткий песок штыри, болтал радостно и деловито:

«Новые технологии. Никаких растяжек веревочных. Укрепил дно — и живи. Специально для альпинистов...»

С какой-то мудрой печалью покрикивали коршуны, зато большие серые чайки с желтыми клювами и злыми глазами áкали нагло, низко пикировали над водой, будто пытались выдернуть из нее рыбу, которая если и водилась в этих местах, то миллионы лет назад, во времена древнего моря.

Было зябковато — небо затянуто хмарью, которую не заползшее пока к зениту солнце пробить не могло. Наверное, от этой зябкости хотелось шевелиться, что-нибудь делать.

Быстро разгрузили багажник, стали обустраивать лагерь. Даня трогал каждую вещь и спрашивал: «Куда это? А это?.. А это для чего?»

Обычно вяловатый и полусонный, сейчас он стал деятельным, почти взрослым.

«Эх, как хочется с вами остаться», — сказал Игорь Валеев.

«Так оставайся. Сейчас шашлычкевича замутим».

«Не могу... В двенадцать совещание».

«Так сегодня выходной!»

«У нас выходной — абстракция. — И Игорь добавил почти шепотом: — Скорей бы на пенсию».

«А сколько осталось?»

«Три года. Два года и восемь месяцев... Ну, счастливо. Завтра, значит, часиков в семь подскочу за вами».

«Да. — Андрей почувствовал к Игорю жалость, словно тот медленно умирал. — Может, завтра посидим у кастрика. Искупнёшься».

«Может...»

Алинка с увлечением оборудовала кухоньку возле палатки, Даня осколком кирпича глубже вбивал штыри. А Андрей стал готовить туалет.

Обнаружил, что никакой лопатки они не взяли, но быстро вышел из положения — подобрал кусок камня-плитняка и вырыл узкую, но довольно глубокую яму. Положил по ее краям два плоских полешка, на которые будут вставать ногами.

«Белка! Белка!» — крик Дани.

Андрей присмотрелся.

«Это не белка. Суслик. Он в степи живет, в норах».

Суслик стоял на задних лапах метрах в пяти и разглядывал их. Потом опустился, стал рвать передними лапками сухую траву. Когда набрал пучок, зажал его зубами и побежал куда-то.

«Видишь, — сказал Андрей, — у всех есть дела».

Солнце прокололо хмарь лучами и начало припекать.

«Ну что, шашлыки или купаться?»

Даня тут же стал стягивать кофточку:

«Купаться!»

Вода у поверхности была прохладной — остыла за ночь, а глубже — ласковой, как теплое масло.

«Даня, — предупредил Андрей, — только ты не ныряй. Понял? А то глазам станет больно. Вода здесь... очень целебная вода».

Жена, казавшаяся грузноватой в джинсах и кофте, в тонком черном купальнике была легкой и почти стройной. Андрей залюбовался... Войдя в озеро по пояс, она тихо захихикала, часто переступая ногами.

«Что, щиплется?»

Алинка как-то по-девчачьи закивала и успокоила:

«Ничего, сейчас пройдет».

«Пап! — истошно взвизгнул Даня. — Тут черви!» — ринулся на берег.

Андрей с Алинкой стали хохотать:

«Черви! Это добрые рачки, они делают озеро целебным. Они людей лечат!»

Андрей зачерпнул воду обеими руками:

«Иди сюда».

В пригоршне, как в бассейне, плавало несколько красных рачков-артемий.

«Смотри, какие у них глазки черные. А вон ручками они отталкиваются. Ручки-жабры такие... Они очень добрые, любят играть. Поиграй с ними».

Даня стал играть. Андрей огляделся. Медленно, созерцающе... Пологие склоны вокруг озера, салатово-желтые, а у воды местами красноватые из-за странной, напоминающей кораллы травы, и там тонкоголосо повторяет какая-то птичка — «куик, куик»; синяя, словно нарисованная на горизонте, стена Танну-Ола; светло-голубое, почти белое небо... Зацепил глазами солнце и ослеп.

Проморгался. Жена лежала на воде. Подошел, лег рядом. Взял ее за руку. Попросил тихо:

«Давай не уедем».

Ответа не было долго, Андрей подумал, что Алинка уснула, не услышала его слова, важные, давно просившие, чтоб их сказали.

Но она не спала.

«Уедем, Андрей. Мы ведь решили».

«Кто — мы? Я ничего еще не решил».

«Можно не будем сейчас. Потом...»

Андрей отпустил ее руку, слегка шевельнулся и медленно стал отплывать. Закрыл глаза. На несколько секунд ощутил небывалый, абсолютный покой, а потом сердце затрепыхалось, стало долбить по ребрам как кулак.

***

Долбили. Топкин распахнул глаза, подскочил, заметался. Понял, что долбят в дверь. Со всей мочи.

Открыл.

— Фуф! — На пороге — та девушка, что встречала их в аэропорту. — Живой хоть... — Но облегчение и радость сразу сменились возмущением: — Как так можно?! Автобус десять минут перестоял. Собирайтесь живо! Ведь штраф же будет!

— Уже всё?

— В смысле? Тур? Конечно! Самолет через два часа... Ну и вонина! Вы что, пили тут все это время?.. Я ведь вчера всем эсэмэс разослала со временем выхода из отелей. — И чуть не зарыдала, глядя на стоявшего столбом Топкина. — Собира-айтесь же!

Топкин сбрасывал в сумку попадавшееся на глаза. Потом вспомнил про загран, судорожно перерыл вещи и нашел. Заграна показалось достаточно, и, не проверяя, осталось ли в номере что-то нужное, он побежал вниз по лестнице.

Выскочил под дождь... Прыгнул в автобус и обжегся колючим шипением заждавшихся пассажиров. Пора было возвращаться домой.

Литературно-художественное издание

Сенчин Роман Валерьевич

ДОЖДЬ В ПАРИЖЕ

Роман

16 +

Главный редактор *Елена Шубина*
Художник *Владимир Мачинский*
Выпускающий редактор *Полина Митлошук*
Литературный редактор *Анна Воздвиженская*
Корректоры *Мария Музыка, Надежда Власенко*
Компьютерная верстка *Елены Илюшиной*

 http://facebook.com/shubinabooks

 http://vk.com/shubinabooks

Общероссийский классификатор продукции
ОК-005-93, том 2; 953000 — книги, брошюры.

Подписано в печать 07.03.18. Формат 84х108/32.
Усл. печ. л. 21,84. Тираж 3 500 экз. Заказ №2516.

ООО «Издательство АСТ»
129085, г. Москва, Звездный бульвар, д. 21, стр. 1, комн. 39
Наш электронный адрес: www.ast.ru
E-mail: astpub@aha.ru

«Баспа Аста» деген ООО
129085 г. Мәскеу, жұлдызды гүлзар, д. 21, 1 құрылым, 39 бөлме
Біздің электрондық мекенжайымыз: www.ast.ru
E-mail: astpub@aha.ru

Қазақстан Республикасында дистрибьютор және өнім бойынша арыз-талаптарды
қабылдаушының өкілі «РДЦ-Алматы» ЖШС, Алматы к., Домбровский көш., 3«а»,
литер Б, офис 1.
Тел.: +7 (727) 251 5989, 90, 91, 92, факс: +7 (727) 251 5812, доб. 107
E-mail: RDC-Almaty@eksmo.kz
Өнімнің жарамдылық мерзімі шектелмеген

Отпечатано с готовых файлов заказчика
в АО «Первая Образцовая типография»,
филиал «УЛЬЯНОВСКИЙ ДОМ ПЕЧАТИ»
432980, г. Ульяновск, ул. Гончарова, 14

Роман Сенчин

СРЫВ

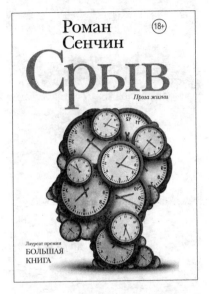

Роман Сенчин — прозаик, автор романов «Елтышевы», «Зона затопления», «Информация», многих сборников короткой прозы. Лауреат премий «Большая книга», «Ясная Поляна», финалист премий «Русский Букер», «Национальный бестселлер».

Слом, сбой в «системе жизни» случается в каждой истории, вошедшей в новую книгу Романа Сенчина. Остросоциальный роман «Елтышевы» о распаде семьи признан одним из самых важных высказываний в прозе последнего десятилетия. В повестях и рассказах цикла «Срыв» жизнь героев делится на до и после, реальность предлагает пройти испытания, которые обнажат темные стороны человеческой души и заставят взглянуть по-другому на мир и на себя. Но даже в кажущейся стихии беспросветности можно отыскать свет. Главное, оставаться способным его воспринимать. Сенчин тестирует читателя на эту способность.

Роман Сенчин

ЗОНА ЗАТОПЛЕНИЯ

У Романа Сенчина репутация автора, который мастерски ставит острые социальные вопросы и обладает своим ярко выраженным стилем. Лауреат и финалист премий «Большая книга», «Русский Букер», «Национальный бестселлер», «Ясная Поляна». В романе «Зона затопления» жителей старинных сибирских деревень в спешном порядке переселяют в город — на этом месте будет Богучанская ГЭС. Автор не боится параллели с «Прощанием с Матерой» — посвящение Валентину Распутину открывает роман. Люди «зоны» — среди них и потомственные крестьяне, и высланные в сталинские времена, обретшие здесь малую родину, — протестуют, бунтуют или смиряются. Два мира: уходящая под воду Атлантида народной жизни и бездушная машина новой бюрократии...

Сергей Шаргунов

СВОИ

Сергей Шаргунов — писатель, автор биографии В.П. Катаева в серии «ЖЗЛ», романов «1993», «Книга без фотографий», «Ура!», «Малыш наказан», «Птичий грипп». Лауреат премии «Большая книга», финалист премии «Национальный бестселлер».

Новый сборник «Свои» — это проза очень личная. О родных, о любви, о памяти. Свои — образы, мысли, люди. Знаменитые предки автора и его маленький сын. Статист из телевизионной массовки и одиночка, стерегущий в тайге взлетную полосу. И даже наглый депутат-толстяк и робкая северокорейская официантка. Все — свои. Потому что всех жалко.

Сергей Кузнецов умеет чувствовать время и людей в нем, связывая воедино жизни разных персонажей. Герои его нового романа «Учитель Дымов», члены одной семьи, делают разный жизненный выбор: естественные науки, йога, журналистика, преподавание. Но что-то объединяет их всех. Женщина, которая их любит? Или страна, где им выпало жить на фоне сменяющихся эпох?

«Роман о призвании, о следовании зову сердца. О жизни частного человека, меняющего мир малыми делами, который не хочет быть втянутым в грубую государственную игру. О мечте. О любви, которая бывает только одна в жизни. О родителях, ценность которых люди осознают, только когда они уходят».

Сергей Кузнецов